MOSCA-VAREJEIRA

FSC
Fontes Mistas
Grupo de produto proveniente de florestas bem manejadas e outras fontes controladas
Cód. SW - COC - 1662
www.fsc.org

GREENPEACE

A marca FSC é a garantia de que a madeira utilizada na fabricação do papel interno deste livro provém de florestas de origem controlada e que foram gerenciadas de maneira ambientalmente correta, socialmente justa e economicamente viável.

O Greenpeace — entidade ambientalista sem fins lucrativos —, em sua campanha pela proteção das florestas no mundo todo, recomenda às editoras e autores que utilizem papel certificado pelo FSC.

PATRICIA D. CORNWELL

MOSCA-VAREJEIRA

Tradução:
ALVARO HATTNHER

COMPANHIA DAS LETRAS

Título original:
Blow fly

Projeto gráfico de capa:
João Baptista da Costa Aguiar

Foto de capa:
Cris Bierrenbach

Preparação:
Otacílio Nunes

Revisão:
Ana Maria Barbosa
Cecília Ramos

Dados Internacionais de Catalogação na Publicação (CIP)
(Câmara Brasileira do Livro, SP, Brasil)

Cornwell, Patricia D.
Mosca-varejeira / Patricia D. Cornwell ; tradução Alvaro Hattnher. — São Paulo: Companhia das Letras, 2006.

Título original: Blow fly
ISBN 85-359-0825-0

1. Ficção policial e de mistério (Literatura norte-americana) I. Título.

06-2604 CDD-813.0872

Índice para catálogo sistemático:
1. Ficção policial e de mistério : Literatura norte-americana 813.0872

2006

EDITORA SCHWARCZ LTDA.
Rua Bandeira Paulista, 702, cj. 32
04532-002 — São Paulo — SP
Telefone: (11) 3707-3500
Fax: (11) 3707-3501
www.companhiadasletras.com.br

Para o dr. Louis Cataldie,
Coroner *de East Baton Rouge Parish,*
Um homem virtuoso, honrado, humano e verdadeiro
— Graças ao senhor, o mundo é um lugar melhor.

Um e outro jazem no pó, ambos cobertos de vermes.

Jó 21:26

1

A dra. Kay Scarpetta aproxima o pequeno frasco da vela acesa, iluminando uma larva que bóia em uma solução venenosa de etanol.

De imediato ela percebe o estágio exato de metamorfose daquela carcaça cremosa, do tamanho de um grão de arroz, antes que fosse preservada em um frasco de amostra com uma tampa preta de rosca. Se a larva tivesse sobrevivido, teria se transformado em uma *Calliphora vicina* azul, uma mosca-varejeira. Poderia ter colocado seus ovos na boca ou nos olhos de um cadáver humano, ou nas feridas fétidas de uma pessoa viva.

"Muito obrigada", diz Scarpetta, seu olhar percorrendo a mesa onde estavam reunidos os catorze policiais e técnicos de cena de crime da turma de 2003 da Academia Nacional de Medicina Legal. Os olhos demoraram-se um pouco mais sobre o rosto inocente de Nic Robillard. "Não sei quem coletou isto aqui em algum lugar que seria preferível não descrever à mesa do jantar, e guardou pensando em mim... mas..."

Olhares vazios e ombros encolhidos.

"Tenho que dizer que esta é a primeira vez que ganho uma larva de presente."

Ninguém assumiu a responsabilidade, mas se existe algo de que Scarpetta nunca duvidou é da capacidade de um policial para blefar e, quando necessário, mentir completamente. Por ter reparado que o canto da boca de Nic Robillard estava torcido antes que qualquer outra pessoa tivesse percebido que uma larva havia se juntado a eles para o jantar, Scarpetta tinha um suspeito em mente.

A luz da chama move-se ao redor do frasco entre a ponta dos dedos de Scarpetta, as unhas bem aparadas e curtas, a mão firme e elegante, mas forte por ter passado anos manuseando os relutantes cadáveres, cortando-lhes os tecidos e ossos teimosos.

Para azar de Nic, seus colegas de classe não estão rindo, e a humilhação se abate sobre ela como uma onda fria. Depois de dez semanas com policiais que agora consideraria seus amigos e colegas de trabalho, ela ainda é Nic, a caipirinha de Zachary, Louisiana, uma cidade de mil e duzentos habitantes onde até recentemente assassinato era uma atrocidade quase desconhecida. Não era algo incomum Zachary passar anos sem um crime desse tipo.

A maioria dos colegas de classe de Nic é tão calejada no trabalho com homicídios que criou suas próprias categorias para eles: assassinatos reais, assassinatos menores, até mesmo renovação urbana. Nic não tem suas próprias categorias. Assassinato é assassinato. Até agora, em seus oitos anos de carreira, ela trabalhou em apenas dois, ambos relacionados a tiroteios domésticos. Foi terrível o primeiro dia de aula, quando o instrutor perguntou sobre a média anual de homicídios dos departamentos de cada um deles. *Nenhum*, disse Nic. Então ele perguntou o tamanho do departamento de cada um dos policiais. *Trinta e cinco*, disse Nic. Ou *menor do que minha classe de oitava série*, como descreveu um de seus novos colegas de turma. Desde o início daquilo que deveria ser a melhor oportunidade de sua vida, Nic parou de tentar se encaixar no esquema, aceitando que, na maneira daqueles policiais de definir o universo, ela pertencia aos *eles*, e não aos *nós*.

Sua travessura bastante excêntrica com a larva, reconheceu com arrependimento, era uma ruptura com alguma coisa (ela não sabia exatamente com o quê), mas sem dúvida nunca deveria ter decidido dar um presente, sério ou não, para a famosa legista Kay Scarpetta. O rosto de Nic enrubesceu, e um suor frio umedeceu-lhe as axilas enquanto observava a reação de sua heroína, incapaz de decifrá-la, provavelmente porque Nic estava completamente abobalhada pela insegurança e pelo constrangimento.

"Vou chamá-la de Larvínia, embora ainda não se possa determinar o gênero", decide Scarpetta, os óculos de armação metálica refletindo a luz oscilante da vela. "Mas acho que é um bom nome para uma larva." Um ventilador de teto estala e entorta a chama dentro do globo de vidro enquanto ela ergue o frasco. "Quem vai me dizer qual é o instar da Larvínia? Em que estágio de vida ela estava antes que alguém" — ela examina cuidadosamente os rostos na mesa, parando em Nic de novo — "a coloeasse neste frasquinho com etanol? E a propósito, suspeito que a Larvínia tenha se afogado. As larvas precisam de ar tanto quanto nós."

"Que babaca afogaria uma larva?", criticou um dos policiais.

"Pois é. Imagine só, inalar álcool..."

"Qual é, Joey? Você passou a noite toda inalando álcool."

Um humor negro e agourento começou a ressoar como uma tempestade distante, e Nic não sabia como se desviar dela. Recostou-se na cadeira, cruzando os braços na altura do peito, esforçando-se para parecer indiferente, enquanto de maneira inesperada sua mente projetava um dos desgastados alertas de tempestade de seu pai: *Veja bem, Nic, querida, quando houver relâmpago, não fique isolada nem pense que pode se esconder sob as árvores. Procure a vala mais próxima e fique deitada bem no fundo.* Naquele momento, ela não tinha outro lugar para se esconder, a não ser em seu próprio silêncio.

"Ei, doutora, nós já fizemos a prova final."

"Quem trouxe o dever de casa para a nossa festa?"

"É, estamos de folga."

"De folga, é?", comenta Scarpetta. "Isso significa que, se

vocês estão de folga quando aparece o corpo de uma pessoa desaparecida, vocês não vão atender? É isso o que estão dizendo?"

"Eu teria que esperar até que o efeito do uísque passasse", diz um policial cuja cabeça raspada é tão brilhante que parece ter sido encerada.

"Não é má idéia", diz Scarpetta.

Agora os policiais estão rindo — todos, menos Nic.

"Pode acontecer." Scarpetta coloca o frasco perto de seu copo de vinho. "A qualquer momento, podemos receber um chamado. Pode acabar sendo o pior chamado de nossas vidas, e lá estamos nós, levemente alterados depois de alguns drinques em nossa folga, ou talvez doentes, ou no meio de uma briga com um amante, um amigo, um dos filhos."

Ela afasta o prato de atum comido pela metade e cruza as mãos sobre a toalha de mesa xadrez.

"Mas os casos não podem esperar", acrescenta ela.

"Falando sério: não é verdade que alguns podem esperar?", pergunta um investigador de Chicago chamado de Popeye pelos colegas de turma, devido à tatuagem de âncora que tem no antebraço esquerdo. "Como uma ossada em um poço ou enterrada em um porão. Ou um corpo sob uma placa de concreto. Quer dizer, eles não vão a lugar nenhum, certo?"

"Os mortos são impacientes", diz Scarpetta.

2

A noite no pântano faz Jay Talley pensar em uma banda de música *cajun*, com sapos tocando baixo, rãs gritando como guitarras elétricas, cigarras e grilos tocando *washboards* e rabecas.

Ele joga o foco da lanterna perto da forma escura e artrítica de um velho cipreste, e olhos de jacaré brilham e desaparecem sob a água negra. A luz reverbera com o som suave e desagradável dos mosquitos enquanto o BayStealth desliza pela água, o motor de popa desligado. Jay está sentado na cadeira do capitão e examina preguiçosamente a mulher dentro do compartimento para guardar peixes pouco abaixo de seus pés. Muitos anos antes, quando estava à procura de um barco para comprar, ele ficara empolgado com aquele BayStealth. O compartimento embaixo do assoalho era comprido e fundo o suficiente para guardar mais de cinqüenta quilos de gelo e peixe, ou uma mulher com o tipo de corpo que ele aprecia.

Os olhos dela, arregalados e cheios de pânico, brilham na escuridão. Durante o dia eles são azuis, um azul profundo e bonito. Ela os fecha dolorosamente quando Jay a acaricia com o facho da lanterna, começando em seu rosto atraente e maduro e chegando até as unhas dos pés, pintadas de vermelho. É loira, quarenta e poucos anos, mas parece mais jovem, pequena mas cheia de curvas. O compartimento de fibra de vidro está forrado com assentos almofadados do barco, sujos e com manchas escuras de sangue velho. Jay estava pensativo, quase carinhoso quando soltou um pouco os pulsos e tornozelos dela, para que a corda de náilon amarela não lhe cortasse a circulação. Disse a ela que a corda não lhe esfolaria a pele macia, desde que ela não tentasse escapar.

"De qualquer forma, não adianta se soltar", disse ele com uma voz de barítono que combina perfeitamente com sua excelente aparência de deus loiro. "E eu não vou amordaçar você. Também não adianta gritar, certo?"

Ela balançou a cabeça afirmativamente, e isso o fez rir, porque ela estava balançando a cabeça como se estivesse respondendo *sim*, quando, é claro, ela queria dizer *não*. Mas ele entende o fato de uma pessoa pensar e agir de maneira amalucada quando está *aterrorizada*, uma palavra que considerou completamente inadequada. Pensou que Samuel Johnson, trabalhando duro para elaborar as muitas edições de seu dicionário, não tinha a menor idéia do que um ser humano sente quando *antevê* o horror e a morte. A *antevisão* cria um frenesi de pânico em cada neurônio, em cada célula do corpo, que vai além, muito além do simples terror, mas mesmo Jay, que é fluente em muitas línguas, não tem uma palavra melhor para descrever o que suas vítimas sofrem.

Um *frisson* de horror.

Não.

Ele estuda a mulher. Ela é uma ovelha. Na vida, existem apenas dois tipos de pessoas: lobos e ovelhas.

A determinação de Jay para descrever de maneira perfeita como se sentem suas ovelhas tornou-se uma busca obsessiva e inexorável. O hormônio epinefrina — adrenalina — é a alquimia que transforma a pessoa normal em uma forma inferior de vida com menos controle e lógica do que uma rã fisgada em um arpão. Além da reação fisiológica que apressa aquilo que os criminologistas, psicólogos e outros chamados especialistas chamam de lutar-ou-fugir, existem os elementos adicionais da imaginação e das experiências passadas da ovelha. Quanto mais violência uma ovelha experimentou por meio de livros, televisão, filmes ou jornais, por exemplo, mais ela pode imaginar o pesadelo do que pode acontecer.

Mas a palavra. A *palavra* perfeita. Ela lhe escapa nessa noite.

Ele se agacha no assoalho do barco e ouve a respiração rápida e curta de sua ovelha. Ela treme enquanto um terremoto de horror (na falta da *palavra perfeita*) muda a posição de cada uma de suas moléculas, criando uma devastação insuportável. Ele estende o braço dentro do compartimento e toca a mão dela. Fria como a morte. Ele aperta dois dedos em um dos lados do pescoço dela, encontra a artéria carótida e, usando o mostrador luminoso de seu relógio, mede-lhe a pulsação.

"Cento e oitenta, mais ou menos", ele diz a ela. "Não vá ter um ataque cardíaco. Já tive uma que teve."

Ela olha fixamente para ele, os olhos maiores do que uma lua cheia, o lábio inferior contraído.

"É verdade. Não tenha um ataque cardíaco." Ele está sério. É uma ordem.

"Respire fundo."

Ela respira, os pulmões fracos.

"Melhorou?"

"Sim. Por favor..."

"Que porra dá em vocês, cordeirinhas, para serem tão educadas?"

A camisa de algodão magenta e suja fora rasgada dias atrás, e ele afasta o pano dos dois lados, expondo os mais que fartos seios dela. Eles tremem sob a luz fraca, e ele acompanha suas curvas até o tórax ofegante, passando pela depressão de seu abdômen liso e chegando até a braguilha aberta da calça jeans.

"Desculpe", ela tenta sussurrar enquanto uma lágrima escorre por seu rosto sujo.

"Olha aí, de novo." Ele volta a se sentar no trono que é a cadeira do capitão. "Você realmente, *realmente*, acredita que ser educada vai mudar os meus planos?" A educação acendia nele uma raiva que queimava lentamente. "Sabe o que educação significa para mim?"

Ele espera uma resposta.

Ela tenta molhar os lábios, a língua seca como papel. Sua pulsação pode ser vista claramente no pescoço, como se um pequeno passarinho estivesse aprisionado ali.

"Não." Ela engasga com a palavra, as lágrimas caindo-lhe sobre a orelha e o cabelo.

"Fraqueza", diz ele.

Diversas rãs se juntam à banda. Jay estuda a nudez de sua prisioneira, a pele branca brilhando com repelente de mosquitos, um pequeno ato de humanidade de sua parte, motivado por sua repugnância por vergões vermelhos. Os mosquitos formam uma nuvem escura e caótica ao redor dela, mas não pousam. Ele desce da cadeira de novo e dá a ela um gole de água de uma garrafa. A maior parte do líquido escorre pelo queixo dela. Ele não tem interesse em tocá-la sexualmente. Há três noites que ele a tem trazido até ali no barco, porque quer privacidade para conversar e olhar para a nudez dela, esperando que, de alguma forma, o corpo dela se transforme no de Kay Scarpetta, e por fim fica furioso porque isso não vai acontecer, furioso porque Scarpetta não seria educada, furioso porque Scarpetta não é fraca. Um lado violento dele teme que ele seja um fracasso, porque Scarpetta é um lobo, e ele captura apenas ovelhas, e não consegue encontrar a palavra, a *palavra.*

Ele percebe que a palavra não vai lhe ocorrer com aquela ovelha no compartimento de peixes, da mesma maneira que não ocorreu com as outras.

"Estou me aborrecendo", diz ele à sua ovelha. "Vou perguntar de novo. Uma última chance. Qual é a *palavra*?"

Ela engole com dificuldade, sua voz parecendo para ele um eixo de rodas quebrado, enquanto ela tenta mexer a língua para falar. Ele pode ouvi-la grudando no palato.

"Eu não entendo. Desculpe..."

"Foda-se a sua educação, tá me ouvindo? Quantas vezes vou ter que dizer?"

O passarinho em seu pescoço bate as asas freneticamente, e as lágrimas aumentam.

"Qual é a palavra? *Diga-me o que você sente.* E não diga *assustada.* Você é uma maldita professora. Deve ter um vocabulário com mais de cinco palavras."

"Sinto... sinto aceitação", diz ela, soluçando.

"Sente *o quê?*"

"Você não vai me soltar", diz ela. "Agora eu entendi."

3

A perspicácia sutil de Scarpetta faz Nic lembrar de um relâmpago de calor. Ele não rasga o céu nem brilha ostensivamente como um raio comum, é um fulgor silencioso, brilhante, que sua mãe costumava lhe dizer que era Deus tirando fotografias.

Ele tira fotos de tudo o que você faz, Nic, então é melhor você se comportar porque um dia haverá o Juízo Final e as fotos serão passadas para que todos possam vê-las.

Nic parou de acreditar nessas besteiras assim que entrou para o colegial, mas sua parceira silenciosa, que é como ela pensa em sua consciência, provavelmente nunca vai deixar de avisá-la de que seus pecados serão descobertos. E Nic acredita que seus pecados são muitos.

"Investigadora Robillard?", Scarpetta está dizendo.

Nic se assusta com o som de seu próprio nome. Sua atenção retorna ao aconchegante e escuro salão de jantar e aos policiais que o preenchem.

"Diga-nos o que você faria se seu telefone tocasse às duas da manhã e você tivesse tomado umas e outras, mas estivessem precisando de você em uma cena de crime ruim, realmente ruim", Scarpetta lhe pergunta. "Antes, deixe-me dizer que ninguém quer ser deixado de fora quando há uma cena de crime realmente ruim. Talvez não gostemos de admitir isso, mas é a verdade."

"Eu não costumo beber muito." Nic se arrepende instantaneamente da observação ao ouvir o gemido dos colegas de classe.

"Deus do céu, onde foi que você cresceu, garota, na escola dominical?"

"O que estou dizendo é que eu realmente não posso beber muito, porque tenho um filho de cinco anos..." A voz de Nic fica mais fraca, e ela sente vontade de chorar. Nunca passou tanto tempo longe dele.

Toda a mesa fica em silêncio. Vergonha e constrangimento esfriam os humores.

"Ei, Nic", diz Popeye, "você está com a foto dele aí? O nome do garoto é Buddy", ele conta a Scarpetta. "A senhora tem que ver a foto dele. Um homenzinho parrudo sentado em um pônei..."

Nic não está com vontade de mostrar a fotografia grande, guardada na carteira, e meio amolecida pelo manuseio constante, o texto escrito atrás já desbotado de tanto ela tirar de trás do plástico para olhá-la de perto. Ela preferia que Popeye mudasse de assunto ou voltasse a lhe dar o tratamento de silêncio.

"Quantos de vocês têm filhos?", pergunta Scarpetta para toda a mesa.

Uma dúzia de mãos se erguem.

"Um dos aspectos dolorosos deste trabalho", salienta ela, "talvez a pior coisa neste trabalho — ou devo chamar de missão? — é aquilo que faz com as pessoas que amamos, não importa o quanto nos esforcemos para protegê-las."

Que relâmpago de calor, que nada! Apenas uma escuridão sedosa, fresca e deliciosa de se tocar, pensa Nic observando Scarpetta.

Ela é gentil. Por trás daquela parede de intenso destemor e brilhantismo, ela é amável e gentil.

"Neste trabalho, os relacionamentos também podem se tornar fatalidades. E isso acontece com freqüência", continua Scarpetta, sempre em tom professoral, porque é mais fácil fazer isso do que tocar em sentimentos que ela magistralmente mantém fora de alcance.

"Então, doutora, a senhora tem filhos?" Reba, uma técnica em cena de crime de San Francisco, começa a tomar mais um uísque com limão e açúcar. Ela já está falando mole e não tem tato algum.

Scarpetta hesita. "Eu tenho uma sobrinha."

"Ah, é! Agora eu lembro. Lucy. Ela aparece bastante no noticiário. Ou aparecia, quer dizer..."

Bêbada idiota, protesta Nic silenciosamente, faiscando de raiva.

"Sim, Lucy é minha sobrinha", responde Scarpetta.

"FBI. Gênio da computação." Reba não vai mais parar. "E o que mais? Deixa eu pensar. Alguma coisa com uns helicópteros e AFT."

ATF, sua bêbada estúpida. Um trovão estoura no fundo da mente de Nic.

"*Num* sei direito. *Num* teve um puta incêndio ou algo assim e alguém acabou morrendo? E o que ela está fazendo agora?" Ela vira de uma vez o conteúdo do copo e começa a procurar a garçonete.

"Isso foi há muito tempo." Scarpetta não responde às perguntas, e Nic detecta nela um cansaço, uma tristeza tão imutável e desfigurada quanto os tocos e dobras dos galhos dos ciprestes nos pântanos de sua terra natal, no sul do estado de Louisiana.

"Que coisa, eu esqueci completamente que ela era sua sobrinha. Puxa, ela é demais, é mesmo. Ou era", diz Reba mais uma vez, tirando o cabelo escuro de cima dos olhos injetados. "Se meteu numa encrenca, não é?"

Sapatona do cacete. Cala a boca.

Um relâmpago rasga a cortina escura da noite e, por um instante, Nic pode ver a clara luz do dia do outro lado. Esse foi o jeito como seu pai sempre lhe explicou. *Tá vendo, Nic*, ele dizia enquanto olhavam pela janela durante tempestades ameaçadoras e relâmpagos, de maneira totalmente inesperada, rasgavam o céu em ziguezagues como lâminas brilhantes. *Está vendo o amanhã? Tem que olhar rápido, Nic. Existe um amanhã do outro lado, aquela luz branca e brilhante. E veja como cicatriza rápido. Deus também cicatriza rápido assim.*

"Reba, volta para o hotel", Nic lhe diz com o mesmo tom de voz firme e controlado que usa quando Buddy faz alguma birra. "Você já tomou muito uísque para uma noite só."

"Pô, desculpa aí, Dona Queridinha da Professora." Reba está muito próxima da inconsciência e fala como se tivesse elásticos na boca.

Nic sente os olhos de Scarpetta sobre si e deseja poder enviar-lhe um sinal que pudesse ser tranqüilizador ou que servisse como desculpa pelo comportamento ultrajante de Reba.

Lucy entrara no ambiente como um holograma, e a reação de Scarpetta, sutil mas profundamente emocional, enche Nic de ciúme, uma inveja que ela não sabia ter. Ela sente-se inferior à superpolicial que é sobrinha de sua heroína, cujos talentos e universo são enormes comparados aos de Nic. Seu coração sofre como uma articulação paralisada que por fim é endireitada, do jeito como sua mãe delicadamente endireitava o braço quebrado convalescente de Nic toda vez que a tala saía do lugar.

É bom sentir um pouco de dor, querida. Se você não sentisse nada, esse seu bracinho estaria morto e iria cair. Você não ia querer que isso acontecesse, não é?

Não, mãe. Desculpa pelo que fiz.

Ora, Nicci, que bobagem. Você não se machucou de propósito!

Mas eu não fiz o que o papai disse. Eu corri para dentro da floresta e foi aí que eu tropecei...

Todos nós cometemos erros quando estamos assustados. Talvez tenha sido bom você ter caído — você estava bem rente ao chão quando os relâmpagos estavam soltos por aí.

4

As lembranças que Nic tem de sua infância nos grotões do sul são cheias de tempestades.

Parece que os céus tinham terríveis ataques toda semana, explodindo em trovões furiosos e tentando afogar ou eletrocutar cada criatura viva na face da Terra. Sempre que os cúmulos das trovoadas exibiam seus assustadores avisos e estrondeavam suas ameaças, seu pai pregava sobre segurança, e sua linda e loira mãe ficava em pé na porta de tela, acenando para que Nic entrasse logo na casa, fosse para um lugar quente e seco, corresse para os braços dela.

Papai sempre apagava as luzes, e os três ficavam sentados no escuro, contando histórias da Bíblia e competindo para ver quantos versículos e salmos sabiam citar de cor. Uma declamação perfeita valia uma moeda de vinte e cinco centavos, mas seu pai só pagava depois que a tempestade passasse, porque as moedas são feitas de metal, e o metal atrai raios.

Não cobiçarás.

A empolgação de Nic foi quase insuportável quando descobriu que um dos professores visitantes da Academia era a dra. Kay Scarpetta, que iria falar sobre investigação de mortes na décima e última semana do treinamento. Nic contava os dias. Parecia-lhe que as primeiras nove semanas não acabariam nunca. Então Scarpetta chegou a Knoxville e, para absoluto constrangimento de Nic, elas se encontraram pela primeira vez no banheiro feminino, logo depois de Nic ter dado a descarga e saído de um dos boxes fechando o zíper da calça azul-escura de seu uniforme de campanha.

Scarpetta estava lavando as mãos em uma das pias, e Nic lembrou-se da primeira vez em que vira uma fotografia dela e de como ficara surpresa por Scarpetta não ser de descendência espanhola. Isso fora há oito anos, quando Nic sabia apenas o nome de Scarpetta e não tinha nenhum motivo para esperar que ela fosse uma loira de olhos azuis cujos ancestrais tinham vindo do Norte da Itália, alguns deles fazendeiros perto da fronteira com a Áustria e tão arianos em aparência quanto os alemães.

"Oi, eu sou a doutora Scarpetta", dissera sua heroína, como se não tivesse percebido que havia uma relação entre Nic e a descarga que fora acionada. "E você é Nicole Robillard."

Nic ficou muda, o rosto vermelho. "Como..."

Antes que pudesse gaguejar o resto da pergunta, Scarpetta explicou: "Eu pedi cópias dos formulários de inscrição de todos os alunos, inclusive das fotos".

"Ah, é?" Nic não só estava surpresa pelo fato de Scarpetta ter pedido os formulários de inscrição, como também não conseguia entender como ela teria tido tempo ou interesse em vê-los. "Acho que isso quer dizer que a senhora sabe o número do meu seguro social", disse Nic, tentando ser engraçada.

"Bom, disso eu não me lembro", disse Scarpetta, secando as mãos com toalhas de papel. "Mas sei o suficiente."

5

"Segundo instar", exibe-se Nic respondendo à pergunta esquecida sobre a larva Larvínia.

Os policiais ao redor da mesa balançam a cabeça e se entreolham, como se não estivessem entendendo nada. Nic tem a capacidade de irritar seus colegas e fez isso em intervalos regulares durante dois meses e meio. Em algumas coisas, ela faz com que Scarpetta se lembre de Lucy, que passou os primeiros vinte anos de sua jovem vida acusando as pessoas por deslizes insignificantes que elas não tinham de fato cometido, e estendendo seus dotes ao exibicionismo extremo.

"Muito bom, Nic", Scarpetta a elogia.

"Quem convidou a sabichona?" Reba, que se recusa a voltar para o Holiday Inn, é simplesmente detestável quando não está cochilando em cima do prato.

"Acho que Nic não bebeu o suficiente e está com *delirium tremens*, vendo larvas rastejando por toda parte", diz o investigador com a cabeça raspada brilhante.

A maneira como ele olha para Nic é bastante óbvia. Apesar de ser a chata da classe, ela o atrai.

"E você provavelmente acha que instar é uma posição no campo de beisebol." Nic quer ser engraçada, mas não consegue se livrar da seriedade de seu estado de espírito. "Está vendo a pequena larva que eu dei para a doutora Scarpetta..."

"Ah! Finalmente ela confessou."

"Está em segundo instar." Nic sabe que deveria parar. "Já mudou de pele uma vez depois que saiu do ovo."

"Ah, é? Como você sabe? Você foi testemunha ocular? Você realmente viu a pequena Larvínia trocar sua pequena pele?", insiste o investigador de cabeça raspada, piscando para ela.

"A Nic tem uma barraca na Lavoura de Corpos, ela dorme lá com um monte de amiguinhos rastejantes", diz uma outra pessoa.

"Eu faria isso se fosse preciso."

Ninguém contra-argumenta. Nic é bem conhecida por suas incursões no centro de pesquisa sobre deterioração da Universidade de Tennessee, onde a decomposição de corpos humanos doados é estudada para determinar muitos fatos importantes sobre a morte, entre eles, e não menos importante, o momento em que a morte ocorreu. A piada é que ela visita a Lavoura de Corpos como se estivesse visitando a casa de parentes ou velhos amigos.

"Aposto que Nic tem um nome para cada uma das larvas, moscas, besouros e corvos que tem lá."

As brincadeiras e piadas grosseiras continuam até que Reba deixa cair o garfo ruidosamente.

"Não enquanto eu estou comendo filé malpassado!", protesta ela em voz bastante alta.

"O espinafre adiciona um tom verde bem legal, meu bem."

"Que pena que não veio o arroz..."

"Ei, ainda dá tempo! Garçonete! Traga uma bela travessa de arroz para esta moça. Com um molhinho de carne."

"E o que são esses pontinhos pretos que parecem os olhos de Larvínia?" Scarpetta levanta o frasco até a luz da vela novamente, esperando que seus alunos se acalmem antes que todos sejam expulsos do restaurante.

"Olhos", diz o policial da cabeça raspada. "São olhos, certo?"

Reba começa a balançar na cadeira.

"Não, não são olhos", responde Scarpetta. "Vamos, eu já lhes dei uma dica alguns minutos atrás."

"Para mim parecem olhos. Pequenos olhos pretos como contas, como os do Maguila."

Nas últimas dez semanas, o sargento Magil, de Houston, tornou-se "Maguila, o Gorila", devido a seu corpo musculoso e peludo.

"Epa!", protesta ele. "Pergunta para a minha namorada se eu tenho olhos de larva. Ela olha fundo nestes meus olhos" — ele aponta para eles — "e desmaia."

"É exatamente isso que eu estou falando, Maguila. Se eu olhasse para esses seus olhos, eu também iria desmaiar."

"Tem que ser olhos. De que outra forma a larva ia enxergar o caminho, porra?"

"São espiráculos, e não olhos", responde Nic. "É isso o que são os pontinhos pretos. Como pequenos respiradouros para que a larva possa respirar."

"*Snorkels?*"

"Espera um pouco. Ei, passa esse negócio para cá, doutora Scarpetta. Quero ver se a Larvínia está usando máscara e nadadeiras."

Uma investigadora magrinha da polícia estadual abaixa a cabeça sobre a mesa, de tanto rir.

"Da próxima vez que encontrarmos uma, é só procurar pelos respiradouros apontando para cima..."

As gargalhadas ficam histéricas, e Maguila escorrega da cadeira e cai duro no chão. "Ai, merda! Vou vomitar", gargalha ele.

"*Respiradouros!*"

Scarpetta se resigna, recostando-se na cadeira em silêncio, a situação completamente fora de seu controle.

"Ei, Nic! Não sabia que você fazia parte das forças especiais da marinha!"

Isso continua até que o gerente do restaurante aparece silenciosamente na porta — sua maneira de indicar que a festa naquele salão dos fundos está perturbando os outros clientes que estão jantando.

"Muito bem, meninos e meninas", diz Scarpetta em um tom de voz que é um pouco assustador. "Chega."

A bagunça termina rapidamente, acabam as piadas sobre larvas, e então há outros presentes para Scarpetta: uma caneta espacial que supostamente escreve "na chuva, na neve e também se a senhora por acidente deixá-la cair em uma cavidade peitoral enquanto estiver fazendo uma autópsia", uma minilanterna "para enxergar naqueles lugares difíceis de alcançar"; e um boné de beisebol azul-escuro adornado com uma quantidade de galões dourados suficiente para um general.

"General doutora Scarpetta. Atenção!"

Todos batem continência enquanto aguardam ansiosos uma reação dela, as observações irreverentes aparecendo de novo como projéteis de uma escopeta. Maguila enche o copo de Scarpetta com vinho saído de uma embalagem grande de papelão com uma pequena torneira. Ela imagina que aquele Chardonnay barato provavelmente é feito de uvas que crescem no lugar mais baixo das encostas, onde a drenagem é terrível. Se ela tiver sorte, a safra deve ser de quatro meses atrás. Vai passar mal amanhã. Disso ela tem certeza.

6

No começo da manhã seguinte, no Aeroporto Kennedy em Nova York, um agente da segurança recomenda que Lucy Farinelli retire seu enorme relógio Breitling de aço inoxidável, pegue quaisquer moedas que tiver nos bolsos e coloque tudo em uma bandeja plástica.

Não é uma sugestão, mas uma ordem quando lhe dizem para tirar os tênis, a jaqueta e o cinto e colocá-los junto com sua pasta na esteira rolante que iria levá-los através da máquina de raios X, onde nada além de um telefone celular, uma escova de cabelo e um batom iriam apresentar alguma fluorescência. As funcionárias da British Air são bastante amistosas em seus *blazers* escuros e saias azul-escuras com riscado xadrez vermelho e branco, mas a polícia do aeroporto está especialmente tensa. Embora não acione o detector de metais em forma de portal ao atravessá-lo com meias esportivas e calça jeans folgada na cintura, Lucy é revistada com um detector manual, e seu sutiã com armação faz o aparelho disparar em uma série de *bips*.

"Levante os braços", a robusta agente lhe diz.

Lucy sorri e levanta os braços estendidos, e a agente a revista depressa, as mãos batendo rapidamente sob os braços de Lucy, sob seus seios, por toda a extensão de suas coxas, chegando até a parte mais alta entre as pernas — de maneira muito profissional, é claro. Outros passageiros passam sem ser importunados, e os homens, em especial, interessam-se bastante pela jovem atraente de braços e pernas abertos. Lucy não dá a mínima para aquilo. Ela já passou por muita coisa para gastar energia sendo recatada, e fica tentada a desabotoar a camisa e apontar para o sutiã com armação, garantindo à agente que não existe nenhuma pilha nem algum tipo de explosivo pequeno — muito pequeno — preso ali.

"É o meu sutiã", diz ela despreocupadamente à agente alarmada, que está muito mais nervosa do que sua suspeita. "Droga, eu sempre esqueço de colocar um sutiã sem arame, um modelo esportivo talvez, ou mesmo de viajar sem sutiã. Eu realmente lamento o inconveniente, agente Washington." Ela já havia lido o nome da agente no crachá. "Obrigado por fazer tão bem seu trabalho. Que mundo este em que vivemos! Fiquei sabendo que o alerta de terrorismo está no máximo de novo."

Lucy deixa a desnorteada agente e recolhe seu relógio e suas moedas da cestinha, além da pasta, da jaqueta e do cinto. Sentada no piso frio e duro, fora do caminho das pessoas que entram, calça os tênis novamente, sem se dar ao trabalho de amarrá-los. Levanta-se, ainda educada e gentil com qualquer policial ou funcionário da British Air que a estivesse observando. Colocando a mão no bolso de trás, retira sua passagem e o passaporte, ambos emitidos com um de seus muitos nomes falsos. Caminha de maneira despreocupada, os cadarços balançando, percorrendo o sinuoso e acarpetado acesso de embarque número 10, e abaixa a cabeça para entrar no Concorde, vôo 01. Uma aeromoça da British Air sorri ao verificar o cartão de embarque de Lucy.

"Poltrona 1-C." Ela aponta o caminho até a primeira fila, a poltrona do corredor, como se Lucy nunca tivesse viajado no Concorde antes.

Mas na última vez ela estava usando um outro nome, óculos e lentes de contato verdes, o cabelo tingido de azul e roxo, completamente desarrumado e idêntico à fotografia do passaporte que apresentou. Sua profissão era "músico". Embora fosse impossível que alguém conhecesse a inexistente banda de *techno* Yellow Hell, apareceram muitas pessoas dizendo: "Ah, sei, já ouvi falar! Demais!".

Lucy conta com a capacidade de observação deficiente da massa em geral. Conta com o medo que as pessoas têm de mostrar ignorância, com sua aceitação de mentiras como se fossem verdades conhecidas. Ela espera que seus inimigos reparem em tudo o que está à volta deles, e, como eles, ela também repara em tudo que está à sua volta. Por exemplo, quando o funcionário da alfândega examinou demoradamente seu passaporte, ela reconheceu aquele comportamento e entendeu por que a segurança estava tão agitada. A Interpol havia enviado pela internet um Alerta Vermelho para 182 países, alertando-os para um fugitivo de nome Rocco Caggiano, procurado na Itália e na França por assassinato. Rocco não sabe que é um fugitivo. Ele não sabe que Lucy enviou a informação para o Escritório Central da Interpol em Washington, e que essa informação, embora de confiança, foi verificada minuciosamente antes de ser repassada pelo ciberespaço para o quartel-general da Interpol em Lyon, França, onde o Alerta Vermelho foi enviado rapidamente para as polícias de quase todo o mundo. Tudo isso em algumas horas.

Rocco não conhece Lucy, embora saiba quem ela é. Ela o conhece muito bem, ainda que eles nunca tenham se encontrado. Nesse momento, enquanto afivela o cinto de segurança e o Concorde dá a partida em seus motores Rolls-Royce, ela mal pode esperar para encontrar Rocco Caggiano, sua expectativa alimentada por uma raiva intensa que vai evoluir para uma apreensão nervosa quando ela finalmente chegar à Europa Oriental.

7

"Eu realmente espero que a senhora não esteja se sentindo tão mal quanto eu", diz Nic a Scarpetta.

Elas estão sentadas na sala de estar da suíte de Scarpetta no Marriott, esperando o serviço de quarto. São nove horas da manhã, e Nic já perguntou duas vezes como Scarpetta estava se sentindo, uma banalidade devida em parte a uma mistura de descrença e lisonja de que essa mulher que ela admira tão intensamente a tenha convidado para o café-da-manhã.

Por que eu? A pergunta rola dentro da cabeça de Nic como uma bola de bingo. *Talvez ela tenha pena de mim.*

"Já estive melhor", responde Scarpetta com um sorriso.

"Popeye e seu vinho. Mas ele já arrumou venenos piores do que aquele."

"Não consigo imaginar nada pior", diz Scarpetta quando se ouve uma batida na porta. "A menos que realmente seja veneno. Com licença."

Ela se levanta do sofá. O serviço de quarto chegou em um carrinho. Scarpetta assina a conta e dá a gorjeta em dinheiro. Nic nota que ela é generosa.

"O quarto de Popeye — quarto um-zero-seis — é o 'bebedouro'", diz Nic. "Em qualquer noite, é só entrar com sua caixa de cervejas e colocá-las na banheira. A partir das oito da noite, ele não faz nada além de arrastar sacos de gelo de dez quilos para o quarto. Ainda bem que o quarto é no primeiro andar. Eu fui lá uma vez."

"Só uma vez em dez semanas?" Scarpetta a observa de perto, parece sondá-la.

Quando Nic voltar à Louisiana vai enfrentar os piores casos de homicídio que já apareceram em sua vida. Até agora, não disse nada sobre eles, e Scarpetta está preocupada com ela.

"Quando eu estava na escola de medicina da Universidade Johns Hopkins", conta Scarpetta enquanto serve o café, "eu era uma das três mulheres da minha classe. Se houve alguma banheira cheia de cerveja em algum lugar, posso lhe garantir que nunca fiquei sabendo. Como você quer o café?"

"Muito creme e açúcar. A senhora não deveria estar me servindo. E eu aqui, sentada." Ela se levanta rapidamente da poltrona.

"Senta, senta." Scarpetta serve o café de Nic em uma mesa. "Temos *croissants* e uns pães que não estão com uma cara muito boa. É melhor você se servir."

"Mas quando a senhora estava na escola de medicina, não vinha de uma cidade pequena, não era uma..." Nic se contém antes de dizer *caipira*. "Miami não é exatamente alguma poça de lama na Louisiana. Todos esses caras que estavam na minha turma são de cidades grandes."

Ela fixa a atenção na xícara de café de Scarpetta, no modo como ela a leva aos lábios de maneira perfeitamente firme. Ela toma café puro e parece não estar interessada em comida.

"Quando meu chefe me disse que o departamento ganhara uma vaga na Academia com tudo pago e me perguntou se eu queria ir, nem sei lhe dizer como me senti", continua Nic, preocupada por estar falando demais sobre si mesma. "Eu realmente não conseguia acreditar e tive que passar por milhões de complicações para poder ficar longe de casa por três meses. Então cheguei aqui em Knoxville e me vi dividindo o quarto com a Reba.

"Não posso dizer que foi divertido, e me sinto muito mal por estar aqui sentada reclamando." Ela bebe o café com certo nervosismo, colocando-o sobre a mesa, pegando-o de novo em seguida, apertando com força o guardanapo que tem no colo. "Especialmente para a senhora."

"Por que especialmente para mim?"

"A verdade é que... acho que eu estava tentando impressioná-la."

"Você conseguiu."

"E a senhora não me parece do tipo que gosta de choradeira." Nic levanta os olhos para ela. "Não que as pessoas sejam sempre agradáveis com a senhora."

Scarpetta ri. "Para dizer o mínimo."

"Não me expressei bem. As pessoas são invejosas. A senhora teve suas batalhas. O que estou tentando dizer é que a senhora não se queixa."

"Pergunte isso a Rose." Scarpetta está se divertindo.

A mente de Nic trava, como se ela devesse saber quem é Rose mas não conseguisse estabelecer uma ligação.

"Minha secretária", explica Scarpetta, bebericando o café.

Um silêncio constrangedor se segue, e Nic pergunta: "O que aconteceu com as outras duas?".

Scarpetta parece confusa.

"As outras duas mulheres na sua turma da faculdade de medicina."

"Uma abandonou. Acho que a outra se casou e nunca praticou a medicina."

"O que será que estão sentindo agora? Provavelmente arrependimento."

"Elas com certeza se perguntam sobre mim também", responde Scarpetta. "Provavelmente acham que eu me arrependo."

Os lábios de Nic se entreabrem em descrença. "A senhora?"

"Tudo vem com sacrifício. E é da natureza humana ter dificuldade para aceitar qualquer pessoa que seja diferente. De maneira geral, a gente não se dá conta disso até conseguir aquilo que pediu na vida e fica chocada por, em alguns casos, a recompensa ser ódio, e não aplausos."

"Eu não me vejo como diferente ou como alguém que é

odiada. Talvez peguem demais no meu pé, mas não lá em casa", replica Nic rapidamente. "Só porque faço parte de um departamento pequeno, e não do Departamento de Polícia de Los Angeles, não quer dizer que eu seja estúpida." Ela fica animada, a voz mais calorosa. "Eu não sou nenhuma caipira que age como um bicho-do-mato, *um bicho-de-lama...*"

"*Bicho-de-lama.*" Scarpetta franze a testa. "Acho que não sei o que é isso."

"Um lagostim."

"Alguém na classe chamou você de lagostim?"

Nic não consegue evitar o riso. "Ah, puxa. Aposto que eles nunca comeram um lagostim. Eles provavelmente acham que é um peixe chamado 'agostinho' que fica no fundo do oceano ou coisa assim."

"Entendo."

"Mas entendi o que a senhora quis dizer. Acho que entendi", diz Nic. "Em Zachary, apenas dois policiais de rua são mulheres. Eu sou a única mulher encarregada de investigações, e não é que o chefe não goste de mulheres ou coisa do tipo. Na verdade, temos até uma prefeita. Mas na maioria das vezes em que estou na sala de descanso, tomando café, comendo ou qualquer outra coisa, eu sou a única mulher ali dentro. A verdade é que raramente penso sobre isso. Porém andei pensando muito a esse respeito aqui na Academia. Percebo que me esforço demais para provar que não sou uma caipira, e aí eu aborreço todo mundo. Bom, sei que a senhora precisa ir. Provavelmente ainda tem que fazer as malas, e não quero que perca seu vôo."

"Não tão rápido", retruca Scarpetta. "Acho que nossa conversa ainda não acabou."

Nic relaxa, seu rosto atraente mais animado, o corpo esguio agora menos tenso na cadeira. Desta vez, quando fala, não parece tão nervosa.

"Vou lhe contar a melhor coisa que me disseram durante todas essas dez semanas. Reba disse que eu pareço um pouco com a senhora. Claro que foi quando ela estava bêbada. Espero não ter acabado de insultá-la."

"Talvez você tenha insultado a si mesma", responde Scarpetta com modéstia. "Eu sou um pouco mais velha do que você, se o que li em sua ficha de inscrição está correto."

"Faço trinta e seis em agosto. É incrível o que a senhora guarda sobre as pessoas."

"Faço questão de conhecer o máximo possível sobre as pessoas. É importante ouvir. A maioria delas está ocupada demais fazendo suposições, ensimesmadas demais para ouvir. E no necrotério meus pacientes falam muito baixinho e não me perdoam se eu não os ouço e se não descubro tudo o que puder sobre eles."

"Às vezes eu não ouço o Buddy como deveria — quando estou furiosa ou só muito cansada." A tristeza toma conta de seus olhos. "Justo eu, que deveria saber como é isso, já que o Ricky raramente me ouvia, e essa é uma das razões pelas quais nós não nos demos bem. Uma das muitas razões."

Scarpetta tinha desconfiado que o casamento de Nic estava mal das pernas ou tinha acabado. As pessoas que são infelizes em relacionamentos carregam consigo um ar de desgosto e isolamento. No caso de Nic, os sinais estão todos ali, especialmente a raiva que ela pensa que esconde.

"Está muito ruim?", pergunta Scarpetta.

"Separados, bem perto do divórcio." Nic estende a mão para pegar a xícara de café novamente, mas muda de idéia. "Graças a Deus meu pai mora perto, em Baton Rouge, senão eu não saberia o que fazer com Buddy. Sei muito bem que Ricky tiraria o menino de mim só para me dar o troco."

"Dar o troco? De quê?", pergunta Scarpetta, e ela tem um motivo para todas essas perguntas.

"É uma longa história. Vem acontecendo há mais de um ano, indo de mal a pior, não que em algum momento tenha sido muito bom."

"Mais ou menos o mesmo período de tempo em que

aquelas mulheres têm desaparecido na sua área." Scarpetta finalmente chega aonde queria. "Quero saber como você está lidando com isso, porque, de uma hora para a outra, a coisa toda pode complicar a sua vida. Quando você menos esperar. Eu reparei que você não falou nos casos nem uma única vez, pelo menos não enquanto estive com vocês. Dez mulheres em catorze meses. Desaparecidas, de suas casas, veículos, estacionamentos, todas na área de Baton Rouge. Supostamente mortas. Posso lhe garantir que estão mortas. Posso lhe garantir que foram assassinadas pela mesma pessoa, que é astuta — muito astuta. Inteligente e experiente o bastante para conquistar a confiança delas, depois raptá-las e em seguida livrar-se dos corpos. Já matou antes e matará de novo. O último desaparecimento foi há apenas quatro dias — em Zachary. Este é o segundo caso em Zachary, o primeiro foi há alguns meses. E você está voltando para casa para encontrar isso, Nic. Assassinatos em série. Dez deles."

"Não são dez. Apenas dois em Zachary. Eu não faço parte da força-tarefa", replicou Nic com um ressentimento contido. "Não ando com os grandões. Eles não precisam de ajuda de policiais de lugarejos como eu, pelo menos na visão do procurador-geral."

"O que o procurador tem a ver com isso?", pergunta Scarpetta. "Esses casos não estão na jurisdição dos federais."

"Weldon Winn não é só um babaca egoísta, ele também é um imbecil. Nada pior do que alguém que é imbecil e arrogante e tem poder. Os casos tiveram muita exposição, estão em todos os jornais. Ele quer fazer parte da coisa, para talvez um dia acabar como juiz federal ou senador.

"E a senhora está certa. Sei que vou para casa, mas a única coisa que posso fazer é trabalhar nos dois desaparecimentos que tivemos em Zachary, mesmo sabendo muito bem que estão ligados aos outros oito."

"É interessante que os raptos agora estejam acontecendo mais ao norte de Baton Rouge", diz Scarpetta. "Ele deve estar achando que sua primeira área de matança está arriscada demais."

"A única coisa boa que posso dizer sobre isso é que Zachary pode estar na comarca de East Baton Rouge, mas pelo menos não está na jurisdição da polícia de Baton Rouge. Assim a todo-poderosa força-tarefa não pode ficar me dando ordens em relação aos meus casos."

"Fale-me sobre eles."

"Vamos ver. O mais recente. O que eu sei a respeito. O que qualquer um sabe a respeito. Dois dias depois da Páscoa, apenas quatro dias atrás", ela começa. "Uma professora de quarenta anos de nome Glenda Marler. Professora do ginásio — na mesma escola que freqüentei. Loira, olhos azuis, bonita, muito inteligente. Divorciada, sem filhos. Na noite da terça-feira passada ela vai até uma churrascaria, compra carne de porco desfiada, polenta frita e salada de repolho, tudo para viagem. Ela tem um Honda Accord, ano 94, azul, e é vista saindo do restaurante, entrando no carro e indo para o sul pela Main Street, que passa bem no meio da cidade. Ela desaparece, o carro é encontrado abandonado no estacionamento da escola onde ela trabalha. É claro que a força-tarefa está sugerindo que ela tinha ido encontrar algum de seus alunos, que o caso não está relacionado aos outros, que é uma coincidência. Um monte de bobagem."

"No estacionamento da escola em que ela trabalha", observa Scarpetta pensativa. "Então ele conversou com ela, descobriu coisas sobre ela depois que ela passou para o carro dele, talvez tenha perguntado onde trabalhava, e ela contou. Ou talvez ele a tenha seguido."

"O que a senhora acha que aconteceu?"

"Não sei. A maioria dos assassinos seriais espreita e segue suas vítimas. Mas não há nenhuma regra fixa, apesar do que pensam quase todas as pessoas que traçam perfis."

"A outra vítima", continua Nic, "desapareceu pouco antes de eu vir para cá. Ivy Ford. Quarenta e dois anos, loira, olhos azuis, atraente, era caixa em um banco. Os filhos fazem faculdade fora, e o marido estava em Jackson, Mississippi, em uma viagem de negócios, portanto ela estava sozinha quando alguém deve ter aparecido em sua casa. Como sempre, não havia nenhum sinal de luta. Não havia nada. E ela desapareceu sem deixar vestígios."

"Nada jamais acontece sem deixar vestígios", diz Scarpetta ao mesmo tempo em que prevê cada cenário, contemplando o óbvio: a vítima não tem motivos para temer seu atacante até ser tarde demais.

"A casa de Ivy Ford ainda está sendo guardada?" Scarpetta duvida que esteja, depois de todo esse tempo.

"A família ainda mora lá. Não sei como as pessoas voltam para casas onde aconteceram coisas tão terríveis."

Nic começa a dizer que ela não faria isso. Mas não é verdade. Já houve uma ocasião, muito antes em sua vida, em que ela o fez.

"O carro do caso mais recente, o de Glenda Marler, foi apreendido e examinado minuciosamente?", pergunta Scarpetta.

"Durante horas e horas nós... bom, como a senhora sabe, eu estava aqui." Esse detalhe a desaponta. "Mas recebi o relatório completo e sei que passamos muito tempo com ele. Meu pessoal recolheu todas as digitais que conseguiu encontrar. Jogamos as melhores no AFIS, o sistema automatizado de identificação de digitais, mas não encontramos nada, nenhuma combinação apareceu. Pessoalmente, não creio que isso seja importante porque acredito que a pessoa que agarrou Glenda Marler nunca esteve no carro dela. Então, de qualquer forma, as digitais dele não estariam no carro. E as únicas digitais nas maçanetas eram dela."

"E quanto às chaves, carteira e outros objetos pessoais dela?"

"Chaves no contato, uma agenda de bolso e carteira achadas no estacionamento da escola a uns seis metros do carro."

"Dinheiro na carteira?", pergunta Scarpetta.

Nic balança a cabeça. "Mas o talão de cheques e os cartões de crédito estavam intactos. Ela não era de carregar muito dinheiro na carteira. Seja lá quanto tivesse, sumiu tudo, e sei que ela estava com pelo menos seis dólares e trinta e dois centavos porque esse foi o troco que ela recebeu depois de dar uma nota de dez dólares para o caixa do restaurante para pagar a comida. Meu pessoal foi investigar, porque estranhamente o pacote com a comida não estava dentro do carro. Então não achamos o recibo. Tivemos que voltar ao restaurante e pedir para o dono imprimir uma cópia."

"Então parece que o criminoso levou a comida dela também."

Aquilo era estranho, mais típico de um furto comum, com certeza algo raro em um crime violento cometido por um psicopata.

"Até onde você sabe, houve furto envolvido nos casos das outras oito mulheres desaparecidas?", pergunta Scarpetta.

"O que se diz é que todo o dinheiro das carteiras foi tirado e elas foram largadas a poucos metros dos locais onde as mulheres desapareceram."

"Você sabe se encontraram impressões digitais em algum dos casos?"

"Não sei dizer com certeza."

"Talvez DNA de células da pele no local onde o criminoso tocou a carteira?"

"Eu não sei o que a polícia de Baton Rouge fez, porque eles não contam porra nenhuma a ninguém. Mas os caras do meu departamento passaram um pente fino em tudo, incluindo a carteira de Ivy Ford, e conseguiram o perfil de DNA dela — e um outro que não está nos bancos de dados do FBI, o CODIS. Como a senhora sabe, a Louisiana está começando a montar um banco de dados de DNA agora, mas estamos tão atrasados em relação à quantidade de amostras que nem dá para pensar nisso."

"Mas vocês têm um perfil desconhecido", diz Scarpetta com interesse, "embora tenhamos que aceitar de imediato que possa ser de qualquer pessoa. E quanto aos filhos dela, o marido?"

"O DNA não é deles."

Scarpetta balança a cabeça afirmativamente. "Então você tem que começar a se perguntar quem mais teria um bom motivo para mexer na carteira de Ivy Ford. E quem mais além do assassino?"

"Eu me pergunto isso vinte e quatro horas por dia."

"E esse caso mais recente, Glenda Marler?"

"Os laboratórios da polícia estadual estão com as evidências. Vai demorar um pouco para saírem os resultados dos testes, embora tenham sido pedidos com urgência."

"Foi usada uma fonte alternativa de luz no interior do carro?"

"Sim. Nada, nada, nada, nada", diz Nic frustrada. "Não há cenas do crime, nem cadáveres, como se tudo fosse um sonho ruim. Se pelo menos um único corpo aparecesse... O *coroner** é excelente. Já ouviu falar nele? Doutor Sam Lanier."

Scarpetta não o conhece.

(*) Funcionário público encarregado de descobrir a causa de qualquer morte repentina, violenta ou suspeita por meio de um inquérito. (N. E.)

8

A sala do *coroner* da comarca de East Baton Rouge dá para um longo trecho reto do rio Mississippi e para o antigo capitólio em *art déco* onde o astuto, corajoso e despótico Huey Long foi assassinado.*

As águas lamacentas e vagarosas carregam os olhos do dr. Sam Lanier para um cassino flutuante, passando pelo couraçado USS *Kidd* e encontrando a Old Mississippi Bridge, enquanto ele permanece em pé diante da janela de sua sala no quinto andar do Governmental Building. É um homem saudável, de sessenta e poucos anos, o cabelo grisalho bem repartido do lado direito. Diferente de muitos de sua posição hierárquica, ele evita usar ternos, a não ser quando vai ao tribunal ou quando comparece a compromissos políticos que não pode evitar.

Seu cargo pode ser político, mas ele despreza a política e praticamente todas as pessoas nela envolvidas. Do contra por natureza, o dr. Lanier usa o mesmo tipo de roupa quase todos os dias, até quando tem reuniões com o prefeito: sapatos confortáveis, adequados para levá-lo a lugares desagradáveis, calças esportivas escuras e largas, e uma camisa pólo com o brasão do *coroner* da comarca de East Baton Rouge.

Ponderado que é, ele reflete sobre como lidar com a bizarra correspondência que recebeu na manhã de ontem,

(*) Huey Pierce Long (1893-1935), governador da Louisiana (1928-32) e membro do Senado (1932-35), conhecido por sua oratória e suas idéias populistas. (N. T.)

uma carta em um envelope de porte pago da National Academy of Justice. O dr. Lanier é sócio dessa organização há anos. O grande envelope branco da NAJ estava lacrado. Não parecia ter sido manuseado de maneira alguma, até que o dr. Lanier o abriu e encontrou um outro envelope, também lacrado. Estava endereçado a ele, à mão, em letra de fôrma, e o endereço do remetente era o Departamento de Justiça Criminal do Texas, Unidade Polunsky. Uma busca na internet revelou que a Unidade Polunsky é o corredor da morte. A carta, também escrita à mão em letra de fôrma, dizia:

Saudações, Monsieur Lanier,

É claro que o senhor se lembra de Madame Charlotte Dard, cuja triste e precoce morte ocorreu no dia 14 de setembro de 1995. O senhor testemunhou a autópsia dela, e eu o invejo por essa deliciosa experiência, algo que eu mesmo nunca vi, não pessoalmente. Vou ser executado em breve e estou me livrando de meus segredos.

Madame Dard foi assassinada de maneira muito inteligente.

Mais non! Não por mim.

Uma pessoa de interesse, que é a maneira idiota como se referem a possíveis suspeitos hoje em dia, fugiu para Palm Desert pouco depois da morte de Madame Dard. Essa pessoa não está lá agora. A localização e a identidade dessa pessoa o senhor tem que descobrir sozinho. Eu o incentivo a buscar ajuda. Posso lhe sugerir a grande perícia do detetive Pete Marino? Ele me conhece muito bem de meus alegres dias em Richmond. Com certeza o senhor já ouviu falar do grande Marino, não?

Seu sobrenome, mon cher monsieur, indica que o senhor tem ascendência francesa. Talvez sejamos parentes.

À bientôt,
Jean-Baptiste Chandonne

O dr. Lanier havia ouvido falar de Jean-Baptiste Chandonne. Nunca ouvira falar em Pete Marino, mas é facilmente apresentado a ele depois de enviar algumas palavras-chave em ferramentas de busca perscrutando o ciberespaço. É verdade. Marino liderou a investigação quando Chandonne estava assassinando mulheres em Richmond. No entanto, o que mais interessa ao dr. Lanier é que Marino é mais conhecido por sua relação profissional com a dra. Kay Scarpetta, uma talentosa patologista forense. O dr. Lanier sempre a respeitara e ficara mais do que impressionado ao ouvir uma das conferências dela em uma reunião regional de *coroners*. A maioria dos patologistas forenses, especialmente aqueles com o status dela, despreza os *coroners*, pensando que todos são diretores de funerárias que conseguiram um cargo público. É claro que alguns são isso mesmo.

A desgraça meteu seu pé enorme na frente e passou uma rasteira na dra. Scarpetta, machucando-a bastante há muitos anos. Por isso ela conta com a simpatia do dr. Lanier. Não se passa um dia sem que a desgraça apareça procurando por ele também.

Agora um assassino serial famoso parece achar que o dr. Lanier precisa da ajuda de Marino, colega dela. Talvez precise. Talvez aquilo seja alguma armação. Com a eleição a menos de seis meses, o dr. Lanier desconfia de qualquer desvio em relação à rotina, e uma carta de Jean-Baptiste Chandonne o deixa muito desconfiado. O único motivo pelo qual ele não pode ignorá-la é simples: Jean-Baptiste Chandonne, se a carta for realmente dele, conhece Charlotte Dard. O caso dela foi esquecido pelo público e nunca foi notícia fora de Baton Rouge. A causa de sua morte não foi determinada. O dr. Lanier sempre pensou na possibilidade de ela ter sido assassinada.

Ele sempre acreditou que a melhor maneira de identificar uma cobra boca-de-algodão é cutucá-la. Se a parte de dentro da boca for branca, é melhor esmagar-lhe a cabeça. Se não for, a criatura não passa de uma inofensiva cobra-d'água.

Ele pode muito bem cutucar a verdade para ver o que encontra. Em sua mesa, pega o telefone e descobre que Marino não se incomoda com quem o procura — ele tem o que o dr. Lanier chama de postura "manda ver". Pressente que Marino é do tipo que pilota uma Harley FatBoy, provavelmente sem capacete. A secretária eletrônica do policial não diz que ele *não* pode atender ao telefone porque ele *não está* ou porque está *na outra linha*, que são os termos que a maioria das pessoas educadas e profissionais usa em suas gravações. A rude voz masculina gravada diz "Não ligue para a minha casa" e oferece um outro número para a pessoa tentar.

O dr. Lanier tenta o outro número. A voz que atende soa como a da gravação.

"Detetive Marino?"

"Quem quer falar com ele?"

Ele é de New Jersey e não confia em ninguém, provavelmente não gosta de ninguém também.

O dr. Lanier se apresenta e é cuidadoso com aquilo que diz. No departamento de confiança e afeição, Marino encontrou nele um igual.

"Tivemos uma morte aqui uns oito anos atrás. Já ouviu falar em uma mulher de nome Charlotte Dard?"

"Não."

O dr. Lanier lhe dá alguns detalhes do caso.

"Não."

O dr. Lanier lhe dá mais alguns detalhes.

"Deixa eu perguntar uma coisa. Por que diabos eu ia saber alguma coisa sobre um caso de overdose em Baton Rouge?" Marino não é nem um pouco simpático.

"Eu me fiz essa mesma pergunta."

"O quê? O que é isso? Você é algum babaca a fim de me encher o saco?"

"Muita gente pensa que eu sou um babaca", responde o dr. Lanier. "Mas não estou querendo encher o seu saco."

Ele se pergunta se deveria contar a Marino sobre a carta

de Jean-Baptiste Chandonne. Decide que isso não teria utilidade nenhuma. Ele já descobriu o que precisava saber: Marino não tem a menor informação sobre Charlotte Dard e ficou aborrecido por ser incomodado por um *coroner*.

"Mais uma pergunta rápida e não vou mais tomar o seu tempo", diz o dr. Lanier. "O senhor tem uma longa história com a doutora Kay Scarpetta..."

"O que ela tem a ver com isso?" A postura de Marino muda. Agora ele passa a ser simplesmente hostil.

"Pelo que sei ela tem feito consultorias particulares." O dr. Lanier leu uma breve nota sobre isso na internet.

Marino não responde.

"O que o senhor acha dela?" O dr. Lanier sente que essa pergunta vai fazer entrar em erupção um temperamento vulcânico.

"Vou te dizer uma coisa, babaca. O que eu acho dela não é da conta de nenhum bostinha desconhecido!"

A conversa termina com o sinal da linha telefônica.

Na opinião de Sam Lanier, ele não poderia ter conseguido uma melhor validação do caráter da dra. Kay Scarpetta. Ela será bem-vinda.

9

Scarpetta aguarda na fila em frente ao balcão de recepção do hotel Marriott, a cabeça latejando, seu sistema nervoso central abalado pelo vinho tão horroroso que o rótulo deveria ter o desenho de uma caveira com ossos cruzados embaixo.

Seu mal-estar é muito mais sério do que deixou Nic perceber, e a cada minuto que passa seu estado de espírito e sua condição física pioram. Ela se recusa a chamar sua condição de "ressaca" (afinal, mal tomou dois copos daquele maldito vinho), e não se perdoa por ter sequer pensado em consumir uma bebida alcoólica vendida em embalagem de papelão.

Ao longo dos anos, algumas experiências dolorosas demonstraram que, quando enfrenta infortúnios dessa natureza, quanto mais café tomar, pior vai se sentir, mas isso não a impediu de pedir para trazerem um bule grande a seu apartamento e de voar por instinto em vez de confiar em seus instrumentos, que é a forma como Lucy descrevia os momentos em que a tia ignorava aquilo que sabia e fazia o que estava sentindo, obrigando-a a aterrissagens forçadas.

Quando finalmente chega ao balcão, pede a conta e recebe um envelope.

"Isto acabou de chegar para a senhora", diz o recepcionista, destacando o cupom com os valores de suas despesas e entregando-o a ela.

Dentro do envelope há um fax. Scarpetta anda atrás do porteiro que empurra o carrinho, carregado com sacolas e três malas grandes contendo carrosséis de slides que ela não se deu ao trabalho de converter para apresentações em PowerPoint porque não as tolera. Para mostrar a imagem de um homem que arrebentou o tampo da cabeça com uma escopeta, ou de uma criança que morreu por queimaduras, não era preciso um computador ou efeitos especiais. As apresentações em slides e apostilas serviam às suas finalidades tão bem agora quanto no começo de sua carreira.

O fax é de sua secretária, Rose, que deve tê-lo enviado mais ou menos no mesmo instante em que, abatida, Scarpetta estava percorrendo o espaço entre o elevador e o saguão do hotel. A única coisa que Rose dizia era que o dr. Sam Lanier, *coroner* da comarca de East Baton Rouge, precisava muito falar com ela. Rose incluiu na mensagem os números de telefone residencial e comercial do médico, e também o de seu celular. Imediatamente, Scarpetta pensa em Nic Robillard e na conversa que tiveram menos de uma hora atrás.

Ela espera entrar no táxi antes de ligar para o telefone comercial do dr. Lanier. Ele mesmo atende.

"Como o senhor sabia quem era minha secretária e como contatá-la?", ela pergunta imediatamente.

"O pessoal com quem a senhora trabalhava em Richmond teve a gentileza de me dar seu número na Flórida. A propósito, Rose é encantadora."

"Entendo", responde ela enquanto o táxi se afasta do hotel. "Estou em um táxi a caminho do aeroporto. Podemos ir direto ao assunto?"

A aspereza dela tem mais a ver com o aborrecimento em relação ao pessoal de Richmond do que com ele. Fornecer seu número de telefone, que não consta da lista, é um enorme tormento — não que isso não tenha acontecido antes. Algumas pessoas que ainda trabalham no Escritório do Legista-Chefe continuam leais à sua chefe. Outras são traidoras e curvam-se na direção em que o poder as puxa.

"Sem dúvida", diz o dr. Lanier. "Eu gostaria de saber se poderia revisar um caso para mim, doutora Scarpetta — um caso de oito anos atrás que nunca foi bem resolvido. Uma mulher morreu em circunstâncias suspeitas, aparentemente uma overdose. Já ouviu falar em Charlotte Dard?"

"Não."

"Acabei de receber algumas informações — não sei se são pertinentes ou não —, mas não quero discutir isso com a senhora em um telefone celular."

"O caso é da área de Baton Rouge?" Scarpetta procura papel e caneta em sua bolsa.

"Uma outra história para um outro dia. Mas, sim, é um caso da área de Baton Rouge."

"O caso é seu?"

"Foi meu. Eu gostaria de lhe enviar os relatórios, slides e todo o resto. Parece que terei que investigar a coisa um pouco mais." Ele hesita. "E como a senhora deve desconfiar, meu orçamento não é lá essas coisas..."

"Nenhuma das pessoas que me procuram tem consultores previstos no orçamento", ela o interrompe. "Eu também não tinha quando estava na Virgínia."

Ela diz a ele para mandar o material pelo FedEx e lhe dá o endereço.

E acrescenta: "Por acaso o senhor conhece uma investigadora em Zachary chamada Nic Robillard?".

Uma pausa, e então: "Acho que falei com ela por telefone alguns meses atrás. É claro que a senhora sabe o que está acontecendo aqui".

"Não dá para não saber. Está em todos os jornais", responde Scarpetta cautelosamente, em meio ao barulho do táxi e do trânsito da hora do rush.

Nem o tom de sua voz nem as palavras que disse revelam que ela tem qualquer informação pessoal sobre os casos, e seu nível de confiança em Nic cai vários pontos enquanto se aflige com a idéia de que talvez Nic tenha telefonado para o dr. Lanier para falar sobre ela. O motivo para ela fazer isso não está claro, a menos que simplesmente tenha comentado que Scarpetta poderia ser bastante útil para Lanier, caso viesse a precisar dela. Talvez ele realmente precise dela para esse caso sem conclusão que acabou de lhe contar. Talvez esteja tentando iniciar um relacionamento com ela por não estar equipado para lidar sozinho com assassinatos em série.

"Quantos patologistas forenses trabalham para o senhor?", pergunta Scarpetta.

"Um."

"Nic Robillard lhe telefonou falando a meu respeito?" Ela não tem tempo para sutilezas.

"E por que ela faria isso?"

"Isso não é resposta."

"De jeito nenhum", responde ele.

10

Um aparelho de ar-condicionado range em uma janela empoeirada, a tarde mais quente do que de costume para o mês de abril, enquanto Jay Talley corta carne em pedacinhos, jogando-os em um balde plástico ensangüentado embaixo da mesa de madeira cheia de marcas em que está sentado.

A mesa, como todo o resto em sua cabana de pesca, é velha e feia, o tipo de objeto doméstico que as pessoas deixam na calçada em frente de casa para ser levado pelos lixeiros ou por catadores de lixo. Seu local de trabalho é seu lugar especial, e ele é paciente enquanto repetidamente ajusta pedaços de pano colocados sob os vários pés da mesa em sua contínua tentativa de mantê-la estável. Prefere não cortar em uma superfície móvel, mas o equilíbrio é praticamente impossível neste planetinha curvo, e o chão de madeira, pardacento, é irregular o bastante para que se possa rolar um ovo da pequena cozinha até o píer, onde algumas pranchas estão apodrecidas e outras são onduladas como fios de cabelo revirados nas pontas.

Batendo com força nos mosquitos, ele termina uma cerveja, amassa a lata e a arremessa pela porta aberta, satisfeito por ela voar uns sete metros para além de seu barco, caindo na água com um *tigum.* O tédio confere prazer às atividades mais comuns, o que inclui dar uma olhada nos potes de caranguejos presos a bóias na lamacenta água doce. Não importa que não existam caranguejos nessas águas. Existem lagostins, e é a época de eles aparecerem, e, se eles não limparem os potes, alguma coisa maior geralmente aparece.

No mês passado, um tronco enorme revelou ser um peixe-agulha que deveria pesar pelo menos uns quarenta e cinco quilos. Ele se moveu como um torpedo, levando embora o espinhel e a bóia improvisada feita com uma garrafa vazia de desinfetante. Jay ficou sentado calmamente no barco e saudou a criatura carnívora batendo na aba do boné. Jay não come o que pega nos potes, mas ali, no meio daquele fim de mundo infernal que agora ele chama de lar, suas únicas opções aceitáveis são peixes-gato, percas, tartarugas e todas as rãs que conseguir fisgar à noite. Caso contrário, sua comida vem em sacos plásticos e latas comprados nas diversas mercearias em terra firme.

Ele corta músculos e ossos com um cutelo afiado. Mais pedaços de carne pútrida caem no balde. Naquele calor, não leva muito tempo para a carne apodrecer.

"Adivinha em quem eu estou pensando agora?", pergunta ele para Bev Kiffin, sua mulher.

"Cala a boca. Você só diz isso pra me provocar."

"Não, *ma chérie*, eu digo porque estou me lembrando de quando trepei com ela em Paris."

As chamas do ciúme. Bev não consegue se controlar quando é forçada a pensar em Kay Scarpetta, que é bonita e inteligente — muito bonita e inteligente o bastante para Jay. Não ocorre a Bev pensar que não tem um bom motivo para competir com uma mulher que Jay fantasia picando em pedacinhos que serão jogados aos jacarés e lagostins no rio em frente à porta de casa. Se Bev pudesse cortar a garganta de Scarpetta, faria isso com certeza, e sonha em ter a oportunidade de fazer isso algum dia. Aí Jay não iria mais falar naquela vaca. Ele não ia passar metade da noite olhando fixo para o pântano, pensando nela. "Por que você tem sempre que falar nela?"

Bev aproxima-se dele e observa o suor escorrendo-lhe

sobre o peito liso e perfeitamente delineado, ensopando a cintura dos jeans cortados acima dos joelhos. Ela olha para as coxas musculosas, os pêlos finos e brilhantes como ouro. Sua fúria transforma-se em uma centelha e explode.

"Você está com tesão. Está picando essa carne e está com o pau duro! Larga esse machado de carne!"

"É um *cutelo*, querida. Você é tão burra." Seu rosto bonito e o cabelo loiro estão encharcados de suor, os olhos azuis frios brilhando em contraste com a pele bronzeada.

Ela se curva e põe a mão grosseira sobre o volume entre as coxas dele, enquanto Jay calmamente abre as pernas e se recosta na cadeira o suficiente para que ela comece a abrir-lhe o zíper. Ela está sem sutiã, a blusa florida barata desabotoada até a metade, oferecendo-lhe uma visão de seus seios grandes e flácidos que não provocam nele nada além de necessidade de manipulação e controle. Ele rasga a blusa dela, os botões caindo um a um no chão de madeira, e começa a acariciá-la do jeito que ela quer.

"Ah", geme ela. "Não pára", ela implora, puxando-lhe a cabeça para mais perto.

"Quer mais, meu bem?"

"Ah."

Ele a chupa, enojado pelo sabor amargo e salgado dela, e empurra-a com força com os pés descalços.

O barulho de seu corpo atingindo o chão, a respiração ofegante e assustada dela são sons familiares na cabana de pesca.

11

O sangue brota de um arranhão no rechonchudo joelho esquerdo de Bev, e ela encara o ferimento, os olhos arregalados.

"Por que você não me quer mais, benzinho?", pergunta ela. "Antes você me queria tanto que eu não conseguia te tirar de cima de mim."

O nariz dela escorre. Ela passa as mãos pelos cabelos castanhos curtos e crespos, começando a ficar grisalhos, e fecha o que restou da blusa, repentinamente humilhada por sua nudez repulsiva.

"Eu quero quando *eu* quero."

Ele retoma os golpes de cutelo. Pedacinhos de carne e ossos voam da lâmina espessa e brilhante e grudam na mesa de madeira manchada e no peito nu e suado de Jay. O fedor acre e adocicado da carne apodrecendo preenche o ar sufocante, e moscas zumbem em preguiçosos ziguezagues, movendo-se vagarosamente pelo ar como aviões de carga pesados. Elas pairam sobre a massa sanguinolenta dentro do balde, os corpos negros e verdes brilhando como gasolina derramada.

Bev se levanta do chão. Fica olhando Jay cortar a carne e jogá-la no balde, as moscas que fogem rápidas e mergulham de novo, ávidas para voltar ao banquete. Zumbem alto, batendo na lateral do balde.

"E agora nós vamos comer nessa mesa, é?" Ela sempre fala isso. Eles nunca comem ali. A mesa é o espaço particular de Jay e ela sabe que não deve nem chegar perto.

Ele bate furiosamente nos mosquitos que pousam em seu corpo. "Droga, eu odeio esses mosquitos do caralho! Quando é que você vai fazer compras, porra? E da próxima vez, vê se não volta só com duas embalagens de repelente de insetos e sem os filhotes de cachorro."

Bev desaparece dentro do banheiro. Ele não é maior do que a proa de um barco pequeno, e não tem um tanque para tratamento químico de dejetos, que escorrem através de um buraco que leva a uma cuba que fica entre as estacas que sustentam a cabana. Uma vez por dia ela esvazia a cuba nas águas do pântano. Seu pesadelo recorrente é o de que uma cobra ou um jacaré a pegue enquanto ela estiver sentada na privada feita de madeira, e em ocasiões especialmente mais incômodas, ela fica de cócoras sobre a caixa, observando de forma atenta o buraco negro, as coxas grossas tremendo de medo e do esforço de agüentar o próprio peso.

Ela era carnuda quando Jay a conheceu em uma área de camping perto de Williamsburg, Virgínia, onde os negócios da família dele fizeram com que se encontrassem, realmente por acaso. Ele precisava de um lugar para morar, e o dela ficava bastante afastado, uma propriedade coberta de mato, com lixo por toda parte e rodeada de florestas densas com pequenos trailers abandonados, cheios de ferrugem, e onde havia um motel cujos fregueses eram principalmente prostitutas e traficantes. Quando Jay apareceu à porta de Bev, ela ficou excitada com o vigor dele e sentiu-se atraída de imediato. Ela se apresentou para ele da mesma maneira que fazia com todos os homens; sexo puro era seu único meio de satisfazer necessidades que nasciam da solidão e da raiva.

A chuva estava muito forte naquela noite, fazendo-a pensar em pregos brilhantes caindo, e ela arrumou um prato de sopa de legumes com carne e um sanduíche de queijo quente para Jay, enquanto seus filhos se escondiam e observavam a mãe envolvendo-se com mais um estranho. Bev não se importou com os pequenos naquela vez. Ela tenta não pensar neles agora, nem se perguntar como estariam crescendo. Eles estão sob a custódia do Estado e em melhores condições do que se estivessem com ela. Por ironia, Jay os tratava melhor do que ela. Ele era muito diferente naquele tempo, quando a levou para a cama naquela primeira noite.

Ela era mais atraente há três anos e ainda não havia engordado de tanto comer petiscos, queijos processados e carne congelada. Ela não consegue fazer flexões e agachamentos o dia inteiro como faz Jay, e não faz nenhum exercício. Atrás da cabana, um pântano cheio de mexilhões e uma faixa escura de sujeira que se estende por quilômetros. Não há terra firme por onde andar, a não ser no píer. Manobrar o barco de Jay por entre os canais estreitos é uma atividade que não queima muitas calorias.

Um pequeno barco com motor de popa serviria, mas Jay não queria nada menor do que um motor Evinrude de duzentos cavalos de força com hélice de aço inoxidável para acelerar nos canais, em direção aos esconderijos, onde ficava flutuando em silêncio sob os ciprestes, aguardando praticamente imóvel caso um helicóptero ou avião pequeno passasse voando baixo. Ele não ajuda Bev em nada; sua aparência distinta não pode sofrer danos, porque é vaidoso demais. Quando vai para terra, é para pegar dinheiro em algum esconderijo da família e não para fazer alguma outra coisa. Bev pode se arriscar a sair para buscar provisões porque está muito diferente da fotografia que aparece na lista dos mais procurados do FBI, a pele ressecada pelo sol, o corpo acima do peso, o rosto inchado e o cabelo bem curto.

"Por que não podemos fechar a porta?", pergunta Bev quando sai do banheiro minúsculo e sujo.

Ele vai até a geladeira arredondada e branca, com marcas de ferrugem, uma sobra da década de 60. Abre a porta e pega outra cerveja.

"Eu gosto de sentir calor", diz ele, os passos pesados sobre as pranchas de madeira do chão.

"O ar-condicionado fica gastando à toa." A reclamação que ela sempre faz. "Daqui a pouco vamos ficar sem gasolina até para o gerador."

"Então você vai ter que sair e comprar mais. Quantas vezes eu tenho que te dizer para tirar a bunda da cadeira e ir buscar mais?"

Ele a encara, os olhos estranhos, da maneira como sempre ficam quando ele está envolvido em seu ritual. Sua ereção se comprime contra o zíper, e logo ele irá se aliviar — mais uma vez, no momento de sua escolha. Odor corporal e um fedor pútrido passam por ela quando ele leva o balde para fora, as moscas formando uma nuvem de zumbidos atrás dele. Jay põe-se a trabalhar, levantando os potes de caranguejo pelas cordas de náilon amarelas. Ele tem dúzias de potes. Os pedaços grandes demais para caber nos potes são jogados na água, e os jacarés os levam para o fundo e comem à vontade. Os crânios são o maior problema, porque levam à identificação. Outro dos rituais dele é esmagar os crânios até virarem pó, que ele mistura com pó de giz branco que guarda em latas de tinta vazias. O pó resultante, mistura de giz e osso, o faz lembrar-se das catacumbas que serpenteiam vinte e cinco metros abaixo das ruas de Paris.

Agora, estirado na cama estreita encostada em uma das paredes, ele cruza as mãos atrás da cabeça.

Bev tira a blusa rasgada, provocando-o como se fosse uma stripper. Mestre no jogo da espera, ele não reage quando ela se esfrega contra seus lábios. Ela está ofegante. Isso poderia continuar durante muito tempo, sem ele dar a mínima para as súplicas dela, e quando estiver pronto, e só então, ele morderá, mas não com força suficiente para deixar uma marca porque ele não tolera a idéia de ser minimamente parecido com Jean-Baptiste, seu irmão.

Jay costumava cheirar bem e ter um ótimo gosto. Agora que é um fugitivo, raras vezes toma banho, e, quando o faz, simplesmente derrama baldes de água do pântano sobre o corpo. Bev não ousa reclamar ou sequer reagir ao forte mau cheiro que vem de seu hálito e de sua virilha. Na única vez em que ela fez uma piada a respeito, ele quebrou-lhe o nariz e a obrigou a terminar, o sangue e os pequenos gemidos de dor que vinham dela enchendo-o de prazer.

Quando ela limpa a cabana, esfrega obsessivamente aquela mancha embaixo da cama, mas manchas de sangue são duras de tirar, como alguma coisa que poderia ter saído de um filme de terror. A água sanitária deixou uma área marcada de um marrom esbranquiçado do tamanho de um capacho, da qual Jay sempre reclama, como se ele não tivesse nada a ver com o aparecimento da mancha.

12

Jean-Baptiste Chandonne é o *Pensador* de Rodin no aparelho sanitário de aço inoxidável, a calça branca amarfanhada ao redor dos joelhos peludos.

Os carcereiros zombam dele. Aquilo nunca tem fim. Ele pode sentir o que está acontecendo quando se acomoda na privada, olhando fixamente para a porta de aço trancada da cela. As barras de ferro na janelinha são atraídas pelo ferro no sangue de Jean-Baptiste. Magnetismo animal é um fato científico sobre o qual pouco se ouve falar hoje em dia e que em geral não era aceito séculos atrás, muito embora existam casos documentados de materiais magnetizados que foram aplicados a partes enfermas e feridas do corpo, fazendo com que todos os sintomas desaparecessem e a saúde do paciente fosse restaurada. Jean-Baptiste conhece a fundo a doutrina do famoso dr. Mesmer, cujo sistema de tratamento é exposto de maneira eloqüente em seu *Mémoir sur la découverte du magnétisme animal.*

A obra original, publicada pela primeira vez na França em 1779, é a bíblia de Jean-Baptiste. Antes de seus livros e rádio serem confiscados, ele memorizou longos trechos de Mesmer, e é um crente devoto de que um fluído magnético universal influencia as marés e as pessoas.

"Eu possuía o conhecimento comum sobre o magneto: sua ação sobre o ferro, a capacidade de nossos fluídos corporais de acolherem esse mineral...", escreveu Mesmer, e Jean-Baptiste cita em voz baixa enquanto pensa, sentado no sanitário. "Preparei o paciente por meio do uso contínuo de calibados."

Um calibado é um tônico de ferro, e quem além de Jean-Baptiste sabe disso? Se conseguisse encontrar um calibado, se conseguisse encontrar o calibado certo, ele seria curado. Antes de ir para a prisão, ele tentou colocar pregos de ferro na água de beber, comer ferrugem, dormir com pedaços de ferro sob o travesseiro e a cama, e carregar porcas, parafusos e magnetos nos bolsos das calças. Passou a acreditar que seu calibado é o ferro no sangue humano, mas não conseguiu obter o suficiente antes de ir para a prisão, e agora não vai conseguir nem um pouquinho. Quando, em raras ocasiões, ele se morde e suga o ferimento, isso não faz a menor diferença, é como uma pessoa bebendo o próprio sangue para se curar de anemia.

Frank Anton Mesmer foi alvo da zombaria tanto da comunidade religiosa quanto da científica, da mesma maneira que zombam de Jean-Baptiste. Os verdadeiros crentes, quando em público, fingiam ceticismo — ou, se eram mesmo crentes, usavam pseudônimos para evitar serem chamados de charlatães. A *Filosofia do magnetismo animal*, publicada em 1837, por exemplo, foi escrita por "Um Cavalheiro de Filadélfia", que alguns suspeitam ter sido Edgar Allan Poe. Livros como esse foram parar nas universidades e acabaram sendo descartados por suas bibliotecas, o que permitiu que Jean-Baptiste adquirisse uma pequena mas surpreendente coleção por uma ninharia.

Ele está obcecado para saber o que aconteceu com seus livros. A veia em seu pescoço lateja enquanto faz força no banheiro. Os livros que trouxe para cá da França foram tirados como punição quando a equipe de avaliação do presídio o rebaixou de nível 1 para nível 3, supostamente porque ele se masturba e comete infrações relacionadas com a comida. Jean-Baptiste passa muito tempo no banheiro, e os carcereiros chamam isso de masturbação.

Duas vezes no mesmo dia — já esqueceu há quanto tempo foi — ele mexeu desajeitadamente nas bandejas de comida quando elas foram introduzidas pela abertura na parte de baixo da porta da cela. A comida espalhou-se por toda parte, e os incidentes foram considerados propositais. Ele foi privado de todas as suas regalias, entre elas, é claro, seus livros. Pode ter apenas uma hora de recreação por semana. Não importa. Ele pode escrever cartas. Os guardas ficam perplexos.

"Ele consegue escrever essas porras dessas cartas sendo cego?", perguntam.

"Não sabem se realmente é. Parece que às vezes é, e às vezes não é."

"Finge?"

"Completamente louco, cara."

Jean-Baptiste pode fazer flexões, abdominais e polichinelos sempre que tem vontade em sua cela de seis metros quadrados. Seu número de visitas foi limitado. Isso também não importa. Quem é que pede para vê-lo, a não ser repórteres e aqueles médicos, estudiosos de perfis psicológicos e acadêmicos que desejavam estudá-lo como se ele fosse uma nova cepa de vírus? O encarceramento de Jean-Baptiste, os maus-tratos que sofria e sua morte iminente transformaram sua alma em uma luz brilhante salpicada de partículas luminosas brancas.

Ele está perpetuamente magnetizado e sonâmbulo, e sua clarividência lhe dá discernimento sem que precise de olhos. Tem ouvidos, mas não precisa deles para ouvir. Pode saber sem saber e ir a qualquer parte sem o corpo que o tem punido desde que nasceu. Jean-Baptiste nunca conheceu nada que não fosse ódio. Antes de tentar matar a legista na Virgínia e ser finalmente capturado pela polícia, um ódio intenso fluiu através dos outros, através dele, e voltou para os outros, o circuito completo e infinito. Seus acessos violentos eram inevitáveis, e ele não considera seu corpo responsável por eles nem sente remorso.

Depois de dois anos no corredor da morte, Jean-Baptiste vive em perpétuo estado de magnetismo e não sofre mais de negatividade em relação a qualquer ser vivo. Isso não quer dizer que ele não mataria novamente. Se tivesse a oportunidade, cortaria mulheres em pedaços como fez no passado, mas sua eletricidade não é carregada por ódio ou lascívia. Ele destruiria lindas fêmeas para responder a seu chamado mais elevado, para completar um circuito puro que é necessário e divino. Seu êxtase delicioso fluiria através de suas escolhidas. A dor e a morte delas seriam lindas, e suas escolhidas lhe seriam eternamente gratas quando seus espíritos se separassem de seus corpos.

"Quem está aí?", ele pergunta para o ar envolto em mau cheiro.

Puxa a ponta do rolo de papel higiênico em direção a sua pequena cama, observando o desenrolar de uma estrada branca e macia que vai levá-lo além das paredes feitas de lajes de concreto. Hoje talvez ele vá a Beaune para visitar sua adega favorita do século XII na propriedade de Monsieur Cambrai e saborear borgonhas dos barris que quiser e sem se preocupar em encher a boca de ar e cuspir o vinho em uma tigela de pedra, que é o procedimento adequado quando se experimentam os tesouros de sua terra, *le terroire*. Ele não pode desperdiçar uma gota sequer! Ah! Vejamos, quais dos excelentes *vins de Bourgogne* desta vez? Ele encosta o dedo indicador em seus lábios deformados.

Seu pai, Monsieur Chandonne, possui vinhedos em Beaune. E seus próprios fabricantes e exportadores de vinhos. Jean-Baptiste sabe muito sobre vinhos, apesar de eles lhe terem sido negados quando foi confinado ao porão e depois banido da casa de sua família. Sua intimidade com Beaune é uma rica fantasia projetada com base nas histórias sobre vinhos contadas em detalhes por seu encantador irmão para fazer Jean-Baptiste lembrar de sua privação e sua inexistência. Ah! Jean-Baptiste não precisa de língua para experimentar. Ele conhece o encorpado Clos de Vougeot, e o suave, complexo e elegante Clos de Mouches tinto.

O ano de 1997 foi excelente para o Clos de Mouches tinto, e o branco da safra de 1980 tem aroma de avelãs e é muito especial. E, ah!, a harmonia do Echezeaux! Mas é do rei dos borgonhas que ele mais gosta, o carnoso e denso Chambertins. Das 280 garrafas produzidas em 1999, Monsieur Chandonne adquiriu 150 para sua adega. Dessas 150, Jean-Baptiste não tomou um único gole. Mas depois de um de seus assassinatos em Paris, ele tirou o dinheiro da mulher e comemorou com um Chambertin 1998 com aroma de rosas e minerais que o fez lembrar do sangue dela. E os Bordeaux? Um Premier Grand Cru Classé, talvez o Château Haut-Brion 1984.

"Quem está aí?", grita ele.

"Cala essa boca e pára de brincar com o papel higiênico! Recolhe tudo!"

Jean-Baptiste não precisa olhar para ver os olhos raivosos espiando através das barras na porta.

"Enrola tudo de novo, do jeito que estava, e pára de brincar com o seu pirulitinho."

Os olhos desaparecem, deixando o ar fresco entrar. Jean-Baptiste precisa ir para Beaune, onde não existem olhos. Ele precisa encontrar sua próxima escolhida e arrancar-lhe a visão deficiente e esmagar-lhe o cérebro para que ela não se lembre de sua repugnância quando o viu. Assim a propriedade dela passa para ele. As colinas e os deliciosos cachos de uvas dela pertencem a ele. Ele vai explorar a adega dela, tatear o caminho pelas paredes escuras e úmidas que se tornam mais frias quanto mais ele avança. O sangue dela é um delicioso vinho tinto, de qualquer safra que ele desejar. Vermelho, vermelho, esguichando e escorrendo por seus braços, fazendo seu cabelo ficar vermelho e grudento, fazendo seus dentes doer de alegria!

"*Quem está aí?*"

Raramente lhe respondem.

Depois de dois anos, os guardas designados para o corredor da morte estão cansados do louco mutante Jean-Baptiste Chandonne. Aguardam ansiosamente o fim dele. O lobisomem francês, com seu pênis deformado e corpo peludo, é repulsivo. Seu rosto é assimétrico, como se os dois lados não estivessem alinhados quando se desenvolveram no útero, um olho mais baixo do que o outro, os dentes pequeninos bastante espaçados e pontudos. Até há pouco tempo ele se barbeava diariamente. Jean-Baptiste não se barbeia agora. É um direito que tem. Nos últimos quatro meses antes da execução, o condenado não precisa se barbear. Pode ir para a câmara da morte com cabelo comprido e barbudo.

Os outros detentos não têm cachinhos de cabelo macios como os de um bebê cobrindo-lhes cada centímetro dos corpos, menos nas membranas mucosas, palmas das mãos e solas dos pés. Jean-Baptiste não se barbeia há dois meses, e cabelos de sete centímetros cobrem seu corpo magro e áspero, todo o rosto e o pescoço e até as costas das mãos. Outros detentos do corredor da morte zombam de Jean-Baptiste, dizendo que as vítimas dele morreram de susto antes que ele tivesse a chance de bater nelas e transformá-las em hambúrguer.

"Hambúrguer! Coitada dela!"

As gozações são ditas em voz alta, para que Jean-Baptiste ouça, e ele recebe crueldades por escrito também, em forma de bilhetes — ou *pipas*, como são chamados — passados através das aberturas sob as portas, de cela em cela, como em uma corrente, até que ele seja o destinatário final. Ele mastiga as notas e as engole. Em alguns dias, até dez delas. Dizem que ele saboreia cada palavra.

"É uma pena que não vão prender a bunda peluda dele numa cadeira, aí ele ia ficar bem passado. Frito." Ele ouviu os guardas comentando algo assim.

"O lugar todo ia ficar cheirando a cabelo queimado."

"Não é certo a gente não poder raspar os cabelos deles antes de ganharem a injeção."

"Não é certo terem parado de fritar eles. Agora é fácil demais, porra. Uma agulhinha de nada e durma bem!"

"Vamos dar um coquetel bem geladinho para o Homem-Lobo."

13

Jean-Baptiste se contorce no sanitário, como se estivesse ouvindo esses comentários irônicos agora, embora haja silêncio do lado de fora de sua porta.

O coquetel gelado é um segredinho sujo das equipes de execução, que querem ter sua parcela de diversão sádica em cada execução. A pessoa que estiver encarregada da substância letal coloca-a em uma caixa de isopor ao transportá-la de uma geladeira trancada até a câmara de morte. Jean-Baptiste ouviu outros detentos dizerem que a substância fica em uma temperatura abaixo do que é necessário, quase em ponto de congelamento. As equipes entendem que é justo que o condenado sinta o frio da injeção intravenosa, enquanto veneno suficiente para matar quatro cavalos corre pela agulha e se choca contra o sangue. Se o detento não exclama "Meu Deus!", ou "Porra!", ou qualquer outra coisa quando sente a iminência de sua morte, os membros das equipes de execução ficam desapontados e um pouco bravos.

"O último garotão que passou por aqui entrou numa fria mesmo", gritam as vozes que rebatem nas portas de aço quando os detentos recontam as histórias.

"Gritou pra valer. Você ficou sabendo o jeito que ele encolheu quando a porra fez efeito?"

"Não deu no rádio."

"Chamou a mãezinha dele."

"Um monte de putas que eu detonei imploraram pela mãe. A última gritou: 'Mamãe! Mamãe! Mamãe!'". O homem que os outros detentos chamam de Animal está contando vantagem de novo.

Ele acha que suas histórias são engraçadas.

"Você é um puto. Eu nem acredito que o governador te deu mais um mês, seu puto!"

O Animal é a fonte da maioria das histórias sobre execução que circulam pelas celas no corredor da morte. Ele foi levado para Huntsville, setenta quilômetros em uma van, e já estava comendo sua última refeição de camarão frito, bife, batatas fritas e torta de nozes na cela que fica ao lado da câmara da morte, quando o governador inesperadamente concedeu-lhe um adiamento de execução para que outros testes de DNA fossem realizados. O Animal sabe muito bem que os testes são uma perda de tempo, mas continua a extrair o que pode de seus últimos dias na Terra agora que voltou para a Unidade Polunsky. Ele tagarela o tempo todo sobre um processo que supostamente é secreto. Sabe até mesmo os nomes dos membros das equipes de execução e do médico designado para iniciar a injeção e declarar sua morte.

"Se eu conseguir sair daqui, vou detonar todas as vagabundas e vou filmar tudo!", ele conta mais um pouco de vantagem.

"Queria ter filmado as minhas. Porra, eu daria tudo o que tenho por uma única fita. Não sei por que não pensei nisso na hora. Só pra dar pros psiquiatras e babacas do FBI alguma coisa pra se preocupar quando chegarem em casa e encontrarem suas mulherzinhas e filhinhos."

Jean-Baptiste nunca filmou seus assassinatos. Não havia tempo e, que burrice, a idéia nunca lhe ocorreu. A toda hora ele se repreende por isso. É raro para ele ser tão burro assim...

Espèce de sale gorille...

Mutante macaco burro.

Jean-Baptiste cobre os ouvidos com as mãos.

"*Quem está aí?*"

Se ao menos ele tivesse filmado sua arte sangrenta, ou se

pelo menos tivesse tirado fotos. Ah, o desejo, o desejo, a ansiedade da qual não pode se livrar porque não pode reviver, reviver, reviver o êxtase delas quando morriam. Esse pensamento aciona uma insuportável pressão em sua virilha. Ele não consegue se aliviar daquela dor. Nasceu com uma ignição que não funciona, pistões sexuais que produzem faíscas mas não se incendeiam. Ele respira ofegante, fazendo força no sanitário, o suor escorrendo pelo rosto.

14

"O que você está fazendo aí?"

Um dos guardas bate na porta. Dois olhos escuros e zombeteiros estão lá novamente entre as barras da janela.

"Brincando de pisca-cu de novo. Cara, qualquer dia desses as suas tripas vão sair."

Jean-Baptiste ouve passos sobre as passarelas de metal e outros detentos do corredor da morte berrando suas reclamações e obscenidades de sempre. Sem contar Jean-Baptiste, 245 homens esperam sua vez enquanto advogados continuam a recorrer e fazem o que podem para convencer os tribunais estaduais ou a Suprema Corte a reverter a sentença ou, pelo menos, convencer um juiz a legislar a favor deles e permitir testes de DNA ou algum outro artifício. Jean-Baptiste sabe o que fez e declarou-se culpado, apesar da histrionice de seu advogado, Rocco Caggiano, que também era propriedade da família Chandonne.

A vigorosa e fingida oposição de Rocco Caggiano à alegação de culpa de Jean-Baptiste diante do juiz foi uma representação muito ruim. Caggiano faz o que lhe mandam, da mesma forma que Jean-Baptiste parece fazer também, só que Jean-Baptiste é um excelente ator. A família Chandonne acredita que seja melhor que seu vergonhoso e repulsivo filho morra.

Por que você iria querer ficar sentado no corredor da morte durante dez anos?, foi o argumento que lhe apresentaram. *Por que você iria querer ser solto em uma sociedade que vai caçá-lo como um monstro?*

A princípio Jean-Baptiste não conseguiu aceitar a idéia de que sua família queria que ele morresse. Ele a aceita agora. Faz sentido. Por que sua família iria se importar com sua morte quando nunca se importou com sua vida? Ele não tem escolha. Está claro. Se ele não alegasse culpa, seu pai teria cuidado para que Jean-Baptiste fosse assassinado enquanto aguardava julgamento.

A prisão é um lugar muito perigoso, disse-lhe seu pai ao telefone em voz baixa, falando em francês. *Você lembra o que aconteceu ao canibal Jeffrey Dahmer? Apanhou até morrer com um esfregão, ou talvez tenha sido uma vassoura.*

Emocionalmente, Jean-Baptiste havia apanhado até morrer, todas as esperanças haviam desaparecido quando seu pai lhe disse isso. Jean-Baptiste contava com sua mente e começou a estudar com minúcia a situação difícil em que se encontrava, enquanto era levado de avião para Houston. Ele se lembra nitidamente da placa *Bem-vindos a Humble* e de um Holiday Inn com um Café Boa Tacada, que não fazia sentido, pois ele não viu campos de golfe na área, apenas folhas ressecadas e árvores mortas, e o que parecia ser uma interminável extensão de cabos telefônicos frouxos, pinheiros raquíticos, lojas de comida, trailers, prédios degolados e casas pré-fabricadas em blocos de concreto. O cortejo de carros que o conduzia entrou na 59 em direção ao norte, todos aqueles agentes locais e federais tratando Jean-Baptiste como se fosse Frankenstein.

Ele estava sentado, comportando-se perfeitamente bem, no banco de trás de um Ford LTD branco, algemado como Houdini. O cortejo entrou em uma estrada deserta ladeada por arbustos crescidos que se avolumavam em florestas densas, e quando chegaram à Unidade Polunsky do Departamento de Justiça Criminal do Texas ele sentiu o sol perfurando os céus cinzentos, e o dia ficou claro. Jean-Baptiste entendeu aquilo como um sinal.

Ele aguarda pacientemente. Imagina chuvas de meteoros e grandes batalhões marchando porque ele assim o quer. Que simples! As pessoas são tolas! Elas estabelecem regras tão tolas! Os guardas da prisão podem tirar seu rádio e puni-lo moendo suas refeições e transformando-as em bolotas de comida, mas ninguém pode neutralizar seu magnetismo e seu direito legal de enviar e receber cartas não vistoriadas. Se ele escreve em um pacote ou envelope *Correspondência Jurídica* ou *Correspondência para a Mídia*, nenhum empregado da prisão pode abri-lo. Jean-Baptiste envia correspondência para Rocco Caggiano sempre que quer. De vez em quando recebe correspondência da mesma maneira. Isso é o melhor de tudo, especialmente depois que Madame Scarpetta lhe escreveu há pouco tempo porque não pode esquecê-lo. Ela estava tão próxima do êxtase e por sua própria insensatez enganou a si própria, privando-se da benevolência de Jean-Baptiste. A intenção abnegada dele era fazer com que o encantador corpo dela libertasse sua alma. Sua morte teria sido perfeita. Finalmente, ela percebe seu terrível erro e agora arruma uma desculpa para vê-lo.

Vou vê-lo mais uma vez.

Jean-Baptiste tem informações suficientes para derrubar todo o cartel Chandonne.

Se é isso que ela quer, por que não? Quando ela vier, ele vai dar um jeito de terminar a libertação dela, vai abençoá-la com o que ela quer. O êxtase. O êxtase!

Ele rasgou a carta dela em pedacinhos e comeu cada palavra, mastigando tão forte que mordeu a boca.

Jean-Baptiste se levanta do sanitário e não se incomoda em dar a descarga. Ergue a calça com um puxão.

"*Quem está aí?*"

A camiseta branca com gola em V tem as iniciais DR, de "Death Row", o corredor da morte, em letras grandes estampadas em preto nas costas. Elas também são a abreviação de doutor. Um outro sinal. Ele é dela por ora, e ela é dele para sempre. Seu uniforme da prisão está ensopado de suor. Cheira mal. Ele transpira constantemente e tem o cheiro de um animal sujo. Sorri quando pensa no último detento executado várias semanas atrás, um velho chamado Pitt que matou um policial em Atlanta. Pitt assassinou prostitutas durante anos sem nenhum empecilho, largando suas vítimas em estacionamentos ou no meio da rua. Ele quebrou o código quando esfaqueou um policial treze vezes.

O boato que circula no bloco é o de que, quando o médico injetou o coquetel fatal no tubo intravenoso de Pitt, como um trem atravessando um túnel, a morte ocorreu em exatos dois minutos e cinqüenta e seis segundos. Três médicos se revezam trabalhando nas execuções — de novo, mais histórias da mídia e de detentos que voltaram de Huntsville depois de adiamentos de execução. Um deles é pediatra, o outro cardiologista e a terceira é uma mulher que se estabeleceu como médica familiar em Lufkin alguns anos atrás. Ela é a executora mais fria de todos eles. Chega com sua maleta preta, faz seu serviço e vai embora, indiferente e arrogante, sem falar com ninguém.

Jean-Baptiste fica excitado fantasiando sobre uma médica invisível em uma pequena sala secreta, esperando pelo sinal para matar seu corpo preso por correias de couro. Ele não teme a morte de seu corpo, pois sua mente é sua alma e não pode ser destruída. Ele é elétrico. É um fluido. Pode separar a mente do corpo. Ele é uma parte de Deus. Jean-Baptiste suspira em sua cama, onde está deitado de costas, olhando fixamente para um teto que é incapaz de impedir suas jornadas de clarividência. Na maioria das vezes, ele transporta seu espírito de volta a Paris e voa sem ser percebido, intensamente consciente dos sons de uma forma como nunca esteve antes. Visitou Paris um dia desses, pouco depois de uma chuva leve, e os pneus sibilavam sobre o asfalto molhado, e o tráfego distante era surpreendentemente gutural, e o fazia lembrar de seu estômago roncando. As gotas de chuva eram diamantes espalhados sobre os assentos das motocicletas estacionadas, e uma mulher carregando lírios passou caminhando, e ele flutuou no perfume.

Como ele se tornou observador! Sempre que sua alma visita Paris, a mais linda cidade da Terra, ele descobre um outro prédio envolto em tela verde, e homens detonando calcário com mangueiras de ar para limpar séculos de poluição. Foram necessários anos para restaurar a aparência cremosa de Notre Dame. Monitorar o trabalho é a maneira de Jean-Baptiste medir o tempo. Ele nunca fica em Paris mais do que alguns dias, e todas as noites ele se dirige para a Gare de Lyon, depois para o Quai de la Rapée para ficar olhando o Institut Médico-Légal, onde algumas de suas primeiras escolhidas foram autopsiadas. Ele consegue ver os rostos e corpos das mulheres e se lembra dos nomes delas. Espera até que o último *Bateau-Mouche* passe com seu ruído monótono, até que o último murmúrio da vigília alcance seus sapatos antes de ficar nu sobre as pedras frias do Quai de Bourbon.

A vida toda ele enfrentou as correntes frias e sujas do Sena para lavar a maldição do Loup-Garou.

O lobisomem.

Os banhos noturnos não curaram sua hipertricose, a imperfeição congênita extremamente rara que faz com que cabelos de bebê cubram seu corpo, e que continua sua crueldade acrescentando um rosto deformado, dentes anormais e genitália atrofiada. Jean-Baptiste mergulha no rio. Vagueia pelo Quai d'Orléans e pelo Quai de Béthune até a extremidade leste da Ile St.-Louis. Ali, no Quai d'Anjou, fica a casa de quatro andares do século XVII com suas portas entalhadas e canos dourados, o *hôtel particulier* onde seus proeminentes pais moram em um luxo inimaginável. Quando os candelabros estão acesos, fazendo o cristal e a prata brilharem, isso significa que os pais estão em casa, mas eles com freqüência recebem os amigos ou tomam os últimos drinques da noite em uma sala de estar que não pode ser vista da rua.

Durante as viagens incorpóreas de Jean-Baptiste, ele pode ir a qualquer aposento do *hôtel particulier*. Anda por onde quer. Numa dessas noites em que visitou a Ile St.-Louis, sua obesa mãe tinha muitas outras dobras de gordura sob o queixo, e seus olhos eram pequenos como uvas-passas em seu rosto inchado. Estava vestida com um roupão preto de seda e usava chinelos idênticos ao roupão nos pés pequenos e gordos. Fumava cigarros franceses fortes um atrás do outro enquanto falava sem parar, reclamando para o marido que assistia ao noticiário, falava ao telefone e examinava uma papelada.

Da mesma forma que Jean-Baptiste pode ouvir sem ouvidos, seu pai pode ficar surdo sempre que desejar. Não é de admirar que ele procure alívio e prazer nos braços de muitas mulheres jovens e que só continue casado com Madame Chandonne porque é assim que deve ser. Quando ainda era jovem, Jean-Baptiste ficou sabendo que a hipertricose era congênita, mas ele tem certeza de que foi causada pelo alcoolismo de sua mãe. Ela não fez nenhum esforço para restringir sua embriaguez enquanto estava grávida dele e de seu irmão gêmeo, que chama a si mesmo de Jay Talley e que teve a boa sorte de sair do útero de sua mãe menos de três minutos depois de Jean-Baptiste. Seu irmão nasceu um espécime perfeito de masculinidade, uma escultura dourada com um corpo primoroso adornado com um cabelo loiro que reflete a luz, o rosto composto por um artista. Ele deslumbra todo mundo que o conhece, e a única satisfação que Jean-Baptiste encontra na injustiça de seus nascimentos é que Jay Talley, cujo nome verdadeiro é Jean-Paul Chandonne, não se parece com o que realmente é. Por esse motivo, ele é pior do que Jean-Baptiste.

Não passa despercebido de Jean-Baptiste que os muitos minutos que separam seu nascimento do de seu irmão são a quantidade de tempo que supostamente Jean-Baptiste levará para morrer no dia 7 de maio. Muitos minutos são a quantidade de tempo que suas escolhidas viveram, quando o sangue esguichou nas paredes e vales que pareciam muito com um quadro abstrato que ele viu certa vez e que desejou muito comprar, mas não tinha dinheiro nem um lugar para pendurá-lo.

"*Quem está aí?*", grita ele.

15

O rio Charles reflete um fugidio verde de primavera ao longo da barragem de Boston, e Benton Wesley observa rapazes remando em um barco de corrida em ritmo perfeito.

Músculos ondulam como a corrente leve, os remos mergulhando em movimentos que parecem sussurros na água. Ele poderia passar a tarde toda observando sem dizer nada. O dia está perfeito, sem uma nuvem, a temperatura é de vinte e quatro graus. Benton tornou-se um companheiro íntimo do isolamento e do silêncio, e ele os deseja a tal ponto que as conversas o cansam e são pontuadas por longas pausas que intimidam algumas pessoas e irritam outras. Ele raramente tem mais a dizer do que os sem-teto que dormem em montes de trapos sob a passarela Arthur Fiedler. Conseguiu até ofender o gregário e espalhafatoso Max, que trabalha no Café Esplanade, onde Benton de vez em quando compra refrigerante, pipoca adocicada Cracker Jacks ou um *pretzel*. O primeiro comentário que Benton fez para Max foi entendido de maneira errada.

"Trocou." Isso foi tudo que Benton murmurou, balançando a cabeça.

Max, que é alemão e com freqüência traduz mal o inglês e se ofende com facilidade, interpretou a críptica observação como se o espertinho usando abrigo esportivo e óculos escuros pensasse que todos os estrangeiros são inferiores e desonestos e estivesse exigindo o "troco" da nota de cinco dólares que Max havia colocado na gaveta da registradora. Em outras palavras, o diligente Max era um ladrão.

O que Benton queria dizer era que as Cracker Jacks do Café Esplanade são servidas em sacos e não em caixas, e custam um dólar em vez de vinte e cinco centavos. Os brinquedos-surpresa que vêm dentro são jogos impressos em papel branco dobrado, são muito baratos e exigem um QI de pombo. Estavam longe os dias da infância de Benton, quando seus dedos grudentos revolviam as pipocas e amendoins caramelizados em busca de um tesouro, como um apito de plástico ou um jogo BB, ou, o melhor de todos, o anel decodificador mágico que o pequeno Benton usava no dedo indicador, fingindo que ele lhe dava o poder de saber o que as pessoas estavam pensando, o que elas fariam e qual monstro ele iria derrotar em sua próxima missão.

Ele não deixa de perceber a ironia no fato de ter crescido e passado a usar um anel especial — desta vez um de ouro e com o timbre do FBI — e ter se tornado especialista em decodificar os pensamentos, motivações e ações das pessoas que o público chama de monstros. Benton nasceu com o dom especial de canalizar sua intuição e seu intelecto para os abismos neurológicos e espirituais do pior do pior. Seu alvo eram os criminosos ardilosos cujos atos sexuais violentos eram tão horripilantes que a polícia dos Estados Unidos e do exterior, em pânico, fazia fila para revisar seus casos com ele na Unidade de Elaboração de Perfis da Academia do FBI em Quantico, Virgínia. Benton Wesley era o lendário chefe de unidade que usava ternos conservadores e um enorme anel de ouro.

Acreditava-se que com base nos relatórios e fotografias dignas de um pesadelo ele conseguiria pressentir alguma pista que os investigadores tivessem deixado escapar, como se houvesse um prêmio mágico a ser arrancado durante as sessões no espaço abafado e sem janelas onde os únicos sons eram vozes austeras, papéis deslizando pela mesa da sala de conferências e ruídos abafados e distantes que vinham da sala de prática de tiro. O mundo de Benton durante a maior parte de sua carreira no FBI foi o antigo abrigo antibombas de J. Edgar Hoover, um *bunker* subterrâneo mal ventilado onde os canos dos banheiros que ficavam nos andares superiores da Academia às vezes vazavam sobre o carpete gasto ou escorriam em goteiras malcheirosas pelas paredes de concreto.

Benton tem cinqüenta anos e passou a ter a amarga crença de que a elaboração de perfis psicológicos tem muito pouco de psicologia, não passando de formulários e pressupostos baseados em dados com décadas de idade. O estabelecimento de perfis psicológicos não passa de propaganda e marketing. É a febre da vez, só mais uma jogada de vendas que ajuda a ganhar os dólares federais enquanto os lobistas do FBI atacam o Congresso. A própria expressão *elaboração de perfis* faz Wesley ranger os dentes, e ele não consegue tolerar a maneira como aquilo que costumava fazer era mal interpretado e insultado, e se tornou um recurso vulgarizado por Hollywood com base em uma ciência comportamental cheia de falhas e antiquada, em relatos triviais e pressupostos dedutivos. A elaboração de perfis moderna não é indutiva. É uma atividade tão especiosa e enganadora quanto a fisiognomonia e a antropometria — ou as perigosas e ridículas crenças de séculos atrás de que os criminosos se pareciam com homens das cavernas e podiam ser inequivocamente identificados pelas circunferências de suas cabeças ou pelo comprimento dos braços. Elaborar perfis é o ouro dos tolos, e, para Benton, chegar a essa convicção é semelhante a um padre chegar à conclusão de que Deus não existe.

Não importa o que as pessoas digam, não importa o que os estudos epidemiológicos e as estatísticas sugiram, ou o que os gurus intelectuais pontifiquem, a única constante que existe é *mudança*. Os seres humanos hoje cometem mais assassinatos, estupros, pedofilia, seqüestros, crimes de ódio, atos de terrorismo e mesmo os simples pecados desonestos e egoístas contra todas as formas de vida que o mundo livre jamais viu. Benton pensa nisso de maneira obsessiva. Ele tem bastante tempo para fazer isso. Max acha que Benton, cujo nome ele não sabe, é algum intelectual esnobe meio maluco, provavelmente professor em Harvard ou no MIT, e bem mal-humorado, por sinal. Max não percebe as ocasionais ironias ou o humor sarcástico pelos quais Benton era conhecido quando era conhecido, mas ele não é mais conhecido praticamente por ninguém.

Max não fala mais com ele, apenas recebe dele o dinheiro e faz uma grande cena contando o troco de Benton antes de devolvê-lo com uma fatia de pizza de queijo, um refrigerante ou um saquinho de Cracker Jacks ao "Scheisse Arsch", o "cuzão".

Ele fala sobre Benton sempre que tem oportunidade.

"No outro dia ele comprar um pretzel", Max contou a Nosmo King, o entregador cujo nome de sonoridade mística é o resultado mundano de sua mãe ter visto a frase *No smoking* dividida em *No Smo king* no momento em que ela passou por portas duplas quando estava sendo levada para a sala de parto.

"Ele come a pretzel dele ali" — Max aponta com o cigarro na direção de um dossel de velhos carvalhos — "e ficar olhando como uma zumbi parra aquele pipa presa" — apontando com o cigarro novamente e balançando a cabeça para uma pipa vermelha toda rasgada que estava nos galhos mais altos de um dos carvalhos — "como se era alguma fenômeno científico ou símbolo divino. Talvez um OVNI!"

Nosmo King estava empilhando caixas de água engarrafada dentro do Café Esplanade e fez uma pausa, protegendo os olhos do sol enquanto seguia a linha formada pelo cigarro de Max até a pipa destruída.

"Lembro como isso costumava me deixar puto quando eu era criança", relembrou Nosmo King. "A gente arrumava uma pipa novinha e dali a cinco minutos ela estava pendurada nos fios de alta-tensão ou na porra de uma árvore. Isso é a vida, realmente. Num minuto as coisas estão andando bem, no minuto seguinte o vento te leva para a desgraça."

Tudo que Benton sente e vê são preocupações sombrias e sombras do passado, não importa onde esteja ou o que faça. Ele vive em uma caixa de isolamento feita de aço que o deprime e frustra de maneira tão profunda que há momentos, horas, dias e semanas em que ele não se importa com nada, fica sem apetite e dorme demais. Ele precisa de sol e tem pavor do inverno. Benton agradece por aquele início de tarde estar tão claro que ele não consegue olhar para a outra margem do Charles ou para cima, para o céu de um azul intenso, sem que seus olhos estejam cobertos pelas lentes dos óculos escuros, como em geral acontecem de estar. Ele casualmente desvia o olhar dos jovens atletas que dominam o rio, angustiado pelo fato de meio século ter se passado e ele não mais ser consumido pela coragem e pela conquista, mas pela inexistência, pela impotência e por uma perda irreparável.

Estou morto, diz para si mesmo todas as manhãs enquanto se barbeia. *De qualquer forma, estou morto.*

Meu nome é Tom. Tom Haviland. Tom Speck Haviland, nascido em Greenwich, Connecticut, no dia 20 de fevereiro de 1955, de pais nascidos em Salem, Massachusetts. Psicólogo aposentado, cansado de ouvir os problemas das pessoas, número do seguro social blablabla, descasado, homossexual, HIV positivo, gosta de olhar os maravilhosos rapazes que ficam se olhando nos espelhos da academia de ginástica, mas não os importuna, não inicia conversas, não perambula pelos bares gay nem marca encontros. Nunca, nunca, nunca.

É tudo mentira.

Benton Wesley tem vivido em meio à falsidade e no exílio há seis anos.

Ele caminha até uma mesa de piquenique e se senta em seu tampo, apóia os braços sobre os joelhos, entrelaça com força os dedos afilados. Seu coração começa a bater rapidamente com agitação e medo. Décadas de busca bem-intencionada por justiça foram recompensadas pelo banimento, por uma aceitação forçada da inexistência de si próprio e de tudo que jamais conheceu. Em alguns dias, ele mal se lembra de quem costumava ser, pois passa a maior parte do tempo vivendo dentro de sua mente, entretido, e até satisfeito, com a leitura de livros filosóficos e espirituais, história e poesia, alimentando os pombos no Jardim Público, perto do Lago das Rãs, ou em qualquer lugar onde possa se misturar aos habitantes locais e aos turistas.

Ele não tem mais um terno. Corta o cabelo grosso e grisalho rente ao crânio e usa barba e bigode bem aparados, mas seu corpo e sua maneira de andar desmentem a tentativa de parecer desleixado e mais velho do que realmente é. Seu rosto é bronzeado, mas liso, sua postura é ereta como a de um militar. Está em boa forma física e é musculoso, com tão pouca gordura no corpo que as veias correm sob a carne como esguias raízes de uma árvore querendo arrebentar o solo. Boston tem muitas academias de ginástica e lugares para fazer caminhadas e correr, e Benton é obstinado em relação a seu condicionamento e a não engordar. A dor física faz com que se lembre de que está vivo. Ele não se permite padrões para os horários ou locais onde corre ou se exercita, nem para as lojas onde faz compras ou para os restaurantes onde faz as refeições.

Vira o rosto para a direita quando sua visão periférica captura a forma pesadona de Pete Marino caminhando em sua direção. Ele não conversa com seu velho amigo e antigo colega de trabalho desde que supostamente morreu e desapareceu no que é chamado de nível 1 do programa de proteção às testemunhas projetado unicamente para ele e controlado em conjunto pela Polícia Metropolitana de Londres, por Washington e pela Interpol.

Marino se acomoda ao lado de Benton em cima da mesa de piquenique, verificando antes se há merda de passarinho, enquanto bate no maço um Lucky Strike sem filtro e, depois de muitas tentativas, acende-o com um isqueiro descartável com pouco fluido. Benton repara que as mãos de Marino estão trêmulas. Os dois homens estão curvados para a frente, olhando um barco a vela afastando-se do ancoradouro.

"Você costuma ir ver os shows na concha acústica?", pergunta Marino, tomado por emoções que estrangula em sua garganta com tosses repetidas e tragadas ruidosas.

"Eu ouvi os Boston Pops no Quatro de Julho", diz Benton em voz baixa. "Do local onde moro não dá para deixar de ouvir. Como estão as coisas?"

"Mas você não vai lá pessoalmente." Marino faz o possível para parecer normal, como nos velhos tempos. "É, eu sei como é. Eu provavelmente também não iria, todos aqueles bandos de idiotas, e eu odeio bandos de gente. Como nos shopping centers. Cheguei num ponto em que não agüento mais shopping centers." Solta uma enorme quantidade de fumaça, o cigarro sem filtro tremendo em seus dedos grossos. "Pelo menos você está perto o suficiente para poder ouvir a música, colega. Poderia ser pior. É o que eu sempre digo, *poderia ser pior.*"

O rosto magro e bonito de Benton não registra a mistura volátil de pensamentos e sentimentos que estão ocultos dentro dele. Suas mãos não demonstram nada. Ele controla seus nervos e suas expressões faciais. Não é colega de ninguém e nunca foi, e uma combinação de mágoa e raiva começa a ferver com força. Marino chamou-o de *colega* porque não sabe que outra palavra usar.

"Acho que eu deveria te pedir para não me chamar de *colega*", Benton comenta com voz branda.

"Claro. Que porra." Marino dá de ombros, chateado.

Ele é excessivamente sensível para um policial grande e durão, e leva tudo para o lado pessoal. Sua capacidade de interpretar uma observação sincera como um insulto aborrece aqueles que o conhecem e aterroriza os que não o conhecem. Marino tem um gênio dos diabos e sua fúria não tem limites quando está suficientemente puto da vida. A única razão para ele não ter sido morto durante um de seus acessos de raiva é que sua força física e sua capacidade de sobrevivência estão misturadas com uma forte dose de experiência e sorte. Mesmo assim, o acaso nunca é favorável para sempre. Enquanto repara em cada detalhe da aparência de Marino, Benton pensa nas mesmas preocupações do passado. Qualquer dia desses ele vai ser derrubado por uma bala ou um ataque do coração.

"Com certeza eu não posso te chamar de *Tom*, porra", Marino contraria. "Não na sua frente."

"Fique à vontade. Já estou acostumado."

Os músculos da mandíbula de Marino se contraem quando ele fuma.

"Você está se cuidando melhor ou pior desde a última vez em que nos vimos?" Benton olha fixamente para suas mãos entre os joelhos. Seus dedos brincam devagar com uma lasca que retira da mesa de piquenique. "Embora eu ache que a resposta é óbvia", acrescenta ele com um leve sorriso.

Suor rola pela cabeça de Marino, que está ficando careca. Ele muda de posição, sentindo a pistola Glock calibre 40 em um coldre sob seu enorme braço esquerdo e o desejo de arrancar o blusão de seu time de boliche. Por baixo, ele está ensopado de suor, o coração batendo rápido, o náilon azul-escuro absorvendo a luz do sol como se fosse uma esponja. Ele exala uma nuvem de fumaça, esperando que não vá na direção de Benton. Ela vai. Bem no rosto.

"Obrigado."

"Não por isso. Não posso chamá-lo de Tom."

Marino come com os olhos uma jovem em short de lycra e um sutiã esportivo que passa andando depressa, os seios balançando. Ele não consegue se acostumar com mulheres correndo por aí de sutiã, e, sendo um detetive de homicídios veterano que já viu centenas de mulheres nuas em sua carreira — a maioria delas em boates de striptease ou sobre mesas de autópsia —, fica surpreendentemente intimidado ao ver uma mulher com pouca roupa, e sabe exatamente como ela é nua, até mesmo o tamanho dos bicos de seus seios.

"Se eu tivesse uma filha que andasse por aí desse jeito, eu mataria ela", murmura Marino, olhando fixamente para as nádegas firmes que se afastam.

"Que bom que você não tem uma filha, Pete", observa Benton.

"Nem diga. Especialmente se ela tivesse a minha cara. Provavelmente teria se tornado lutadora profissional e sapatão."

"Isso eu não sei. Corre um boato de que você costumava ser um gostosão."

Benton havia visto fotografias de Marino quando ele era policial uniformizado do Departamento de Polícia de Nova York nos longínquos dias de seu início de carreira. Tinha os ombros largos e uma bela aparência, um verdadeiro garanhão, antes de sua descida aos infernos, incessante nas formas de abuso de si mesmo, como se odiasse sua própria carne, como se quisesse matá-la e tirá-la do caminho.

Benton desce da mesa de piquenique. Ele e Marino começam a andar em direção à passarela.

"Opa." Marino sorri com malícia. "Esqueci que você é gay. Acho que eu deveria ser mais sensível em meus comentários sobre sapatonas e bichas, né? Mas se você tentar pegar na minha mão, eu arranco a sua cabeça."

Marino sempre foi homofóbico, mas nunca esteve tão incomodado e confuso quanto está na atual etapa de sua vida. Sua convicção de que gays são pervertidos e lésbicas podem ser curadas fazendo sexo com homens transformou-se de uma postura clara como o ar em algo obscuro como tinta. Ele não consegue enxergar além daquilo que acredita em relação a pessoas que cobiçam o próprio gênero, e seus comentários cínicos e desagradáveis têm a monotonia do som de um sino de chumbo. Poucas coisas ainda são simples para ele. Poucas coisas parecem inquestionavelmente verdadeiras. Quando era um intolerante radical, pelo menos não tinha razão para questionamentos. No começo, ele vivia de acordo com o evangelho segundo Marino. Nos últimos anos, se tornou um agnóstico, uma bússola sem norte magnético. Suas convicções oscilam para todos os lados.

"Então, como é fazer as pessoas pensarem que você... sabe como é?", pergunta Marino. "Espero que ninguém tenha tentado bater em você ou coisa assim."

"Eu não sinto nada em relação ao que as pessoas pensam de mim", diz Benton em voz baixa, atento àqueles que cruzam com eles na passarela, aos carros acelerando sob eles na Storrow Drive, como se qualquer pessoa a trinta metros deles pudesse estar observando e escutando. "Quando foi a última vez que você saiu para pescar?"

16

Marino fica carrancudo enquanto os dois seguem por uma alameda de pedras arredondadas sob a sombra de fileiras duplas de cerejeiras japonesas, bordos e espruces azuis.

Nas noites em que está no pior dos humores, geralmente tarde, quando está sozinho tomando cerveja ou *bourbon*, ele se ressente por Benton Wesley, quase o despreza pelos enormes danos que causou para as vidas de todas as pessoas que realmente importam. Se Benton estivesse mesmo morto seria mais fácil. Marino diz a si mesmo que já teria superado aquilo. Mas como ele se recupera de uma perda que não aconteceu e vive com seus segredos?

Então, quando está sozinho, bêbado e com muita raiva, Marino xinga Benton em voz alta, esmagando uma lata de cerveja após outra, e atirando-as em sua pequena e desleixada sala de estar.

"Olha o que você fez com ela!", ele grita para as paredes. "Olha o que você fez com ela, seu filho-da-puta do caralho!"

A dra. Kay Scarpetta é um espectro entre Marino e Benton enquanto caminham. Ela é uma das mais brilhantes e notáveis mulheres que Marino já conheceu, e a tortura e o assassinato de Benton rasgaram-lhe o coração. Ela tropeça sobre o corpo morto de Benton em todos os lugares aonde vai, e durante todo esse tempo — desde o primeiro dia — Marino sabia que o horrível homicídio de Benton era falso, inclusive a autópsia e os relatórios laboratoriais, o atestado de óbito e as cinzas que Scarpetta espalhou ao vento na ilha Hilton Head, um recanto no litoral que ela e Benton adoravam.

As cinzas e os pedacinhos de osso foram retirados de um crematório em Filadélfia. Restos. Sabe-se lá de quem. Marino entregou-as a Scarpetta em uma urna pequena e barata que lhe deram no gabinete do legista-chefe de Filadélfia, e a única coisa em que ele conseguiu pensar para dizer foi "Lamento, doutora. Lamento muito, doutora". Suando dentro de um terno com gravata e em pé sobre a areia molhada, ele observou-a lançar aquelas cinzas ao vento causado por um helicóptero pilotado por Lucy. Em meio a um tufão de água provocado pelas hélices, os supostos restos mortais do amante de Scarpetta foram arremessados para bem longe, inatingíveis como a dor que ela sentia. Marino encarou o rosto severo de Lucy, que também o encarava através da janela de Plexiglas do helicóptero, enquanto fazia exatamente aquilo que sua tia havia lhe pedido, e nesse tempo todo Lucy também sabia de tudo.

Scarpetta confia em Lucy e em Marino mais do que em qualquer outra pessoa na vida. Eles ajudaram a planejar a encenação do assassinato e desaparecimento de Benton, e essa verdade é como uma infecção cerebral, uma doença que eles combatem diariamente, enquanto Benton vive sua vida como um ninguém chamado Tom.

"Não tem pescado, hein?", continua Benton no mesmo tom leve de conversa.

"Os peixes não estão mordendo." Mas a raiva de Marino está. Sua fúria mostrou os dentes.

"Sei. Nem um só peixe. E boliche? Pelo que me lembro você era o segundo da sua equipe, os Pinos Frenéticos. Acho que era esse o nome da equipe."

"É, no século passado. Eu não passo muito tempo na Virgínia. Só quando tenho que descer até Richmond para ir ao tribunal. Não estou mais no departamento de polícia deles. Estou em vias de me mudar para a Flórida, para trabalhar na polícia de Hollywood, ao sol de Lauderdale."

"Se você está na Flórida", observa Benton, "quando vai para Richmond é *subir* até Richmond, e não *descer* até Richmond. Uma de suas melhores qualidades sempre foi o seu senso de direção, Pete."

Marino foi apanhado em uma mentira e sabe disso. Ele constantemente pensa em se mudar de Richmond. Tem vergonha por não ter coragem suficiente. É só o que ele conhece, mesmo se não houver mais nada para ele naquela cidade de velhas batalhas que continuam a ser travadas.

"Não vim até aqui para te aborrecer com histórias compridas", diz Marino. Os óculos escuros de Benton olham de relance na direção dele enquanto os dois continuam a caminhar tranqüilamente.

"Bom, eu sei que você sentiu saudade de mim", comenta Benton, um estilhaço de gelo em seu tom de voz.

"Porra, não é justo", diz Marino entre os dentes, os punhos cerrados ao lado do corpo. "E eu não agüento mais, *colega.* Lucy não agüenta mais, *colega.* Eu queria que você fosse a porra de uma mosca na parede para poder ver o que fez a ela. A doutora Scarpetta. Ou talvez você não se lembre dela também."

"Você veio até aqui para projetar a sua própria raiva em mim?"

"Só pensei que, já que eu estava na vizinhança, seria bom dar uma parada e te mostrar, agora que tenho a tua atenção, que não vejo de que maneira morrer pode ser pior do que a maneira como você vive."

"Fica quieto", Benton diz em voz baixa com insensível autocontrole. "Vamos conversar lá dentro."

17

Em uma área em Beacon Hill, cheia de imponentes casas antigas de tijolos e árvores graciosas, Benton Wesley conseguiu encontrar um endereço que servisse a suas peculiares necessidades atuais.

O prédio onde fica seu apartamento é uma construção pré-moldada em um tom de bege feio, com cadeiras de plástico nas varandas e uma enferrujada cerca de ferro ornamentado que circunda um pequeno pátio na entrada, com mato por todo lado e deprimentemente escuro. Ele e Marino começam a subir uma escada mal iluminada que cheira a urina e fumaça de cigarro.

"Que merda!" Marino está ofegante. "Você não poderia pelo menos ter arrumado um lugar que tivesse elevador? Esquece aquilo que eu disse. Sobre morrer. Ninguém quer que você morra."

No quinto andar, Benton destranca a porta de metal cinzenta e toda riscada do apartamento 56.

"A maioria das pessoas já pensa que eu morri."

"Merda. Não consigo dizer nada que sirva." Marino enxuga o suor do rosto.

"Tenho uma cerveja mexicana chamada Dos Equis e limão." A voz de Benton parece imitar o som da tranca da porta. "E, claro, suco geladinho."

"Não tem Budweiser?"

"Por favor, fique à vontade."

"Você tem Budweiser, não tem?" A voz de Marino parece expressar alguma dor. Benton não se lembra de nada sobre ele.

"Já que eu sabia que você vinha, é claro que tenho Budweiser", diz Benton da cozinha. "Uma geladeira cheia."

Marino olha ao redor e se decide por um sofá de estampa florida, não muito bonito. O apartamento é mobiliado e carrega o ar relaxado das muitas vidas comuns e desleixadas que passaram por lá. Benton provavelmente não morou em um lugar decente desde que morreu e se tornou Tom, e Marino às vezes se pergunta como o homem meticuloso e refinado consegue tolerar aquilo. Benton é de uma família rica da Nova Inglaterra e sempre desfrutou de uma vida privilegiada, embora nenhuma quantia em dinheiro fosse resgate suficiente para libertá-lo dos horrores de sua carreira. Ver Benton morando em um apartamento tipicamente ocupado por estudantes universitários e pessoas de classe média baixa — vê-lo com a cabeça raspada, de barba e bigode, jeans e moleton, e saber que ele nem sequer possui um carro — é inimaginável para Marino.

"Pelo menos você está em boa forma", observa Marino com um bocejo.

"*Pelo menos* significa que isso é o melhor que você pode dizer a meu respeito." Benton desaparece atrás da porta da velha geladeira branca e reaparece com duas cervejas.

As garrafas geladas batem uma contra a outra em uma das mãos dele, enquanto ele abre uma gaveta, procurando uma chave da igreja, que é como Marino chama qualquer instrumento que consiga tirar a tampa de uma cerveja.

"Você se incomoda se eu fumar?", pergunta Marino.

"Sim." Benton abre e fecha a porta de um armário de cozinha.

"Tudo bem, então eu vou começar a ter ataques e vou engolir a minha língua."

"Eu não disse que você não podia fumar." Benton atravessa a sala escura e desarrumada e entrega uma das cervejas a Marino. "Eu disse que me incomodava."

Dá a Marino um copo que vai ter que servir de cinzeiro.

"Tudo bem, então você está em forma, não fuma e tudo mais" — Marino volta a falar depois de tomar um gole de cerveja e suspirar satisfeito — "mas a sua vida é uma droga."

Benton senta-se na frente de Marino, o espaço entre os dois ocupado por uma mesa de café com tampo de fórmica todo riscado, na qual estão revistas de notícias bem arrumadas e o controle remoto da televisão.

"Eu não preciso que você caia do céu para me dizer que a minha vida é uma droga", diz ele. "Se é para isso que está aqui, eu preferiria que nunca tivesse vindo. Você violou o programa, me colocou em risco..."

"E me coloquei em risco", diz Marino rispidamente.

"Eu já ia dizer isso." A voz de Benton se inflama, os olhos em fogo. "Nós sabemos muito bem que o fato de eu ser *Tom* não diz respeito apenas a mim. Se a coisa toda fosse só comigo, eu deixaria que tentassem me acertar."

Marino começa a descascar o rótulo de sua cerveja. "O maluco do Lobisomem concordou em entregar a família, os grandes Chandonne."

Benton lê os jornais várias vezes ao dia, pesquisa na internet, usando ferramentas de busca para recuperar pedaços de seu passado. Ele sabe tudo sobre Jean-Baptiste, o filho deformado e homicida de Chandonne — o grande Monsieur Chandonne, amigo íntimo da *noblesse* em Paris, o chefe do maior e mais perigoso cartel do crime organizado no mundo. Jean-Baptiste sabe tanto sobre os negócios de sua família e sobre aqueles que realizam terríveis trabalhos para ela que pode colocar todo mundo realmente importante atrás das grades ou em uma maca na câmara de execução.

Até agora, Jean-Baptiste tem matado o tempo em uma prisão de segurança máxima no Texas, sem dizer nada a ninguém. Foi com a família Chandonne e sua enorme rede de atividades que Benton se envolveu, e agora, a milhares de quilômetros dali, Monsieur Chandonne está bebendo seus finos vinhos e não tem a menor dúvida de que Benton pagou o preço final, um preço terrível. Monsieur Chandonne foi derrotado, mas, de certa maneira, não foi. Benton morreu uma morte falsa para salvar a si mesmo e a outros de morrerem de fato. Mas o preço que ele paga é semelhante ao de Prometeu. Só faltou estar amarrado a um rochedo. Ele não se cura porque suas vísceras são arrancadas todos os dias.

"O Lobisomem", que é como Marino geralmente chama Jean-Baptiste, "diz que vai dedar todo mundo, do papai até os mordomos, mas apenas com algumas condições." Ele hesita. "Ele não está brincando com a gente, Benton. Ele fala sério."

"E você tem certeza disso", diz Benton suavemente.

"É. Certeza."

"E de que maneira ele comunicou isso a você?" Os olhos de Benton assumem aquela intensidade conhecida quando por um momento ele volta a ser quem era.

"Cartas."

"Sabemos para quem mais ele tem escrito, além de você?"

"Para a doutora. A carta dela foi enviada para mim. Eu não passei para ela, não vi motivo."

"Quem mais?"

"Lucy."

"A dela também foi mandada para você?"

"Não. Diretamente para o escritório dela. Não tenho idéia de como ele conseguiu o endereço ou sabia o nome 'A Última Delegacia', porque não está na lista. Todo mundo pensa que a empresa dela se chama Infosearch Solutions."

"Por que ele saberia que pessoas como Lucy e você referem-se à empresa dela como 'A Última Delegacia'? Se eu me conectasse agora à internet, encontraria alguma ocorrência com 'A Última Delegacia'?"

"Não a de que estamos falando, não."

"E eu encontraria Infosearch Solutions?"

"Claro."

"O número do escritório dela está na lista?", pergunta Benton.

"A Infosearch Solutions está."

"Então talvez ele também saiba o nome listado da empresa dela. Ligou para o auxílio à lista e conseguiu o endereço. Na verdade, hoje em dia dá para encontrar quase tudo na internet, e por menos de cinqüenta dólares dá até para comprar uma relação de números que não estão na lista ou de telefones celulares."

"Acho que o Lobisomem não tem um computador em sua cela no corredor da morte", diz Marino, aborrecido.

"Rocco Caggiano poderia ter passado a ele todos os tipos de informações", Benton lembra. "Em algum momento ele deve ter encontrado o telefone comercial de Lucy, uma vez que planejava destituí-la do cargo. Então, é claro, Jean-Baptiste entrou com um recurso."

"Parece que você está bem atualizado." Marino tenta desviar a conversa para longe do assunto Rocco Caggiano.

"Você leu a carta que ele escreveu para Lucy?"

"Ela me contou a respeito. Não queria mandar por fax ou e-mail." Isso também aborrece Marino. Lucy não queria que ele visse a carta.

"Alguma outra carta para mais alguma pessoa?"

Marino dá de ombros, bebe a cerveja. "Não tenho idéia. Obviamente, ele não anda escrevendo para você." Ele acha que isso é engraçado.

Benton não ri.

"Porque você está morto, certo?" Marino supõe que Benton não entendeu a piada. "Bom, na prisão, se um detento marca a correspondência que envia como *Correspondência Jurídica* ou *Correspondência para a Mídia*, os funcionários e guardas não podem abrir, é ilegal. Assim, se o Lobisomem troca cartas com coleguinhas na mídia ou com os advogados, as informações são privilegiadas."

Ele começa a puxar o rótulo da garrafa de cerveja, continuando a falar como se Benton não conhecesse os mecanismos de funcionamento das penitenciárias, onde ele entrevistou centenas de criminosos violentos durante sua carreira.

"O único lugar a olhar é a lista de visitantes dele, visto que um monte de gente para quem esses doidos escrevem acaba aparecendo para visitá-los. O Lobisomem tem uma lista. Vejamos quem está nela: o governador do Texas, o presidente..."

"Você quer dizer o presidente dos Estados Unidos?" Uma das características mais marcantes de Benton é levar a sério qualquer informação que recebe.

"O próprio", diz Marino.

Ele fica nervoso ao ver gestos e reações que pertencem ao Benton do passado, o Benton com quem ele trabalhou, o Benton que era seu amigo.

"Quem mais?" Benton se levanta e pega um bloco de papel e uma caneta que estavam no meio de pilhas bem arrumadas de papéis e revistas ao lado do computador na mesa da cozinha.

Ele coloca um par de óculos com armação de metal, muito pequenos, estilo John Lennon, que não teria usado em sua vida anterior. Sentando-se recostado, ele escreve a hora, a data e o lugar em uma folha de papel em branco. De onde Marino está, consegue ver a palavra "réu", mas além disso não consegue ler a caligrafia pequena de Benton, especialmente de cabeça para baixo.

Marino responde: "O pai e a mãe dele estão na lista. Bom, isso é uma piada, não é?".

A caneta de Benton pára. Ele ergue os olhos. "E o advogado dele? Rocco Caggiano?"

Marino bebe de uma vez a cerveja no fundo da garrafa.

"Rocco?", Benton diz com mais ênfase. "Você vai me contar?"

Fúria e vergonha passam rapidamente pelo rosto de Marino. "Lembra só de uma coisa: ele não é meu, não cresceu comigo, eu não o conheço, nem quero conhecer, e explodiria a cabeça dele do mesmo jeito que faria com qualquer outro meliante."

"Geneticamente, ele é seu filho, quer você goste ou não", Benton replica, sendo prático.

"Eu nem me lembro quando é o aniversário dele." Marino põe de lado o filho único com um aceno da mão e um último gole de cerveja.

Rocco Marino, que mudou seu sobrenome para Caggiano, nasceu ruim. Ele era o segredo vergonhoso e sujo de Marino, um abscesso que ele não mostrava para ninguém até Jean-Baptiste Chandonne entrar em cena. Na maior parte da vida de Marino, ele acreditou que as horríveis escolhas de Rocco eram pessoais — a mais severa punição que ele poderia impor ao pai que despreza. Estranhamente, Marino encontrou algum conforto nessa idéia. Uma vingança pessoal era melhor do que a humilhante e dolorosa verdade de que Rocco é indiferente a Marino. As escolhas de Rocco não têm nada a ver com Marino. Se tanto, Rocco ri de Marino, seu pai, e pensa que ele é um fracassado, um policial trapalhão, que se veste como um porco, vive como um porco e é um porco.

O reaparecimento de Rocco no mundo de Marino foi uma coincidência — "uma coincidência engraçada dos diabos", nas próprias palavras de Rocco —, quando ele parou tempo suficiente para falar com o pai do lado de fora do tribunal depois da leitura das acusações contra Jean-Baptiste Chandonne. Rocco está envolvido a fundo com o crime organizado desde que começou a fazer a barba. Ele era um advogado bajulador e vigarista para os Chandonne muito antes de Marino ter ouvido falar deles.

"Sabemos onde Rocco tem andado nos últimos tempos?", pergunta Benton.

Os olhos de Marino ficam escuros e imóveis. "Possivelmente — *muito possivelmente* — saberemos em breve."

"E isso significa?"

Marino se recosta no sofá, como se a conversa o agradasse e alimentasse seu ego. "Significa que desta vez ele está com um monte de latas amarradas no rabo e não sabe disso."

"E isso significa?"

"A Interpol classificou-o como fugitivo, e ele não sabe disso. Lucy me contou. Acredito que vamos encontrá-lo e outros babacas também."

"*Nós?*"

Marino dá de ombros novamente, tenta tomar outro gole de cerveja e engole ar. Solta um arroto, pensa em levantar para pegar mais uma.

"*Nós* é coletivo", explica ele. "*Nós* os mocinhos. Rocco vai dançar porque vai querer fugir em algum vôo e a bandeira vermelha dele vai aparecer nos computadores, e em seguida ele vai ganhar um lindo par de algemas brilhantes e talvez um AR-15 apontado para a cabeça."

"Por quais crimes? Ele sempre se safou com seu trabalho sujo. Faz parte do charme dele."

"A única coisa que eu sei é que existem mandados para ele na Itália."

"Quem disse?"

"Lucy. Eu daria qualquer coisa para ser o cara que aponta o AR-15 para a cabeça dele, só que eu certamente puxaria o gatilho", diz Marino, acreditando que realmente faria isso, mas incapaz de imaginar a cena. As imagens não surgem.

"Ele é seu filho", Benton lembra-lhe em voz baixa. "Sugiro que você se prepare para como vai se sentir se tiver *qualquer coisa a ver* com o que possa acontecer com ele. Eu não sabia que você tinha direito jurisdicional legal de caçar Rocco ou qualquer um dos agentes de Chandonne. Ou agora você está trabalhando secretamente para os federais?"

Uma pausa. Marino odeia os federais. "Não vou sentir nada." Ele tenta manter o comportamento impassível, mas seus nervos já começaram a chiar de raiva e medo. "Além disso, eu nem mesmo sei onde ele está. Alguma outra pessoa por aí vai pegá-lo, e ele vai ser extraditado para a Itália se viver o suficiente. Não tenho dúvida de que os Chandonne vão apagá-lo antes que ele tenha uma oportunidade de abrir a boca."

"Quem mais?", prossegue Benton. "Quem mais está na lista?"

"Alguns repórteres. Nunca ouvi falar neles, e pelo que sei eles nem existem. Ah é, tem um nome que é ótimo: o irmão bonitinho do Lobisomem, Jean-Paul Chandonne, vulgo Jay Talley. Adoraria que o desgraçado aparecesse na prisão para fazer uma visita, assim poderíamos prendê-lo e colocá-lo com seu gêmeo feioso no corredor da morte."

Benton pára de escrever, uma emoção fugaz passando-lhe pelos olhos diante da menção do nome de Jay Talley. "Você está supondo que ele está vivo. Sabe alguma coisa sobre isso?"

"Não tenho motivos para pensar diferente. Meu palpite é que a família o está protegendo e ele está vivendo uma boa vida em algum lugar à medida que toca os negócios da família."

Enquanto diz tudo isso, Marino pensa que Benton provavelmente sabe que Talley é um Chandonne que se passou por americano, tornou-se agente do ATF e conseguiu ser designado como elemento de ligação do quartel-general da Interpol na França. Marino revisa mentalmente tudo o que se tornou público a respeito do caso de Jean-Baptiste. Não tem certeza se houve alguma menção ao relacionamento de Scarpetta com Talley, quando ela e metade do mundo acreditavam que ele era o agente importante e bonitão que falava dúzias de línguas e tinha estudado em Harvard. Benton não precisa saber o que se passou entre Scarpetta e Talley. Marino realmente espera que Benton nunca descubra.

"Eu li sobre Jay Talley", diz Benton. "Ele é muito inteligente, afável, sádico e perigoso. Duvido seriamente que esteja morto."

"Aaah..." Os pensamentos de Marino espalham-se como pássaros assustados. "Que tipo de coisa você leu?"

"Não é nenhum segredo que ele é o irmão gêmeo de

Jean-Baptiste. Gêmeos fraternais." O rosto de Benton está impassível.

"É a coisa mais esquisita de que já ouvi falar." Marino balança a cabeça. "Imagina só: ele e o Lobisomem nascidos com poucos minutos de intervalo entre um e outro. Um irmão ficou com todo o azar e o outro, Talley, com todos os trunfos."

"Ele é um psicopata violento", replica Benton. "Eu não chamaria isso exatamente de *trunfo*."

"O DNA deles é tão parecido", continua Marino, "que é preciso usar vários testes para a gente perceber que está olhando para o DNA de duas pessoas diferentes." Marino faz uma pausa, ligeiramente irritado, enquanto continua a descascar o rótulo da garrafa. "Não me peça para explicar essa história de testes e DNA. A doutora é que percebeu tudo..."

"Quem mais está na lista?", Benton o interrompe.

O rosto de Marino fica inexpressivo.

"A lista de visitantes."

"A lista é lixo. Tenho certeza de que ninguém que está nela jamais visitou aquele mané, a não ser seu advogado."

"Seu filho, Rocco Caggiano." Ele não deixa Marino perder de vista o fato. "Mais alguém?", insiste Benton, fazendo anotações.

"Acontece que eu estou. Não é um encanto? E aí o meu novo coleguinha Lobisomem me manda correspondência. Uma carta para mim e aquela para a doutora que eu não entreguei."

Marino se levanta para pegar outra cerveja.

"Quer uma?"

Benton responde que não.

Pegando sua jaqueta, Marino procura em um dos bolsos, e depois no outro, encontrando pedaços de papel dobrado.

"Acontece que estou com elas aqui comigo. Fotocópias, incluindo os envelopes."

"A lista." Benton não vai se desviar do assunto. "Com certeza você também trouxe uma cópia da lista."

"Eu não preciso de uma cópia da maldita lista." O aborrecimento de Marino torna-se óbvio. "O que há entre você e essa porra de lista? Posso lhe dizer exatamente quem está nela. As pessoas que já mencionei, mais dois repórteres. Carlos Guarino e Emanuelle La Fleur."

A pronúncia dele é ininteligível, e Benton lhe pede que soletre os nomes.

"Eles supostamente moram na Sicília e em Paris."

"Existem de verdade?"

"Não há nenhum sinal desses nomes na internet, e Lucy já procurou."

"Se Lucy não conseguiu encontrá-los é porque não existem", decide Benton.

"Também está na lista de convidados do Lobisomem ninguém menos do que Jaime Berger, que o teria processado se ele tivesse sido julgado em Nova York pela repórter que ele estraçalhou lá. Berger é uma figura, tem uma história com a doutora. Elas são amigas."

Benton sabe de tudo isso e não reage. Faz anotações.

"E o último e provavelmente o menos importante, um cara chamado Robert Lee."

"Esse nome parece bastante real. Por acaso a inicial do meio é E?", comenta Benton olhando de esguelha. "Houve qualquer correspondência entre Jean-Baptiste e esse Robert Lee, pensando-se na remota chance de o senhor Lee não ter morrido há cento e poucos anos?"

"Só posso lhe dizer que ele está na lista de visitantes. Qualquer correspondência que for privilegiada, bom, o pessoal da prisão nem toca no assunto, então não tenho a menor idéia de para quem mais o Lobisomem escreve ou de quem recebe bilhetinhos de amor."

18

Marino abre e alisa a carta de Jean-Baptiste Chandonne e começa a ler: "*Bonjour, mon cher ami, Pete...*".

Ele se interrompe e levanta os olhos, franzindo a testa. "Você acredita que ele me chama de Pete? Isso me deixa muito puto."

"Mais do que ser chamado *mon cher ami*?", pergunta Benton secamente.

"Eu não gosto desses meliantes me chamando pelo meu primeiro nome. É uma das minhas manias."

"Por favor, leia", diz Benton com um tom de impaciência, "e espero que não haja nada mais escrito em francês para você mutilar. Qual é a data dessa carta?"

"Nem uma semana atrás. Eu arranjei as coisas para chegar aqui o mais rápido possível. Para ver você... ô, que merda, vou te chamar de Benton."

"Na verdade, não vai, não. Por favor, leia."

Marino acende outro cigarro, traga profundamente e continua:

> Só um bilhete para lhe dizer que estou deixando o cabelo crescer. Por quê? Mas é claro que é por eles terem me dito minha data para morrer. É no dia 7 de maio, às dez da noite. Nem um minuto a mais, então espero que você esteja lá como meu convidado especial. Antes disso, *mon ami*, tenho negócios a concluir, então vou lhe fazer uma oferta que você não poderá recusar (como dizem nos filmes).

Você nunca vai pegá-los sem mim, Jean-Baptiste. Seria como pegar milhares de peixes sem uma rede muito grande. Eu sou a rede. Há duas condições. Elas são simples.

Não vou confessar nada, a não ser para Madame Scarpetta, que pediu minha permissão para vê-la e contar-lhe o que sei.

Ninguém mais pode estar presente.

Tenho ainda outra condição sobre a qual ela não sabe. Ela deve ser a médica que vai me dar o coquetel letal, como eles dizem. É Madame Scarpetta quem deve me matar. Confiarei plenamente, se ela concordar, que não vai quebrar a promessa que me fez. Veja como a conheço bem.

À bientôt,
Jean-Baptiste Chandonne

"E a carta para ela?", Benton pergunta abruptamente, relutando em dizer o nome de Scarpetta.

"A mesma coisa. Mais ou menos." Marino não quer ler a carta para ele.

"Você está com ela na mão. Leia."

Marino bate a cinza no copo, apertando os olhos enquanto solta fumaça. "Eu faço um resumo."

"Não precisa me proteger, Pete", diz Benton calmamente.

"Claro. Se você quer ouvir, eu leio. Mas não acho que seja necessário, e talvez você deva..."

"Por favor, leia." Dessa vez Benton parece exausto. Seus olhos perderam um pouco da intensidade e ele se recosta na poltrona.

Marino pigarreia enquanto desdobra outra folha de papel. Começa a ler:

Mon chéri amour, Kay...

Ele ergue os olhos para o rosto inexpressivo de Benton. A cor desapareceu dele, a pele está pálida sob o bronzeado.

> Meu coração está agoniado porque você ainda não marcou uma hora para vir me ver. Eu não entendo. É claro que você sente o mesmo que eu. Sou seu ladrão na noite, o grande amante que veio para levá-la para longe, mas você recusou. Você me evitou e me feriu. Agora você deve estar vazia, muito entediada, sofrendo de desejo por mim, Madame Scarpetta.
>
> E quanto a mim? Não estou entediado. Você está aqui comigo em minha cela, sem vontade própria, completamente sob meu controle. Você deve saber isso. Deve sentir. Vejamos. Posso contar? São quatro, cinco ou quinze vezes por dia que eu rasgo essas roupas muito elegantes que você usa — a *haute couture* de Madame Scarpetta, a médica, a advogada, a chefe. Eu rasgo tudo com minhas próprias mãos e mordo suas tetas enormes enquanto você estremece e morre deliciada...

"Isso tem algum motivo?" A voz de Benton interrompe a leitura rapidamente, como o ferrolho de uma arma dando um coice. "Não estou interessado nessa besteirada pornográfica. O que ele quer?"

Marino olha duro para ele, faz uma pausa e vira a folha. Suor brota da cabeça começando a ficar calva e escorre pelas têmporas. Ele lê o que está nas costas da folha:

> Preciso ver você! Você não pode escapar, a menos que não se importe com a morte de mais inocentes. Não que alguém seja inocente. Vou lhe contar tudo que for necessário. Mas preciso olhar para você em carne e osso enquanto conto a verdade. E em seguida você vai me matar.

Marino interrompe a leitura. “Tem mais merda que você não precisa ouvir...”

“E ela não sabe nada sobre isso?”

“Bem”, diz Marino, evasivo, “não realmente. É como eu disse, eu não mostrei para ela. Tudo que contei é que tinha recebido uma carta e que o Lobisomem quer vê-la e trocar informações pela visita dela. E ele quer que ela aplique a injeção nele.”

“Em geral, as penitenciárias usam médicos de fora para administrar o coquetel letal”, comenta Benton estranhamente, como se o que Marino tivesse acabado de dizer não tivesse impacto sobre ele. “Você usou ninidrina nas cartas? Obviamente não sei, porque estas são cópias.”

A ninidrina teria reagido com o aminoácido nas impressões digitais, fazendo com que partes das cartas originais ficassem roxas.

“Não quis danificá-las”, replica Marino.

“E se tivesse usado alguma fonte de luz alternativa? Alguma coisa não destrutiva, como um crimescópio?”*

Quando Marino não responde, Benton cutuca-o com a questão óbvia.

“Você não fez nada para provar que essas cartas são de Jean-Baptiste Chandonne? Você simplesmente supôs? Porra.” Benton esfrega o rosto com as mãos. “Que porra! Você vem aqui — *aqui* —, se arrisca desse jeito e não tem sequer certeza de que essas cartas vieram dele? E deixa eu adivinhar: você também não mandou fazer testes de DNA nas costas dos selos nem nos envelopes. E os carimbos postais? E os endereços para devolução?”

“Não tem endereço de devolução — não para ele, quero dizer — e nenhum carimbo postal que possa nos dizer de

(*) Equipamento que emite luz ultravioleta, por meio do qual os peritos podem detectar impressões digitais latentes. (N. T.)

onde ele mandou", reconhece Marino, e ele está transpirando em profusão agora.

Benton inclina-se para a frente. "O quê? Ele entregou em mãos as cartas? O endereço de devolução não é dele? Que porra é essa que você está dizendo? Como ele poderia enviar alguma coisa para você por correio e não ter carimbo postal?"

Marino desdobra um outro pedaço de papel e passa para ele. A fotocópia é de um envelope branco de tamanho médio, pré-impresso e com porte pago para a entidade sem fins lucrativos Academia Nacional de Justiça.

"Bem, acho que nós dois já vimos isso antes", diz Benton, olhando para a fotocópia, "uma vez que temos sido membros da Academia durante a maior parte de nossas vidas. Ou pelo menos eu costumava ser. Lamento dizer, mas não estou mais na lista de correio deles." Ele faz uma pausa, reparando que a expressão *First class mail* foi toda riscada bem abaixo da marca de porte pago.

"Desta vez, não consigo pensar em nenhuma explicação possível", diz ele.

"Foi isso que veio na correspondência para mim", explica Marino. "O envelope da Academia, e quando eu o abri, as duas cartas estavam dentro. Uma para mim, uma para a doutora. Seladas, marcadas como *Correspondência Jurídica*, acho que para o caso de alguém na prisão ficar curioso a respeito do envelope da Academia e decidir rasgar para ver o que era. A única outra coisa que estava escrita nele eram os nossos nomes."

Os dois homens ficam em silêncio por um momento. Marino fuma e bebe cerveja.

"Bem, tenho uma hipótese, a única coisa em que posso pensar", diz Marino. "Eu verifiquei com a Academia, e com o diretor da prisão, existem cinqüenta e seis policiais que são membros. Não seria incomum ver um desses envelopes jogados por lá."

Benton está balançando a cabeça. "Mas o seu endereço foi *datilografado*. Como Chandonne conseguiria fazer isso?"

"Como diabos você agüenta esta espelunca? Você nem tem ar-condicionado? E nós examinamos no laboratório os envelopes em que estavam as cartas, mas eles têm aba auto-adesiva. Então ele não lambeu nada."

Isso é uma evasiva, e Marino sabe disso. Células de pele podem grudar em papel auto-aderente. Ele não quer responder à pergunta de Benton.

"Como Chandonne conseguiu mandar cartas em um envelope desses?" Benton sacode a fotocópia diante de Marino. "E você não acha meio estranho que a expressão *First class mail* tenha sido riscada? Qual teria sido o motivo disso?"

"Acho que vamos ter que pedir para o Lobisomem explicar isso", retruca Marino rudemente. "Eu não tenho a menor idéia, porra."

"Mas você parece ter certeza de que as cartas são de Jean-Baptiste." Benton mede cada palavra. "*Pete. Você consegue fazer melhor do que isso.*"

Marino enxuga a testa na manga. "Olha aqui, então o problema é que não temos evidências científicas para provar nada. Mas não é porque não tentamos fazer nada. Nós usamos o Luma-Lite, e tentamos DNA, e tudo está completamente limpo."

"DNA mitocondrial? Vocês tentaram isso?"

"Por que se dar a esse trabalho? Levaria meses e aí ele já estaria morto. E de qualquer forma não tem como a gente conseguir coisa nenhuma. Que droga, você não acha que o babaca conseguiu driblar a gente usando um envelope da Academia? Não é uma bela maneira de ele dizer 'fodam-se'? Você não acha que ele gosta de nos ver fazendo todos esses testes quando sabe que não vamos encontrar nada? A única coisa que ele tinha que fazer era cobrir as mãos com papel higiênico ou qualquer outra coisa quando fosse tocar no papel."

"Pode ser", diz Benton.

Marino está prestes a explodir. Sua exasperação ultrapassou seu limite.

"Calma, Pete", diz Benton. "Você me menosprezaria se eu não perguntasse."

Marino olha para o outro lado, sem piscar.

"Quer a minha opinião?", continua Benton. "Ele escreveu as cartas e tomou o cuidado de não deixar evidências. Eu não sei como ele conseguiu usar um envelope da Academia, e sim, é uma bela maneira de dizer 'fodam-se'. Para ser sincero, estou surpreso por você não ter recebido notícias dele antes. As cartas parecem autênticas. Elas não têm aquele tom dissonante de algo falso. Sabemos que Jean-Baptiste tem fetiche por seios." Ele diz isso de maneira fria. "Sabemos que é muito provável que ele tenha informações que poderiam destruir sua família criminosa e o cartel. O fato de ter apresentado aquelas condições combina com a necessidade insaciável que ele tem de dominar e controlar."

"E quanto ao fato de ele dizer que a doutora quer vê-lo?"

"Você é quem tem que me dizer isso."

"Ela nunca escreveu para ele. Eu perguntei para ela à queima-roupa. Por que diabos ela escreveria para aquele bosta? Eu contei a ela sobre os envelopes da Academia, que as cartas para ela e para mim tinham vindo em um deles. Mostrei a ela uma fotocópia..."

"Do quê?", interrompe Benton.

"*Uma fotocópia do envelope da Academia.*" Marino está ficando irritado. "Aquele onde vieram as cartas do Lobisomem para ela e para mim. Eu lhe disse que, se ela recebesse algum daqueles malditos envelopes da Academia, ela não deveria abri-lo, nem mesmo tocá-lo. Você realmente acredita que ele a quer como executora?"

"Se ele pretende morrer..."

"Pretende?", Marino o interrompe. "Eu não acho que o velho Lobisominho tenha muito a dizer a esse respeito."

"Muita coisa pode acontecer entre agora e depois, Pete. Lembre-se de quem são as pessoas que têm ligação com ele. Eu não teria tanta certeza sobre nada. E a propósito, quando

Lucy recebeu a carta dela, também estava em um envelope da Academia com porte pago?"

"Estava."

"A fantasia de uma médica administrando a injeção letal e observando-o morrer seria erótica para ele", reflete Benton.

"Não qualquer médica. Estamos falando de Scarpetta!"

"Ele quer atormentar até o fim, quer dominar e controlar outro ser humano até o fim, quer forçar uma pessoa a cometer um ato que deixará uma marca para sempre." Benton faz uma pausa antes de acrescentar: "Você mata uma pessoa e não se esquece dela, não é? Temos que levar as cartas a sério. Eu realmente acredito que elas sejam dele — com digitais, DNA ou sem essas coisas".

"É, bom, eu também acredito que elas vieram dele, e que ele pretende fazer o que disse, e é por isso que estou aqui, se é que você ainda não percebeu. Se nós conseguirmos fazer com que o Lobisomem fale, podemos ir para cima de todos os lugares-tenentes do pai dele e fechamos o cartel dos Chandonne. E aí você não vai ter mais nada com que se preocupar."

"*Nós* quem?"

"Quer parar de perguntar isso?" Marino se levanta para pegar outra cerveja. Raiva e frustração se acendem novamente. "Você não entende?", grita ele da cozinha, remexendo na geladeira. "Depois do dia 7 de maio, depois que conseguirmos o que queremos e o Lobisomem estiver morto, não vai haver mais motivo para você ser o Tom não-sei-das-quantas!"

"*Nós quem?*"

Marino bufa como um touro ao abrir uma garrafa de Dos Equis dessa vez. "*Nós* sou eu. *Nós* é a Lucy."

"A Lucy sabe que você veio me ver hoje?"

"Não. Eu não contei para ninguém, nem vou contar."

"Ótimo." Benton está imóvel na poltrona.

"O Lobisomem nos deu os peões para derrubarmos do tabuleiro", Marino continua planejando sozinho. "Talvez ele já nos tenha dado o nosso primeiro peão ao dedar o Rocco. Eu só posso pensar que, se de repente ele virou um fugitivo, alguém o dedou."

"Entendo. Que decente da parte de Chandonne se o seu filho for o primeiro peão. Você vai visitar Rocco na prisão, Pete?"

Marino de repente joga a garrafa de cerveja na pia. O vidro estilhaça. Ele aproxima-se rapidamente de Benton e o encara de perto.

"Pára de falar nele, tá ouvindo? Eu espero que ele pegue alguma porra de Aids na prisão e que morra! Todo o sofrimento que ele já causou! Pois agora deveria ser a vez dele!"

"Sofrimento de quem?" Benton não mexe um músculo diante do hálito de cerveja de Marino. "Seu sofrimento?"

"Pode começar com o sofrimento da mãe dele. E seguir em frente." Ainda é difícil para Marino pensar em Doris, sua ex-mulher e mãe de Rocco.

Ela foi namorada de Marino quando ele era jovem. Ele ainda pensava nela como sua namorada muito tempo depois de ter parado de prestar atenção nela. Ficou transtornado quando ela o trocou por outro homem.

Enquanto isso está passando pela cabeça de Marino, ele está gritando para Benton: "Você pode voltar para casa, seu idiota do caralho! Você pode viver a sua vida de novo!".

Marino senta-se no sofá, ofegante, o rosto tão vermelho que lembra a Benton da Ferrari Maranello 575M que viu perto de Cambridge. A cor é um vermelho-escuro chamado Barcetta, e pensar naquele carro o faz se lembrar de Lucy, que sempre foi apaixonada por máquinas velozes e potentes.

"Você vai poder ver a doutora, e a Lucy e..."

"Errado", sussurra Benton. "Jean-Baptiste Chandonne manipulou tudo para colocar-se nessa posição. Ele está exatamente onde quer estar. Ligue os pontos, Pete. Volte ao que aconteceu depois que ele foi preso. Ele chocou todo mundo oferecendo uma confissão espontânea de outro assassinato, dessa vez no Texas, e então, que coisa!, declarou-se culpado.

Por quê? Porque ele *queria* ser extraditado para o Texas. Foi escolha *dele*, não do governador da Virgínia."

"De jeito nenhum", contesta Marino. "Nosso ambicioso governador da Virgínia não queria encher o saco de Washington enchendo o saco da França — a capital anti-pena-de-morte do mundo. Então nós demos o Chandonne para o Texas."

Benton balança a cabeça. "Não é bem assim. Jean-Baptiste deu Jean-Baptiste para o Texas."

"E como é que você saberia disso? Você andou falando com alguém? Pensei que você não falasse com ninguém."

Benton não responde.

"Eu não entendo", continua Marino. "Por que o Lobisomem iria se importar com o Texas?"

"Ele sabia que morreria depressa lá, e ele queria morrer depressa. Fazia parte de seu plano-mestre. Ele não tinha a intenção de apodrecer no corredor da morte por dez ou quinze anos. E suas chances de desenvolver estratégias são muito maiores no Texas. A Virgínia poderia muito bem se dobrar diante de pressão política e adiar a execução dele.

"A Virgínia também é claustrofóbica. Todos os seus movimentos seriam observados. Ele teria muito menos, porque os policiais tomariam como missão pessoal garantir a segurança e o bom comportamento dele. Ele seria monitorado ao máximo. Não venha me dizer que se ele estivesse na Virgínia a correspondência dele não seria verificada secretamente. Danem-se os direitos dele."

"A Virgínia iria querer fritar o rabo dele", argumenta Marino. "Depois do que ele fez por lá."

"Ele matou uma balconista. Matou uma policial. Quase matou a legista-chefe. O governador daquela época agora é senador e presidente do Comitê Nacional Democrata. Ele não encheu o saco de Washington porque não estava a fim de encher o saco dos franceses. O governador do Texas, que já está no segundo mandato, e, a propósito, é um republicano que adora dar tiros, não se importa nem um pouco com quem ele incomoda."

"*A legista-chefe?* Você realmente não consegue falar o nome dela, não é?", exclama Marino, incrédulo.

19

Alguns anos atrás, Kay, a tia de Lucy Farinelli, lembrou de uma história curiosa sobre a cabeça decapitada de um soldado alemão que havia morrido na Segunda Guerra Mundial.

O corpo dele foi descoberto enterrado na areia em algum lugar da Polônia, contou ela a Lucy, e as condições áridas preservaram notavelmente seu curto cabelo loiro ariano, seus traços atraentes e até mesmo a barbicha em seu queixo. Quando Scarpetta viu a cabeça no mostruário de um instituto de medicina legal polonês em uma das viagens que fez para dar palestras, comentou ter pensado no museu de cera de Madame Tussaud.

"Os dentes da frente estão quebrados", continuou contando Scarpetta, explicando que não achava que os dentes tivessem sido danificados depois da morte ou em conseqüência de algum ferimento anterior à morte que tivesse ocorrido com o rapaz nazista. Ele simplesmente cuidava mal dos dentes. "Ferimento de tiro à distância na têmpora direita", ela citou a causa da morte do nazista. "O ângulo do ferimento mostra a maneira como a arma estava apontada — nesse caso, *para baixo*. Com freqüência, em um suicídio, o cano está encostado ou direcionado *para cima*. Não há fuligem nesse caso, porque o ferimento foi limpado, o cabelo ao redor foi raspado no necrotério, para onde os restos mortais mumificados foram enviados para que eles se certificassem de que a morte não era recente, ou pelo menos foi isso que me contaram quando eu estava fazendo palestras na Pomorska Akademia Medyczna."

A única razão pela qual Lucy se lembra do nazista decapitado, enquanto seu carro é revistado na fronteira nordeste da Alemanha, é que o guarda alemão é um loiro bonito, de olhos azuis, e parece jovem demais para estar infectado por tédio ao inclinar-se dentro do Mercedes preto que ela alugou e varrer os assentos de couro com uma lanterna. Em seguida ele joga o foco sobre o assoalho com carpete preto, a luz forte iluminando a pasta de couro gasta de Lucy e duas mochilas Nike vermelhas que estão atrás. Ele passa a lanterna várias vezes no assento do passageiro, em seguida dá a volta pelo carro até o porta-malas, abrindo-o e fechando-o quase sem olhar dentro.

Se ele tivesse se dado ao trabalho de abrir os zíperes daquelas duas mochilas e revolver as roupas, teria descoberto um bastão tático. Ele se parece muito com um cabo de vara de pescar revestido de borracha preta, mas com um movimento rápido do pulso ele se transforma em uma vara de aço carbonizado de sessenta centímetros, capaz de estilhaçar ossos e rasgar tecido macio, inclusive os órgãos internos da barriga.

Lucy está preparada para explicar a arma, que é relativamente desconhecida e pouco usada. Ela afirmaria que seu namorado superprotetor lhe deu o bastão para defesa pessoal porque ela é uma mulher de negócios e viaja sozinha com freqüência. Ela realmente não sabe muito bem como usar aquela coisa, é o que explicaria encabulada, mas ele insistiu e jurou que não haveria nenhum problema em colocá-lo na bagagem. Se a polícia confiscasse o bastão, e daí? Mas Lucy fica aliviada por ele não ter sido descoberto e pelo fato de o policial em seu uniforme verde-claro que verifica seu passaporte dentro de uma cabine não parecer nem um pouco curioso em relação a essa jovem americana dirigindo um Mercedes sozinha tarde da noite.

"Qual é o propósito da sua visita?", pergunta ele em um inglês terrível.

"*Geschäft.*" Ela não lhe diz que tipo de negócios, mas tem uma resposta preparada, se necessário.

Ele atende o telefone e diz alguma coisa que Lucy é incapaz de decifrar, mas ela percebe que ele não está falando sobre ela, ou, se está, não é nada importante. Ela esperava que seus pertences fossem revirados e estava pronta para aquilo. Esperava ser interrogada. Mas o guarda que a fez lembrar da cabeça decapitada devolveu-lhe o passaporte.

"*Danke*", agradece ela educadamente enquanto, em seu íntimo, rotula-o como um *trag Narr*, um idiota preguiçoso.

O mundo está cheio de gente como ele.

Ele acena para que ela prossiga.

Lucy avança vagarosamente, atravessando a fronteira para entrar na Polônia, e agora um outro guarda, dessa vez um polonês, faz com que ela passe pela mesma rotina. Nada de interrogatório, nem revista minuciosa, nada além de sonolência e tédio. Isso é fácil demais. Começa a paranóia. Ela se lembra de que nunca deveria confiar em qualquer coisa que é fácil demais, e imagina a Gestapo e os soldados da SS, espectros cruéis do passado. O medo surge como um odor corporal, um medo que é infundado e irracional. O suor escorre pelo corpo dela, sob o blusão, quando ela pensa nos poloneses subjugados e privados de seus próprios nomes e vidas durante uma guerra que ela conhece apenas dos livros de história.

Não é tão diferente da maneira de existir de Benton Wesley, e Lucy se pergunta o que ele pensaria e sentiria se soubesse que ela está na Polônia e o motivo. Não se passa um único dia em que a sombra dele não paire sobre a vida dela.

20

A experiência que adquiriu na carreira não aparece a menos que ela intencionalmente a revele como uma arma.

Ela ainda estava no colegial quando começou a estagiar no FBI e projetou a Rede de Inteligência Artificial Criminal deles, também conhecida por RIAC. Quando se formou na Universidade de Virgínia, tornou-se agente especial do FBI e a incentivaram a se tornar uma especialista em informática. Ela aprendeu a pilotar helicópteros e tornou-se a primeira mulher a ser membro das Forças Especiais da Equipe de Resgate de Reféns (ERR) do FBI. Hostilidade, assédios e insinuações grosseiras seguiram-na em cada missão, busca e sessão de treinamento. Raramente ela era convidada para se juntar aos homens para tomar uma cerveja no bar da Academia, chamado de "Sala da Diretoria". Eles não confiavam nela para contar sobre ataques malsucedidos ou para falar de suas mulheres e filhos. Mas ficavam de olho nela. Falavam sobre ela nos chuveiros.

A carreira dela no FBI foi abortada em uma manhã úmida de outubro quando ela e seu colega na ERR, Rudy Musil, estavam disparando pistolas de 9 milímetros dentro da "Casa de Pneus" do FBI. Como o nome sugere, a área de tiro bastante perigosa estava coberta de velhos pneus onde os agentes táticos podiam mergulhar, correr em volta e se esconder enquanto praticavam manobras insanas. Rudy estava ofegante e transpirando muito quando se agachou atrás de uma pilha de pneus e colocou outro pente em sua Glock, enquanto olhava de trás de um Michelin gasto procurando sua colega, Lucy.

"Tudo bem. Pode confessar", gritou ele para ela através da fumaça da arma. "Qual é a sua preferência sexual?"

"Fazer quantas vezes for possível!" Ela recarregou e puxou o ferrolho da arma enquanto rolava entre pilhas de pneus antes de disparar cinco tiros em um alvo móvel a dez metros de distância. Os tiros acertaram tão perto uns dos outros na cabeça do alvo que pareciam formar uma pequena flor.

"Ah, é?" Duas balas acertaram e fizeram retinir um alvo que retratava um bandido com uma metralhadora. "Eu e os outros caras fizemos uma aposta sobre isso", a voz de Rudy soou mais próxima, enquanto ele rastejava pelo chão de concreto imundo.

Ele lançou-se através de torres de pneus cheios de fuligem e agarrou Lucy de surpresa, segurando-a pelas botas Red Wing com reforço de aço.

"Dançou!" Ele riu, colocando sua arma em cima de um pneu.

"Porra, você ficou louco?" Lucy esvaziou a câmara de sua pistola, ejetando um cartucho que caiu pulando pelo chão. "Estamos usando munição de verdade, seu idiota do caralho!"

"Deixa eu ver esse troço." Rudy ficou sério. "Isso não está certo."

Ele pegou a arma da mão dela, soltou o pente. "Mola solta." Ele balançou a arma antes de colocá-la junto à sua sobre o pneu. "Ahá! Regra número um: nunca perca sua arma."

Ele foi para cima dela, rindo enquanto lutava com ela, acreditando, de alguma forma, que aquilo era o que ela estava esperando, e que ela estava excitada e não estava sendo sincera enquanto gritava diversas vezes "Sai de cima, seu babaca!".

Por fim, ele segurou os dois pulsos dela com uma de suas mãos fortes. Enfiou a outra mão dentro da camiseta dela e tentou enfiar a língua na boca de Lucy, enquanto tentava arrancar-lhe o sutiã. "Os caras só dizem" — ele arquejava — "que você é sapatão porque" — ele atrapalhou-se com a fivela do cinto dela — "eles não conseguem te ganhar..."

Lucy mordeu o lábio inferior de Rudy e bateu a testa com toda a força na parte superior do nariz dele. Ele passou o resto do dia na sala de emergências médicas.

Os advogados do FBI tiveram que lembrá-la que o litígio não favorecia a ninguém, especialmente tendo em vista que Rudy acreditava que ela "estava a fim" e tinha causa provável para acreditar nisso. Lucy disse a Rudy que queria "quantas vezes fosse possível", declarou ele com relutância nos formulários que foi forçado a preencher para o pessoal dos Assuntos Internos.

"É verdade", Lucy concordou calmamente durante uma declaração sob juramento diante de uma banca composta por cinco advogados, nenhum dos quais a estava representando. "Eu disse isso, mas não disse que queria *com ele* ou com qualquer um *naquela hora* no meio de um treino de tiro com munição de verdade, no meio da Casa de Pneus, no meio de uma manobra e no meio do meu período menstrual."

"Mas você o seduziu no passado. Você deu ao agente Musil motivos para pensar que estava atraída por ele."

"Que motivos?" Lucy estava confusa. "Oferecer-lhe um chiclete de vez em quando, ajudá-lo a limpar suas armas, ficar junto com ele para atravessar a Yellow Brick Road* e outras pistas de obstáculos, a pior delas na base dos Fuzileiros Navais, fazer umas brincadeiras, esse tipo de coisa?"

"É bastante intimidade", concordaram os advogados entre si.

"Ele é meu parceiro. Parceiros têm bastante intimidade."

"Ainda assim, você parecia devotar boa parte de seu

(*) A "estrada de tijolos amarelos" é uma referência ao filme *O mágico de Oz* e também uma pista de treinamento da academia do FBI, com quase quinze quilômetros de extensão e cheia de obstáculos. (N. T.)

tempo e atenção ao agente Musil, incluindo atenção pessoal, como perguntar-lhe como ele havia passado fins de semana e feriados, e ligar para a casa dele quando ele ficava doente."

"Talvez *fazer umas brincadeiras*, como você disse, pudesse ser interpretado como uma forma de flerte. Algumas pessoas fazem brincadeiras quando estão flertando."

Os advogados concordaram entre si novamente, e, o que era pior, dois deles eram mulheres — mulheres em paletós masculinos e saias, com saltos altos, mulheres cujos olhos refletiam uma identificação com o agressor, como se suas íris estivessem coladas ao contrário em seus globos oculares, e elas fossem burras em vez de inteligentes, e cegas para aquilo que estava à sua frente. As mulheres advogadas tinham os olhos mortos das pessoas que se matam para conseguir o que querem ou se tornam aquilo que temem.

"Desculpe", disse Lucy, e ela aguçou a atenção e evitou os olhos mortos. "A mensagem está entrecortada. Repita, por favor", murmurou ela, usando o jargão dos aviadores.

"Como? Quem entrecortou o quê?" Testas se franziram.

"Vocês interferiram na minha transmissão para a torre. Ôopa, não tem torre. Estamos em espaço aéreo não controlado, e vocês conseguem fazer o que quiserem. Certo?"

Mais testas franzidas. Os advogados entreolharam-se como se Lucy fosse muito esquisita.

"Deixa pra lá", acrescentou ela.

"Você é uma mulher atraente e solteira. Pode perceber de que maneira o agente Musil poderia ter interpretado mal suas brincadeiras, telefonemas em casa et cetera, como indicativos de que estivesse interessada sexualmente por ele, agente Farinelli?"

"Afirmou-se também que você com freqüência se referia ao agente Musil e a si mesma como 'yin e ilanga'."

"Já falei pro Rudy um monte de vezes que ilanga é uma árvore da Malásia. Ilangue-ilangue para ser mais exata. É uma árvore com flores amarelas de onde se destila perfume... mas ele nem sempre regula os ouvidos para ouvir a freqüência certa." Lucy tentou segurar um sorriso.

Os advogados faziam anotações.

"Eu nunca chamei Rudy de 'ilanga'. De vez em quando, é verdade, eu o chamava de 'yang', e ele me chamava de 'ying', apesar de eu dizer a ele dezenas de vezes que a palavra era *yin*", Lucy continua a explicar.

Silêncio, canetas suspensas.

"Tem a ver com filosofia chinesa." Lucy poderia estar falando na frente de um quadro-negro. "Equilíbrio, correlatos."

"Por que vocês se chamavam um ao outro de... essas coisas?"

"Porque somos farinha do mesmo saco. Vocês conhecem *essa* expressão?"

"Creio que estamos familiarizados com a expressão 'farinha do mesmo saco'. Ainda assim, esses apelidos sugerem um relacionamento..."

"Que não é do tipo que vocês estão falando", replicou Lucy sem rancor, porque ela de modo algum odiava Rudy. "Ele e eu somos farinha do mesmo saco porque nenhum de nós dois se encaixa no esquema. Ele é austríaco, e os outros caras o chamam de Mustonto, porque, segundo eles, ele *só fala merda*, algo em que ele não acha nem um pouco de graça. E eu sou uma lésbica, que odeia homens, porque nenhuma mulher *normal*, que goste de homens, iria querer fazer parte da ERR e ser bem-sucedida. Segundo as leis do machismo."

Lucy esquadrinhou os olhos mortos das mulheres e decidiu que os olhos dos advogados também estavam mortos. O único sinal de vida neles era o vislumbre de criaturas pequenas e desprezíveis que odiavam alguém como Lucy porque ela ousava resistir a ser subjugada e assustada por elas.

"Esta entrevista, depoimento, investigação, seja lá que droga for, é uma babaquice", Lucy lhes disse. "Não tenho interesse em processar a porra do FBI. Eu cuidei de mim mesma na Casa de Pneus. Eu não relatei o incidente. Rudy relatou. Teve que explicar o motivo de seus ferimentos. Ele reconheceu sua responsabilidade no incidente. Ele poderia ter mentido, mas não mentiu, nós dois olhamos para a questão da mesma maneira." Ela usou o verbo *olhar* para lembrar aos advogados sobre seus olhos mortos, como se de alguma forma eles soubessem que seus olhos estavam mortos e eram incapazes de ver uma realidade que se dobrava diante do peso da verdade e das possibilidades, e que implorava aos humanos que participassem dela e travassem uma guerra contra as pessoas de olhos mortos que estavam governando o mundo.

"Rudy e eu fomos mediadores de nós mesmos", continuou Lucy calmamente. "Nós reafirmamos que somos parceiros, e um parceiro não faz nada que o outro não queira fazer, nem comete algum ato que possa trair o outro parceiro ou que possa colocá-lo em perigo. E ele me pediu desculpas. E foi sincero. Estava chorando."

"Espiões também pedem desculpas. E também choram." Uma emoção repentina subiu pela garganta de uma das advogadas vestida em risca de giz e com saltos altos tão finos que fizeram Lucy pensar em palitos. "E sua aceitação do pedido de desculpas dele não é uma das opções, agente Farinelli. Ele tentou estuprá-la." Ela enfatizou a idéia, supondo que aquilo iria humilhar e atormentar Lucy mais uma vez, na medida em que representava um convite para que os advogados homens fantasiassem imagens dela nua e sendo atacada sexualmente no chão de concreto cheio de fuligem da Casa de Pneus.

"Eu não sabia que Rudy estava sendo acusado de ser espião", retrucou Lucy.

Ela demitiu-se do FBI e foi contratada pelo Departamento de Álcool, Tabaco e Armas de Fogo, ou ATF, que o FBI considera injustamente um ajuntamento de gente do mato que dá batidas em destilarias clandestinas e usa cintos de utilidades e armas.

Ela se tornou uma especialista em investigação de incêndios em Filadélfia, onde ajudou a encenar o assassinato de Benton Wesley, o que incluiu a obtenção de um corpo que estava destinado à dissecação na faculdade de medicina. O morto era mais velho, com cabelo grisalho espesso, e depois de ter sido incinerado no incêndio criminoso de um prédio, uma identificação visual não era confiável, ou era impossível. Tudo o que Scarpetta, completamente chocada, viu no local ainda fumegante, imundo e encharcado foi um corpo chamuscado e enegrecido, e um crânio sem rosto com cabelo grisalho e um relógio de pulso de titânio que pertencera a Benton Wesley. Sob ordens secretas de Washington, o legista-chefe de Filadélfia foi obrigado a falsificar todos os relatórios. No papel, Benton estava morto, apenas mais um homicídio acrescentado às estatísticas criminais do FBI em 1997.

Depois que ele desapareceu no buraco negro do programa de proteção às testemunhas, o ATF imediatamente transferiu Lucy para a divisão de Miami, onde ela foi voluntária para missões perigosas de infiltração e conseguiu convencer as pessoas de sua capacidade, apesar de algumas reservas do agente especial no comando. Lucy tinha atitude. Era explosiva. Ninguém próximo a ela, com a exceção de Pete Marino, entendia o motivo. Scarpetta não sabia ou sequer suspeitava da verdade. Ela supunha que Lucy estava passando por uma fase terrível porque não conseguia lidar com a morte de Benton, quando a verdade era que Lucy não conseguia lidar com o fato de Benton estar vivo. Em um ano em seu novo posto em Miami, ela atirou em dois traficantes, matando-os, em uma operação malsucedida.

Apesar de as fitas de vídeo da vigilância mostrarem claramente que ela havia salvado a si mesma e a sua parceira, houve falatório. Muita fofoca desagradável e desinformação, e uma investigação administrativa após outra. Lucy saiu do ATF. Largou os federais. Resgatou o dinheiro que havia investido em ações de empresas pontocom antes que a economia se desestabilizasse e entrasse em crise depois do 11 de Setembro. Investiu uma parte de sua riqueza, junto com sua experiência policial e seu talento, na criação de uma agência particular de investigações que ela chama de "A Última Delegacia". É o lugar ao qual as pessoas recorrem quando não há mais opções. Não está anunciada e seus números não constam em nenhuma lista telefônica.

21

Benton levanta-se da poltrona e coloca as mãos nos bolsos.

"Pessoas do passado", diz ele. "Nós vivemos tantas vidas, Pete, e o passado é uma morte. Algo acabado. Algo que não pode voltar mais. Seguimos em frente e nos reinventamos."

"Que monte de besteira. Você tem passado muito tempo sozinho", diz Marino com desgosto enquanto o medo congela seu coração. "Você me dá enjôo. Estou contente pra cacete que Scarpetta não esteja aqui para ouvir isso. Ou talvez ela devesse ouvir, assim finalmente deixaria você para trás, da mesma maneira que, obviamente, você a deixou. Que droga, não dá para ligar o ar-condicionado desta espelunca?"

Em passos largos, Marino vai até o aparelho embutido na janela e o liga no máximo.

"Sabe o que ela anda fazendo atualmente, ou você não dá a mínima? Nada. Ela é uma porra de uma consultora. Foi despedida do cargo de legista-chefe. Dá para acreditar? Aquele puto do governador da Virgínia livrou-se dela por conta de umas merdas de política.

"E ser despedido no meio de um escândalo não ajuda muito a carreira", continua ele. "Quando se trata dela, ninguém está contratando, a menos que seja algum caso insignificante em algum lugar que não tem dinheiro para contratar ninguém, e aí ela trabalha por quase nada. Coisas do tipo alguma overdose idiota em Baton Rouge. Uma overdose idiota..."

"Louisiana?" Benton aproxima-se da janela e olha para fora.

"É, o *coroner* de lá me telefonou hoje de manhã antes de eu sair de Richmond. Um cara chamado Lanier. Era um caso antigo de overdose. Eu não sabia nada a respeito, então ele quis saber se a doutora andava fazendo serviços particulares e basicamente queria que eu passasse um atestado sobre o caráter dela. Eu fiquei bem puto nas calças. Mas é assim que as coisas estão. Ela precisa de referências."

"Louisiana?", diz Benton novamente, como se houvesse algum engano.

"Você conhece algum outro estado que tenha uma cidade chamada Baton Rouge?", Marino pergunta maliciosamente, a voz mais alta do que o ruído do ar-condicionado.

"Não é um bom lugar para ela", diz Benton estranhamente.

"É, bom, Nova York, Washington e Los Angeles não andam fazendo convites. Ainda bem que a doutora tem meios para se sustentar, senão ela estaria..."

"Estão acontecendo assassinatos em série lá...", Benton começa a dizer.

"Bom, o telefonema não veio da força-tarefa que está trabalhando com eles. Isso não tem nada a ver com o desaparecimento daquelas moças. É só uma titica qualquer. Um caso que já esfriou. E o meu palpite é que o *coroner* vai telefonar para ela. E, pelo que conheço dela, ela vai ajudá-lo."

"Uma área onde dez mulheres desapareceram, e o *coroner* quer reabrir um caso antigo? Por que agora?"

"Sei lá. Alguma dica que recebeu."

"Que dica?"

"Sei lá!"

"Eu quero saber por que essa overdose é tão importante de repente", insiste Benton.

"As suas antenas estão tortas?", exclama Marino. "Você

não está entendendo porra nenhuma. A vida da doutora virou uma merda. Ela passou de Babe Ruth* para a Liga Amadora."

"A Louisiana não é um bom lugar para ela", repete Benton. "Por que o *coroner* telefonou para você? Só para conseguir uma referência?"

Marino balança a cabeça, como se estivesse tentando acordar. Esfrega as mãos no rosto. Benton está perdendo o contato com a realidade.

"O *coroner* ligou querendo a *minha* ajuda no caso", diz ele.

"*Sua* ajuda?"

"Mas o que porra isso quer dizer? Você acha que eu não conseguiria ajudar alguém em um caso? Eu poderia ajudar qualquer filho-da..."

"É claro que poderia. Então por que não está ajudando o *coroner* de Baton Rouge?"

"Porque eu não sei nada sobre o caso! Porra, você está me deixando louco!"

"A Última Delegacia poderia ajudá-los."

"Cacete, quer dar um tempo? O *coroner* não parecia nem um pouco preocupado com a coisa, só insinuou que gostaria de ter a opinião médica da doutora..."

"O sistema legal deles é baseado no Código Napoleônico."

Marino não tem a menor idéia sobre o que ele está falando. "O que Napoleão tem a ver com isso?"

"O sistema legal francês", diz Benton. "O único estado deste país que tem um sistema legal baseado no sistema legal francês, e não no inglês. Baton Rouge tem mais homicídios de mulheres não resolvidos *per capita* do que qualquer outra cidade dos Estados Unidos."

"Tá certo, entendi. Não é um bom lugar."

"Ela não deveria ir para lá. Especialmente sozinha. Em

(*) Famoso jogador de beisebol. (N. T.)

nenhuma circunstância. Garanta isso, Pete." Benton ainda está olhando pela janela. "Confie em mim."

"Confiar em você? Que piada."

"O mínimo que você pode fazer é tomar conta dela."

Marino está enfurecido, olhando fixamente as costas de Benton.

"Ela não pode chegar perto dele."

"De quem você está falando, porra?", pergunta Marino, sua frustração intensificando-se.

Benton é um estranho. Marino não conhece esse homem.

"O Lobisominho? Porra. Pensei que a gente estava falando de um caso de overdose na região sul", reclama Marino.

"Mantenha-a longe de lá."

"Você não tem o direito de pedir nada, especialmente em relação a ela."

"Ele tem uma fixação por ela."

"E que porra ele tem a ver com a Louisiana?" Marino aproxima-se e olha atentamente para o rosto dele, como se fazendo um esforço para ler alguma coisa que não consegue enxergar direito.

"Isso é a continuação de uma luta por poder que ele perdeu para ela no passado. E ele pretende vencê-la agora, mesmo que seja a última coisa que faça."

"Não me parece que ele vá ganhar porra nenhuma, a não ser uma injeção forte o bastante para matar um bando de cavalos."

"Não estou falando de Jean-Baptiste. Você se esqueceu do outro Chandonne, o irmão dele? A Última Delegacia deveria ajudar o *coroner*. Ela, não."

Marino não escuta. Sente-se como se estivesse no banco traseiro de um carro em movimento sem ninguém ao volante.

"A doutora sabe que o Lobisomem a quer." Marino se prende a um assunto — aquele que o interessa e faz sentido.

"Ela não vai se importar em dar a injeção nele, e eu vou estar lá, bem atrás do vidro fumê, sorrindo."

"Você já perguntou se ela se importa?" Benton observa mais um dia de primavera desaparecendo gradualmente. Tons de verde delicados e vívidos estão mergulhados na luz dourada do sol, e as sombras aprofundam-se sobre o chão.

"Não preciso perguntar."

"Sei. Então você não discutiu o assunto com ela. Não estou surpreso. Ela não discutiria esse tipo de coisa com você."

O insulto é sutil, mas fere Marino como uma água-viva. Ele nunca foi íntimo de Kay Scarpetta. Ninguém jamais foi íntimo dela, não da maneira que Benton foi. Ela não contou a Marino como se sente quanto a vir a ser o algoz. Ela não discute seus sentimentos com ele.

"Eu dependia de você para tomar conta dela", disse Benton.

O ar parece se aquecer mais ainda, os dois envoltos em suor, silenciosos.

"Eu sei o que você sente, Pete", diz Benton em voz baixa. "Eu sempre soube."

"Você não sabe nada."

"Tome conta dela."

"Eu vim aqui para que você pudesse começar a fazer isso", diz Marino.

22

O Ancoradouro Cartago é uma parada popular para compra de mantimentos e gasolina, mas Bev Kiffin nunca pára lá.

Ela não diminui a velocidade quando passa na frente da loja, nem quando se aproxima do Ancoradouro Tin Lizzy, um restaurante que custou um milhão de dólares para ser construído, feito de cabanas demolidas e o que Bev chama de *restos*. Os ricos que moram em terra firme podem chegar ao Lizzy pela ponte Springfield e comer bifes *cajun* e frutos do mar e beber o quanto quiserem sem ter que voltar para casa à noite em um barco. Seis meses atrás Bev pediu a Jay que a levasse lá para comemorarem o aniversário dela, e ele apenas riu, e em seguida o rosto dele se retorceu em um rosnado, enquanto ele a chamava de imbecil, e horrorosa, e maluca por pensar que ele a levaria a qualquer restaurante, ainda mais um restaurante fino que fosse acessível por uma rodovia.

O ciúme queima lentamente enquanto ela acelera mais ainda, dirigindo-se para oeste, para o Ancoradouro do Jack. Ela imagina Jay tocando em outras mulheres.

Bev se lembra de seu pai colocando garotinhas no colo, exigindo que ela trouxesse suas amiguinhas para que ele pudesse afagá-las e fazê-la olhar. Ele era um homem de negócios bem-sucedido e bonitão e, durante a adolescência dela, o objeto da paixão de suas amigas. Ele as tocava de maneiras que não eram óbvias ou notáveis, apenas o que ele considerava um contato inocente entre seu pênis duro e os traseiros delas quando sentavam no colo dele. Ele nunca se expôs ou falou de maneira vulgar, nunca xingou. O pior de tudo é que, quando ele acidentalmente se esfregava nos seios delas, suas amigas gostavam, e às vezes se esfregavam nele primeiro.

Bev saiu de casa certo dia e nunca mais voltou, da mesma maneira que sua mãe fizera quando Bev tinha três anos, deixando-a com o pai e suas necessidades. Bev cresceu viciada em homens, passando de mão em mão. Abandonar Jay seria uma outra coisa, e ela não sabe muito bem por que ainda não fez isso. Não tem certeza sobre o motivo de fazer tudo que ele exige, apesar dos temores por sua própria segurança. O pensamento de ele sair com o barco algum dia e nunca mais voltar queima-a de terror. Seria bem feito para ela, pois foi isso que ela fez com seu pai, que foi fulminado por um ataque cardíaco em 1997. Bev não foi ao enterro.

Às vezes, quando vai para a costa, ela pensa no rio Mississippi. Em um bom dia, ela poderia chegar lá em menos de seis horas, e percebe que Jay sabe de seu impulso ocasional de escapar para a Costa do Golfo. Ele já disse a ela mais de uma vez que o Mississippi é o maior rio dos Estados Unidos, mais de um milhão e meio de quilômetros de águas lamacentas e agitadas, e tributários que se abrem em um leque de milhares de riachos, charcos e pântanos, onde alguém pode se perder de tal maneira que "ela iria acabar como um esqueleto em seu barco", como diz Jay. Essas são as suas palavras exatamente, dizendo *ela* e *dela* em vez de *ele* e *dele*, e essa escolha de palavras não é um mero lapso. Jay não tem lapsos de linguagem ou de qualquer outra coisa.

Mesmo assim, quando Bev está no barco, ela cria fantasias sobre o Mississippi, sobre cruzeiros pelo rio e cassinos flutuantes, sobre coquetéis de frutas e cerveja em copos congelados e quem sabe assistir ao Mardi Gras da janela de um agradável quarto de hotel com ar-condicionado. Ela se pergunta se boa comida iria fazê-la passar mal, agora que está há tanto tempo sem ela. Uma cama confortável provavelmente endureceria suas costas e a deixaria dolorida, porque ela se acostumou com um colchão tão fedido e cheio de calombos que nem mesmo Jay dorme mais nele.

Ela desvia de um tronco semi-submerso, preocupada com a possibilidade de ele se mover e ter dentes, e começa a ter uma coceira, especialmente abaixo da apertada cintura do jeans.

"Merda!" Ela conduz o barco com uma das mãos e enterra a outra debaixo da roupa, enfiando as unhas na carne enquanto os vergões aumentam. "Porra! Ai, merda, que porra de bicho me mordeu agora?"

Ofegante e começando a entrar em pânico, ela coloca o motor na posição neutra, abre a portinhola da escotilha e remexe a bolsa de praia à procura do repelente de insetos, que ela aplica em todos os lugares, inclusive sob as roupas.

Está tudo na sua cabeça, é o que Jay sempre diz. Os vergões não são picadas, são urticárias, porque ela é nervosa, porque ela é meio louca. *Bom, eu não era meio louca antes de te conhecer*, ela responde a ele mentalmente. *Nunca tive urticária, nunca tive nada dessas coisas, nem mesmo irritação por urtiga.* Bev flutua pelo riacho por um ou dois minutos, refletindo sobre o que vai fazer e imaginando o rosto de Jay quando ela lhe levar o que ele quer, e em seguida imaginando o rosto dele se ela não levar.

Ela acelera o motor e chega a sessenta quilômetros por hora, que é rápido demais para aquela parte do rio Tickfaw, despreocupada apesar de seu medo das águas escuras e do que está embaixo delas. Levando o barco para a esquerda ela corta a velocidade abruptamente, fazendo uma curva que a leva para um riacho estreito, onde ela navega devagar e em silêncio para dentro de uma área pantanosa que tem cheiro de morte. Coloca a mão debaixo de um encerado, retira de lá uma espingarda e a põe sobre o colo.

23

A luz do sol ilumina um pedaço do rosto de Benton enquanto ele olha pela janela.

O silêncio reina por um longo e tenso momento. O ar parece reverberar de forma agourenta, e Marino esfrega os olhos.

"Eu não entendo." Sua boca estremece. "Você poderia ficar livre, ir para casa, voltar a viver." A voz se altera. "Pensei que você pelo menos iria me agradecer por todo o trabalho que tive para vir até aqui para dizer que nem a Lucy nem eu desistimos de te levar de volta..."

"Como? Oferecendo ela?" Benton se vira e olha para ele. "Oferecendo Kay como isca?"

Finalmente ele disse o nome dela, mas está muito calmo, como se não tivesse sentimentos, e Marino está chocado. Ele enxuga os olhos.

"Isca? Mas o que...?"

"Não é suficiente o que o desgraçado já fez com ela?", Benton continua. "Ele tentou matá-la uma vez." Ele não está falando de Jean-Baptiste. Está falando de Jay Talley.

"Ele não vai matá-la quando estiver atrás de um vidro à prova de bala, tagarelando em um telefone dentro de uma prisão de segurança máxima", diz Marino, enquanto os dois continuam falando de duas pessoas diferentes.

"Você não está me ouvindo", diz Benton.

"Só porque você não está me ouvindo", retruca Marino de maneira infantil.

Benton desliga o ar-condicionado e ergue a janela. Fecha os olhos quando a brisa toca seu rosto quente como se fossem dedos frios. Sente o cheiro da terra florescente. Por um momento, ele se lembra de estar vivo com ela e começa a sangrar por dentro como um hemofílico.

"Ela sabe?", pergunta Benton.

Marino esfrega o rosto. "Porra, eu estou muito cansado da minha pressão sangüínea subir como se eu fosse um maldito termômetro."

"Me conta." Benton aperta as palmas das mãos contra o quadro da janela, inclinando-se em direção ao ar fresco. Vira-se e encontra os olhos de Marino. "Ela sabe?"

Marino entende o que ele quer dizer e suspira. "Não, porra, não. Ela não sabe. Ela nunca vai saber, a menos que você conte para ela. Eu não faria isso com ela. Lucy não faria isso com ela. Entenda uma coisa" — ele levanta com raiva —, "alguns de nós se importam demais com ela para machucá-la desse jeito. Imagine como ela se sentiria se soubesse que você está vivo e não dá mais a mínima para ela?"

Ele caminha até a porta, tremendo de raiva e mágoa. "Pensei que você ia me agradecer."

"E eu realmente agradeço. Sei que sua intenção foi boa." Benton vai até ele, sua postura calma, estranhamente sinistra. "Sei que você não entende, mas algum dia vai entender. Adeus, Pete. Não quero mais ver você, nem ter notícias suas. Veja bem, não é nada pessoal."

Marino agarra a maçaneta e quase a arranca da porta. "Já vou tarde e você pode muito bem ir tomar no cu. Veja bem, não é nada pessoal."

Os dois se encaram como se fossem dois homens em um duelo, nenhum dos dois querendo fazer o primeiro movimento, nenhum realmente querendo que o outro desapareça de sua vida. Os olhos castanhos de Benton estão vazios, como se a pessoa que mora atrás deles tivesse desaparecido. A pulsação de Marino o leva ao pânico quando percebe que o Benton que conhecia não existe mais e nada vai trazê-lo de volta.

E de alguma forma Marino terá que contar isso a Lucy. E de alguma forma Marino terá que aceitar o fato de que seu sonho de resgatar Benton e de devolvê-lo a Scarpetta será sempre um sonho, apenas um sonho.

"Não faz sentido!", grita Marino.

Benton faz um sinal de silêncio, o indicador nos lábios. "Por favor, vá embora, Pete", diz ele em voz baixa. "Não tem que fazer sentido."

Marino hesita no patamar mal iluminado e malcheiroso, pouco depois do apartamento 56. "Tudo bem." Ele se atrapalha com os cigarros e derruba vários no chão de concreto imundo. "Tudo bem..." Ele começa a dizer *Benton*, mas se interrompe enquanto se abaixa para pegar os cigarros, os dedos grossos quebrando dois deles desajeitadamente.

Ele enxuga os olhos com as costas de uma das mãos enormes enquanto Benton olha para ele do vão da porta, sem se oferecer para ajudar a pegar os cigarros, incapaz de se mover.

"Se cuida, Pete", diz Benton, o mestre das máscaras e do autocontrole, em uma voz firme e moderada.

Marino ergue os olhos injetados por ter ficado agachado no patamar. Sua calça está ligeiramente descosturada entre as pernas, um pedaço da cueca branca aparecendo.

Ele fala sem pensar: "Você não entende, você pode voltar para lá!".

"O que *você* não entende é que não existe *lá* para onde *voltar*", diz Benton em uma voz tão baixa que é quase inaudível. "Eu não quero *voltar*. Agora, por favor, desaparece da minha vida e me deixa em paz."

Ele fecha a porta do apartamento e passa a tranca. Lá dentro, desaba no sofá e cobre o rosto com as mãos enquanto as batidas insistentes de Marino na porta tornam-se violentas pancadas e chutes.

"É, tá bom, aproveita essa tua bela vida, seu babaca!", a voz abafada dele soa através da porta. "Eu sempre soube que você era frio e que não ligava a mínima para ninguém, inclusive *ela*, seu maluco do caralho!" As batidas e chutes param de repente.

Benton prende a respiração, esforçando-se para ouvir. O silêncio repentino é pior do que qualquer acesso de raiva. O silêncio de Pete Marino é uma condenação. É final. Ele escuta os pés pesados do amigo arrastando-se escada abaixo.

"Estou morto", Benton murmura, as mãos no rosto, o corpo dobrado sobre o sofá.

"Não importa o que aconteça, estou morto. Meu nome é Tom, Tom Haviland. Tom Speck Haviland..." Seu peito arfa e o coração parece estar fora de ritmo. "Nasci em Greenwich, Connecticut..."

Ele se levanta, esmagado por uma depressão que faz a sala escurecer e o ar ficar denso como óleo. Sente o cheiro persistente dos cigarros de Marino, e aquilo passa por ele como uma lâmina. Aproximando-se da janela, fica de lado de forma que não possa ser visto lá de baixo, e observa Pete Marino afastando-se através de sombras intermitentes e raios de sol esparsos sobre a pavimentação desigual.

Marino pára para acender um Lucky Strike e se vira para olhar para cima, para o prédio deprimente de Benton, até encontrar o apartamento 56. Cortinas transparentes baratas se movem com a brisa e flutuam para fora pela janela aberta como espíritos partindo.

24

Na Polônia, já é meia-noite e alguns minutos.

Lucy passa dirigindo por caravanas de caminhões do exército russo da Segunda Guerra Mundial e acelera em quilômetros de túneis revestidos de ladrilhos ao longo da estrada E28, coberta de árvores dos dois lados. Ela não consegue parar de pensar sobre o Alerta Vermelho, como foi fácil para ela enviar informações computadorizadas que colocaram os órgãos policiais do mundo todo de prontidão. As informações dela são legítimas, é claro. Rocco Caggiano é um criminoso. Ela sabe disso há anos. Mas até ela receber recentemente informações que o ligam a alguns de seus crimes, nem ela nem os outros interessados tinham uma causa provável para fazer qualquer coisa além de matá-lo.

Um simples telefonema.

Lucy telefonou para a Agência Central da Interpol em Washington. Ela se identificou — sua identidade verdadeira, é claro — e teve uma breve conversa com um oficial de ligação chamado McCord. O próximo passo era uma busca pelos bancos de dados da Interpol para ver se Caggiano era conhecido, e ele não era, não tinha sequer um Alerta Verde, que simplesmente significava que a Interpol tinha interesse por aquela pessoa, que deveria ser observada e revistada com maior rigor quando atravessasse fronteiras e passasse por aeroportos internacionais.

Rocco Caggiano tem quarenta e poucos anos. Nunca foi preso e fez uma fortuna aparentemente na condição de um advogado oportunista e trambiqueiro, mas sua riqueza e seu poder formidáveis vinham de seus verdadeiros clientes, os Chandonne, embora não seja correto chamá-los de clientes. Eles são os donos dele. Eles o protegem. Ele é mantido vivo e em grande estilo porque isso lhes convém.

"Verifique um assassinato em 1997", Lucy pediu a McCord. "Dia de Ano Novo na Sicília. Um jornalista chamado Carlos Guarino. Tiro na cabeça, o corpo jogado em uma vala de esgoto. Ele estava trabalhando em uma reportagem investigativa sobre os Chandonne — a propósito, uma coisa bastante arriscada de se fazer. Ele tinha acabado de entrevistar um advogado que representa Jean-Baptiste Chandonne..."

"Certo, certo. Eu conheço o caso. O Lobisomem, ou seja lá como chamam o cara."

"Foi capa da revista *People*, da revista *Time*, e não sei mais qual. Quem não conhece o Lobisomem, o assassino serial?", respondeu Lucy. "Guarino foi assassinado horas depois de ter conversado com Caggiano.

"Depois, um jornalista chamado Emanuelle La Fleur. Barbizon, França, 11 de fevereiro de 1998. Trabalhava para o *Le Monde*. Também estava inadvertidamente fazendo uma matéria sobre a família Chandonne."

"Por que todo esse interesse nos Chandonne, além de eles serem os infelizes pais de Jean-Baptiste?"

"Crime organizado. Um enorme cartel. Nunca foi provado que o pai é quem manda em tudo, mas é o que ele faz. Há boatos. Repórteres investigativos às vezes ficam cegos diante da possibilidade de um furo ou um prêmio. La Fleur tomou drinques com Caggiano horas antes de seu corpo ser encontrado em um jardim perto do antigo castelo do pintor Jean François Millet — nem se incomode em procurar por ele. Morreu há mais de cem anos."

Lucy não estava sendo sarcástica. Ela nunca suporia que Millet era um nome comum e não queria descobrir que o artista, de repente, era alguém que pudesse despertar interesse.

"La Fleur levou um tiro na cabeça, e a bala de dez milímetros foi disparada pela mesma arma usada para assassinar Guarino", explicou ela.

Havia mais. As informações vieram de uma carta escrita por Jean-Baptiste Chandonne.

"Vou lhe mandar a carta por e-mail imediatamente", disse Lucy, uma transmissão que teria sido impensável antes que a Interpol começasse a usar a internet.

Mas a rede de comunicação computadorizada da Agência Internacional de Polícia tinha firewalls, criptografias sofisticadas e sistemas de rastreamento de hackers mais do que suficientes para tornar segura qualquer transmissão. Lucy sabe disso. Quando a Interpol começou a usar a internet, o secretário-geral convidou-a pessoalmente para tentar invadir o sistema. Ela não conseguiu. Nunca conseguiu ir além do primeiro firewall e, no íntimo, ficou furiosa por ter sido repelida, muito embora a última coisa que gostaria de ter feito era ter sido bem-sucedida.

O secretário-geral telefonou para ela, bastante satisfeito. Ele leu para ela uma lista de seus nomes de usuária, senhas e a localização de seu computador.

"Não se preocupe, Lucy. Não vou chamar a polícia", disse ele.

"*Merci beaucoup, Monsieur Hartman*", respondeu ela ao secretário-geral, que é americano.

De Nova York a Londres e a Berlim, e agora atravessando a fronteira para entrar na Polônia, ela percebeu que a polícia estava em alerta. Mas eles não a levaram a sério, não deram a mínima para aquela jovem americana dirigindo seu Mercedes alugado a altas horas de uma fresca noite de primavera. Para eles, Lucy claramente não parecia uma terrorista, e ela não é. Mas poderia ser — facilmente — e é uma tolice não levá-la a sério, por nenhum motivo além de sua nacionalidade, sua jovialidade, sua aparência e um sorriso que pode ser caloroso e cativante quando ela assim o quer.

Ela é esperta demais para portar uma arma de fogo. Seu bastão tático vai servir caso ela tenha algum problema, não com a polícia, mas com algum babaca que encontrar no caminho e que a tenha escolhido para um assalto ou qualquer outro tipo de ataque. Foi fácil para ela fazer o bastão entrar clandestinamente na Alemanha. Ela usou uma velha estratégia que nunca falhava: enviava o bastão por correio expresso em uma bolsa pequena cheia de outros acessórios (um modelador de cachos com escova, secador de cabelos etc.). O pacote chegava em um hotel barato perto do aeroporto, endereçado a um dos cognomes de Lucy; ela também tinha um quarto reservado e pago com esse cognome. Lucy ia com o carro alugado até o hotel, estacionava em uma rua lateral, pegava o pacote na recepção, desarrumava um pouco o quarto e pendurava um aviso de *Não perturbe* na porta. Estava de volta ao carro em meia hora.

Se uma arma mais séria é um imperativo em uma missão, uma pistola automática e alguns pentes extras de munição são colocados dentro de uma bagagem supostamente perdida e presa desajeitadamente com fita adesiva de alguma companhia aérea e largada na recepção do hotel por algum dos colaboradores de Lucy, vestido para a ocasião. Ela tem muitos colaboradores. A maioria deles nunca a encontrou pessoalmente e não sabe quem ela é. Apenas sua equipe principal a conhece. Ela os tem e eles a têm. É o que basta.

Ela retira seu telefone celular internacional do meio das pernas e aperta a tecla de rediscagem.

"Estou a caminho", diz ela quando Rudy Musil atende. "Uma hora e quinze se eu não correr demais."

"Não corra." Ouve-se o som alto de uma televisão no fundo.

Lucy olha o velocímetro, que está a mais de cento e vinte quilômetros por hora. Ela pode ser atrevida, mas nunca intencionalmente insensata. Não tem nenhuma intenção de se envolver com a polícia enquanto se dirige para a cidade portuária mais notável, porém a mais assediada da Polônia. Americanos não são vistos com freqüência em Szczecin. Por que americanos iriam até lá? Com certeza não para turismo, a menos que fosse para ver os campos de concentração perto dali. Durante anos os alemães têm interceptado navios estrangeiros que se dirigem para o porto de Szczecin. Diariamente os alemães roubam os negócios de uma cidade onde o desemprego e a depressão econômica continuam a corroer o que já foi uma jóia de arquitetura, cultura e arte.

Muito poucas glórias foram devolvidas a Szczecin desde a Segunda Guerra Mundial, quando Hitler planejou riscar a Polônia do mapa e exterminar seu povo. É impossível ganhar a vida decentemente. Poucas pessoas sabem o que é morar em uma boa casa, dirigir um bom carro, usar boas roupas, comprar livros ou sair em férias. Dizem que ninguém além de membros da Máfia russa e dos cartéis criminosos tem dinheiro na Polônia, e, com raras exceções, isso é verdadeiro.

Lucy perscruta a estrada e seu sorriso desaparece, os olhos se estreitam.

"Luzes traseiras de um carro à frente. Não estou gostando", diz ela no celular. "Alguém está diminuindo a velocidade." Ela diminui a pressão do pé sobre o acelerador. "Estão parando no meio da porra da estrada. Não tem acostamento."

"Não pare. Desvie deles", diz Rudy.

"Limusine quebrada. Estranho ver uma limusine americana por aqui."

Lucy desvia de uma Lincoln branca. O motorista e um passageiro estão descendo, e ela resiste ao impulso de parar para ajudar.

"Que merda", ela murmura, frustrada.

"Nem pensa nisso", avisa Rudy, ciente da personalidade de alto risco de Lucy e de sua compulsão para salvar o mundo.

Ela acelera mais, e a limusine e seus passageiros retidos tornam-se parte da densa escuridão atrás dela.

"A recepção está vazia a esta hora. Você sabe aonde tem que ir", certifica-se Rudy.

Não pode haver erros, nem avistamentos inesperados.

Lucy olha repetidamente pelo espelho retrovisor, preocupada com a possibilidade de a limusine estar avançando em sua direção e se revelar um problema de verdade. Seu estômago se aperta. E se aquelas pessoas lá atrás realmente precisassem de ajuda? Ela as deixou sozinhas no meio da escuridão na E28, onde não há acostamento para parar. Provavelmente vão ser abalroadas por algum caminhão.

Durante vários segundos ela analisa a possibilidade de correr até a próxima saída e fazer o retorno. Faz isso para cachorros perdidos, para tartarugas que estão atravessando estradas e ruas. Sempre breca para esquilos, e sai correndo do carro para ver pássaros que voam contra seu pára-brisa. Mas pessoas são outra coisa. Ela não pode se dar ao luxo de arriscar.

"Não tem como você errar o Radisson", diz Rudy. "Não estacione no pátio dos ônibus. Eles não gostam muito."

Ele está brincando. Nem é preciso dizer que Lucy não vai parar no Radisson.

25

Delray Beach, Flórida, é quente às seis da tarde, e Kay Scarpetta se afasta da janela de sua cozinha, decidindo que vai trabalhar durante mais uma hora, antes de se aventurar lá fora.

Ela se tornou uma especialista em julgar as sombras e a luz, monitorando-as de sua perspectiva científica antes de sair para ver suas árvores frutíferas ou caminhar pela praia. Tomar decisões bastante inúteis baseadas em análise e cálculo de como o sol se move através do céu ajuda-a a ter a sensação de que não perdeu completamente o controle de sua vida.

O sobrado de reboco amarelo é modesto para os padrões dela, apenas um lugar velho com grades brancas oscilantes, encanamento e fiação precários, e um ar-condicionado que parece ter uma maligna vontade própria. Azulejos às vezes caem da parede atrás do fogão elétrico, e ontem a torneira de água fria da banheira se soltou da parede. Para poder sobreviver, ela leu livros sobre consertos domésticos e consegue impedir que as coisas caiam em sua cabeça, enquanto tenta se lembrar de como eram os dias antes de se mudar para centenas de quilômetros ao sul de onde estava sua carreira, e pouco menos de uma hora ao norte de Miami, o lugar onde nasceu. O passado está morto, e a morte é apenas mais uma fase da existência. Essa é sua crença. Ela acredita nisso na maior parte do tempo.

O tempo na Terra é uma oportunidade de maior evolução, e então as pessoas seguem em frente ou passam para o outro lado — um conceito que de maneira alguma é original para ela, mas ela nunca foi de aceitar o que não é óbvio sem dissecá-lo primeiro. Depois de muita reflexão, suas descobertas sobre eternidade são simples: ninguém bom ou mau deixa de existir; vida é energia, e energia não pode ser criada ou destruída: ela é reciclada. Portanto, é possível que os puros de coração e aqueles que são exclusivamente maus tenham estado aqui antes e estarão aqui novamente. Scarpetta não acredita no céu nem no inferno, e não vai mais à missa, nem mesmo nos feriados religiosos.

"O que aconteceu com sua culpa católica?", perguntou-lhe Lucy em um Natal muitos anos atrás, quando preparavam uma gemada com rum e a igreja não estava nos planos de nenhuma das duas.

"Não posso participar de uma coisa na qual não mais acredito", respondeu Scarpetta, estendendo a mão para pegar a noz-moscada. "Especialmente se eu não concordar com ela, o que é pior do que uma perda completa de fé."

"A questão é: o que é essa *coisa*? Você está falando do catolicismo ou de Deus?"

"Política e poder. Essas coisas têm um fedor inconfundível, muito parecido com o interior da geladeira do necrotério. Posso fechar os olhos e saber o que tem lá. Nada vivo."

"Valeu pela comparação", disse Lucy. "Acho que agora só vou beber um pouco de rum com gelo. De repente ovos crus não me parecem muito atraentes."

"Você não é nem um pouco enjoada." Scarpetta serve um copo de gemada para Lucy, com uma pitada de noz-moscada. "Bebe logo antes que o Marino chegue e acabe com tudo."

Lucy sorri. A única coisa que lhe dá ânsia de vômito é entrar no banheiro feminino e encontrar alguém trocando as fraldas de um bebê. Para Lucy, aquele fedor é pior do que o de um corpo em decomposição cheio de moscas-varejeiras, e ela já teve sua parcela de experiências com horrores repulsivos devido às profissões incomuns dela e de sua tia.

"Isso quer dizer que você não acredita mais na eternidade?", provoca Lucy.

"Acredito nela mais do que nunca."

Scarpetta fez os mortos falarem na maior parte de sua vida, mas sempre por meio da linguagem silenciosa dos ferimentos, evidências de vestígios, doenças e detalhes investigativos que podem ser interpretados com a medicina, com a ciência, com experiência e dedução que chega às raias da intuição, uma dádiva que não pode ser aprendida ou ensinada. Mas as pessoas mudam. Ela não é mais inteiramente racional. Passou a aceitar que os mortos continuam a existir e a interferir nas vidas de seus amados e inimigos terrestres. É uma convicção que ela esconde de seus detratores e certamente nunca menciona em apresentações profissionais, em artigos em revistas científicas ou nos tribunais.

"Já vi paranormais na TV falando sobre pessoas que morrem e passam para o outro lado — acho que é essa a expressão que usaram", observa Lucy, bebericando sua gemada. "Não sei. É muito interessante. Quanto mais velha fico, menos certeza tenho da maioria das coisas."

"Eu reparei como sua idade está avançada", replica Scarpetta. "Quando você estiver com trinta, vai começar a ter visões e a ver auras. Tomara que você não tenha artrite."

Essa conversa aconteceu na antiga casa de Scarpetta em Richmond, uma fortaleza de pedra que ela projetou com amor e um desprendimento de raciocínio financeiro, sem medir os gastos, insistindo em madeiras antigas, vigas expostas, portas sólidas e paredes de gesso, e uma cozinha e um escritório que fossem perfeitos para sua maneira de fazer as coisas, fosse sobre um microscópio ou um fogão a gás.

A vida era boa. E depois não era mais e nunca mais seria. Tanta coisa dera errado. Tanta coisa se danificara e se perdera e nunca mais poderia ser recuperada. Três anos antes ela iniciara sua jornada rumo ao desastre. Havia se demitido de seu cargo de presidente da Associação Nacional de Legistas. O governador da Virgínia estava prestes a despedi-la. Certo dia ela retirou das paredes de seu escritório diversos quadros com menções honrosas, certificados e diplomas que agora estão guardados em caixas de papelão em algum lugar. A Scarpetta pré-crise era impecavelmente intelectual, ainda que de uma forma não muito rígida, completamente confiante em seu conhecimento, sua exatidão e sua capacidade de obter respostas. Ela era uma lenda viva em manutenção da lei e justiça criminal, e, para algumas pessoas, inacessível e fria. Agora ela não tem equipe, a não ser por sua secretária, Rose, que a seguiu até a Flórida com a desculpa de que seria agradável "aposentar-se" perto de West Palm Beach.

Scarpetta não consegue esquecer Benton Wesley. Ela tentou. Saiu diversas vezes com homens perfeitamente aceitáveis, apenas para recuar diante do toque deles. Um simples toque, e não é o de Benton, e ela se lembra. Então revê as últimas imagens dele que tem, queimado, mutilado. Ainda se arrepende de ter lido o relatório da autópsia, e ao mesmo tempo não se arrepende. Ela se arrepende de ter tocado nas cinzas e as espalhado, e ao mesmo tempo não se arrepende. Era crucial, realmente era, é o que ela constantemente diz a si própria quando se lembra das onduladas e sedosas cinzas do corpo cremado, quando se lembra de tê-lo devolvido ao ar puro e ao mar que ele tanto amava.

Ela sai da cozinha, levando a mesma caneca de café que esquentou no microondas pelo menos quatro vezes desde o meio-dia.

"Quer alguma coisa, doutora Scarpetta?", pergunta Rose do quarto extra que serve de escritório.

"Nada iria ajudar", responde Scarpetta, quase em tom de brincadeira, enquanto anda na direção da voz de Rose.

"Que bobagem." É a réplica favorita de sua secretária. "Eu lhe disse que se você fosse trabalhar sozinha, só ficaria ainda mais ocupada, como se isso fosse possível. E desgastada e sobrecarregada."

"E o que eu lhe disse a respeito de aposentadoria?"

Rose ergue os olhos do relatório de autópsia que está revisando em seu computador. Vai até o campo onde está escrito *cérebro* e digita *1.200 gramas. Dentro do limite normal,* e corrige um erro de digitação.

Unhas estalam sobre o assoalho de madeira como código Morse quando o buldogue de Scarpetta ouve vozes e caminha preguiçosamente, pára, caminha mais um pouco na direção delas e então se senta.

"Vem aqui, Billy-Billy", chama Scarpetta afetuosamente.

Ele olha para ela com olhos desanimados.

"O nome dele é Billy", lembra Rose, embora não haja necessidade de fazer isso. "Se você continuar chamando-o de Billy-Billy, ele vai pensar que vive com um eco, ou que tem dupla personalidade."

"Vem aqui, Billy-Billy."

Ele se levanta, sem pressa. Mais estalos de unhas.

Rose está usando um terninho pêssego. É de lã, como todos os terninhos de Rose. A casa fica na praia. O tempo está muito quente e úmido, e Rose não hesita em ir lá fora de saia e blusa de manga comprida e colocar água nos hibiscos, subir em uma escada para pegar bananas ou limões, ou para salvar sapinhos de afogamento na piscina. É de admirar que as traças não tenham comido cada pedacinho das roupas de Rose, mas ela é uma mulher orgulhosa, sua dignidade mascarando uma natureza gentil e frágil, e é por respeito a si própria e a sua chefe que ela gasta algum tempo toda manhã garantindo que as roupas escolhidas para o dia estejam limpas e passadas.

No mínimo, ela parece secretamente satisfeita com o fato de seu senso de estilo ser datado, como alguns de seus ternos, tão velhos que ela os usava há mais de uma década quando começou a trabalhar para Scarpetta. Rose também nunca mudou o cabelo, mantendo-o sempre preso em um coque no alto da cabeça e se recusando a pintar os fios grisalhos. Uma boa estrutura é a alma do edifício, e a ossatura dela é primorosa. Aos sessenta e sete anos, os homens a consideram atraente, mas ela nunca mais saiu com ninguém depois que seu marido morreu. O único homem com quem Scarpetta a viu flertar foi Pete Marino, porém ela não leva a sério, e ele sabe disso, mas os dois têm se atormentado mutuamente desde que Scarpetta foi nomeada legista-chefe da Virgínia, o que agora parece ter acontecido em uma outra encarnação.

Billy está ofegante quando aparece na escrivaninha. Ele ainda não tem um ano de idade, é branco com uma enorme mancha marrom no meio do dorso, e sua mandíbula faz Scarpetta lembrar de uma escavadeira. Ele se senta aos pés dela, olhando para cima.

"Eu não tenho um..."

"Não diga aquela palavra", exclama Rose.

"Eu não ia dizer. Ia soletrar."

"Ele agora sabe soletrar."

Billy não padece de nenhum tipo de barreira de linguagem quando se trata das palavras *tchau* e *biscoito*. Ele também reconhece *não* e *senta*, mas finge que não reconhece, exercendo o direito de sua raça à teimosia.

"Acho bom você não ter mastigado nada lá atrás", avisa Scarpetta.

No último mês, Billy pegou a mania de morder e arranhar os batentes das portas e os rodapés, especialmente no quarto de Scarpetta.

"Esta casa não é sua, e terei que pagar todos os consertos quando eu sair daqui." Ela balança o indicador na frente dele.

"Seria pior se fosse a sua casa", observa Rose, enquanto o cachorro continua a olhar para Scarpetta e a balançar a cauda, que parece um *croissant*.

Ela pega uma pilha fina de cartas de sua mesa e a passa para sua chefe.

"Já cuidei das contas. Há algumas cartas pessoais. E as revistas de sempre. E esta veio de Lucy."

Ela dirige a atenção de Scarpetta para um grande envelope de papel-manilha, seu nome e seu endereço escritos de maneira bastante legível com caneta porosa preta, o endereço do escritório de Lucy em Nova York como remetente, também escrito em preto. O envelope está marcado *Particular* em letras grandes e sublinhado duas vezes. É um hábito persistente de Scarpetta olhar os carimbos postais, e o dessa carta é intrigante.

"O código postal não é o da área dela", diz Scarpetta. "Lucy sempre envia a correspondência de seu escritório, e na verdade ela sempre manda pelo correio expresso. Não me lembro de uma única vez em que tenha me mandado qualquer coisa pelo correio regular, desde que ela estava na faculdade."

Rose não parece preocupada. "Uma coerência tola é o diabrete das mentes pequenas", ela cita Ralph Waldo Emerson. Na verdade, é sua citação favorita.

Rose sacode o envelope. "Não parece ter nada perigoso aqui dentro", provoca ela. "Se você está quase tendo um daqueles seus ataques de paranóia, eu posso abrir a carta, mas está marcada *Particular*..."

"Não precisa." Scarpetta pega a carta e o resto da correspondência das mãos de Rose.

"E o doutor Lanier de Baton Rouge deixou uma mensagem." Rose digita alguma coisa e corrige outro erro. "É sobre o caso de Charlotte Dard. Ele disse que vai enviar os relatórios e tudo mais na segunda-feira. Parecia estressado. Ele quer saber o que você acha, *imediatamente*."

Ela lança um olhar para Scarpetta que sempre a faz lembrar de uma professora primária que está prestes a escolher algum aluno ou aluna para um questionário. "Acho que tem alguma coisa nesse caso, alguma coisa pior do que overdose de drogas."

Scarpetta massageia as orelhas macias de Billy. "A causa

da morte dela não está perfeitamente clara. Isso é bem ruim. O pior é que o caso já tem oito anos."

"Eu não entendo por que virou um negócio tão importante agora, como se eles não tivessem assassinatos e mortes suspeitas não resolvidos por lá. Aquelas mulheres desaparecidas. Deus!"

"Eu também não sei por que de repente isso se tornou uma prioridade", responde Scarpetta. "Mas o fato é que isso aconteceu, e eu me sinto na obrigação de fazer o que puder para ajudar."

"Porque eles não podem aporrinhar mais ninguém."

"*Eu* posso ser aporrinhada, não posso, Billy-Billy?"

"Bom, deixa eu lhe dizer uma coisinha, doutora Eco. Acho que tem algo que esse doutor não tem a intenção de lhe contar."

"É melhor que ele não faça isso", observa Scarpetta saindo do escritório.

26

Lucy precisa desesperadamente de um banheiro.

Não dá para procurar um posto de gasolina ou área de descanso. Ela acelera o Mercedes até cento e sessenta quilômetros por hora, apesar dos avisos de Rudy sobre limites de velocidade. Focando na estrada escura, ela tenta com todas as forças se concentrar e ignorar sua bexiga. O trajeto parece levar o dobro do que deveria, mas ela faz um tempo excelente e está adiantada trinta e cinco minutos. Ela redisca o número do celular de Rudy.

"Perto do final", diz ela. "Só preciso pousar esta coisa em algum lugar."

"Cala a boca", ordena Rudy para alguém na sala, o som da TV muito alto. "Não quero ter que falar de novo."

27

A forma favorita de relaxamento para Rocco Caggiano é sentar durante horas em mesinhas de cervejaria ao ar livre e beber uma *Gross Bier* atrás da outra.

Os elixires dourados são servidos em copos altos e simples, e ele prefere as *lagers*, encorpadas, e nem chega perto das cervejas de trigo. Rocco nunca entendeu como consegue tomar um galão de cerveja em uma sentada, mas não um galão de água. Ele não conseguiria beber um galão de água nem que levasse um dia inteiro, provavelmente nem em três dias, e sempre ficou intrigado em relação à quantidade de cerveja, vinho, champanhe e outras bebidas misturadas que conseguia consumir, quando mal conseguia tomar um único copo de água.

Na verdade, ele odeia água. Talvez o que um médium lhe disse uma vez fosse verdade: ele havia se afogado em uma vida anterior. Que maneira terrível de morrer, e ele com freqüência pensa no assassino na Inglaterra que afogou uma esposa atrás da outra em uma banheira, agarrando-lhes os pés e puxando até que a cabeça ficasse debaixo da água e elas não conseguissem fazer nada além de balançar os braços desesperadamente, como um peixe sobre um embarcadouro. Essa cena tornou-se uma ânsia emocional constante quando Caggiano começou a odiar sua primeira esposa, e depois a segunda. A pensão alimentícia era mais barata do que o preço que ele pagaria se algum legista descobrisse machucados ou sabe-se lá mais o quê. Mas mesmo que ele realmente tenha se afogado em uma vida passada e tenha pensado que afogar alguém seria uma boa maneira de cometer um assassinato, isso não explicaria o enigma — o fenômeno puramente biológico — sobre a quantidade de álcool que ele pode consumir e o fato de não conseguir terminar nem mesmo um copo de água.

Ninguém jamais conseguiu sossegar sua mente com uma resposta que ele aceitasse. Pequenos enigmas sempre o preocuparam como um carrapicho grudado em sua meia.

"Deve ser porque você mija o tempo todo quando toma cerveja." Caggiano apresenta a questão em praticamente todas as ocasiões sociais. "Quando a gente mija, abre espaço para mais, certo?"

"Se você bebe um monte de água, você também vai ficar mijando o tempo todo", contestou um agente aduaneiro holandês alguns meses atrás, quando ele, Rocco e muitos outros amigos do cartel Chandonne estavam relaxando em uma cervejaria ao ar livre em Munique.

"Eu odeio água", disse Rocco.

"Então como é que você sabe se iria mijar água tão rápido quanto cerveja?", perguntou um capitão de um navio cargueiro alemão.

"Ele não sabe."

"É, você deveria testar, Rocco."

"A gente bebe cerveja, você bebe água, e vamos ver quem mija mais e mais rápido."

Os homens riram e bateram seus copos em um brinde embriagado, derramando cerveja por toda a mesa de madeira. O dia fora muito bom. Antes de caírem na farra na cervejaria, eles haviam passeado pelo parque de nudismo, onde um homem nu passou por eles pedalando uma bicicleta, e o holandês gritou com ele em sua língua, dizendo que era melhor ele ter cuidado na hora de trocar de marcha, enquanto o capitão do navio gritou em alemão que o apoio do estribo era muito pequeno. Rocco gritou em inglês que o homem não precisava se preocupar com a possibilidade de seu pinto ficar preso na roda, porque ele nem chegava a passar do selim. O ciclista os ignorou e continuou pedalando.

Mulheres tomam banho de sol nuas no parque e não parecem se importar se os homens ficam olhando para elas. Rocco e seus capangas ficavam muito atrevidos e olhavam uma mulher que estivesse estendida em sua toalha, fazendo comentários sobre os pontos de interesse da anatomia dela. Geralmente, a mulher se virava de barriga para baixo e voltava a dormir ou a ler sua revista ou livro, enquanto os homens avaliavam suas nádegas como se fossem colinas que eles pudessem subir. A intensa excitação de Rocco tornava-o desagradável, e ele disparava comentários baixos e sem o menor pudor sobre a mulher até que seus companheiros tivessem de arrastá-lo dali. Rocco é especialmente cruel com os homossexuais que estão no parque sem perturbar ninguém. Ele acredita que todos os homossexuais deveriam ser castrados e executados, e gostaria de ser a pessoa que faria isso, para vê-los urinar e defecar de medo.

"É um fato médico: a pessoa, quando está sendo torturada ou prestes a ser apagada, mija e caga nas calças", anunciou ele mais tarde na cervejaria.

"Fato médico? Pensei que você fosse advogado, não médico."

"Então você sabe disso, Rocco? E como sabe disso? Você tira as calças e olha? Talvez você tire as calças deles para procurar bosta e mijo?" Risadas altas. "Aí você vai poder saber de fato. Se isso for verdade, então tenho que chegar à minha importante pergunta. Você anda por aí tirando as calças dos cadáveres? Acho que todos nós temos o direito de saber isso. Porque, pelo menos para mim, se eu morrer, preciso saber se você vai tirar a minha calça."

"Se você morrer", replicou Rocco, "não vai saber porra nenhuma."

É irracional que Rocco se lembre dessa conversa regada

a álcool e daquilo que seu médico havia lhe dito insistentemente durante anos. Rocco tem gastrite e síndrome do intestino solto, devido a estresse, cigarro e excesso de bebida. *Todos os males da vida são culpa de muito estresse, cigarro e excesso de bebida*, Rocco sempre retruca quando sai do consultório. Ele faz um requerimento para reembolso de despesas médicas e retoma sua vida autodestrutiva.

Seus intestinos e sua bexiga se soltam enquanto ele está sentado em uma cadeira em seu quarto de hotel, uma Colt .380 armada e apontada para sua cabeça.

28

O Ancoradouro do Jack é uma confusão de reboques, barcos de diversos tipos e tamanhos amarrados a estacas ao longo de um ancoradouro instável em forma de cruz com diversos pneus velhos atados que servem de defensa.

Puxadas sobre a margem lamacenta estão diversas pirogas — ou canoas *cajun* — e uma lancha apodrecida que não vai mais puxar esquiadores. O estacionamento é imundo, e no ancoradouro de combustível existem duas bombas — uma para gasolina comum, a outra para diesel. Jack trabalha das cinco da manhã até as nove da noite em seu escritório de uma sala com um peixe empalhado que cada dia está pendurado em um ângulo diferente na parede com pintura descascada. O calendário acima de sua velha mesa de metal apresenta fotos em papel brilhante de barcos de pesca em cores vivas — do tipo bem caro, que pode chegar a quase cem quilômetros por hora.

Se não fosse pelo ar-condicionado na janela e por um banheiro químico atrás do prédio, Jack não teria nenhuma das conveniências modernas. Não que ele se importasse com isso. Ele tinha nascido para ter uma vida dura e fora criado para fazer qualquer sacrifício que pudesse mantê-lo exatamente ali onde estava, em um mundo de água e as criaturas que nele vivem, e as árvores envoltas em barba-de-velho.

Para aqueles que freqüentam seu ancoradouro, parar o barco por ali para pegar gasolina e ir até a cidade para buscar provisões é o comportamento normal. Espera-se que as pessoas que ficam durante semanas ou até mais nos pesqueiros deixem veículos e reboques de barcos estacionados lá. Ele nunca deu muita importância para a perua Jeep Cherokee branca enfiada entre camionetes e outros utilitários em um canto afastado do estacionamento perto da margem. Ele cuida apenas de sua vida, mesmo quando tem intuições sobre as pessoas, intuições tão fortes quanto seu olfato. A Mulher do Pântano lhe envia fortes sinais desde o primeiro dia — e isso foi há uns dois anos. O comportamento dela é bastante direto: sem perguntas pessoais.

Bev Kiffin abre a porta do alçapão do convés e tira de lá sua sacola de praia. Ela fica em pé perto da popa e solta a âncora, então joga duas cordas de náilon sobre o ancoradouro de combustível, enquanto Jack acena, caminhando rapidamente em sua direção.

"Ora, ora, se não é a Mulher do Pântano!", diz ele em voz alta. "Posso ajudar?"

O ancoradouro está iluminado, e os insetos formam nuvens escuras e espessas ao redor do brilho amarelo das lâmpadas. Jack atira para ela o cabo de atracação.

"Vou deixar o barco aqui por umas horas." Bev torce a corda e a amarra no cunho de seu barco. Puxa o encerado para um canto e coloca latas vazias de gasolina sobre o ancoradouro. "Pode encher. Qual é o preço hoje?"

"Um dólar e oitenta e cinco."

"Que merda." Bev salta sobre o ancoradouro, movendo-se com agilidade para uma mulher de seu tamanho. "Isso é assalto à mão armada."

Jack ri. "Não sou eu quem decide o preço da gasolina."

Ele é alto e careca, escuro e forte como um cipreste. Bev nunca o viu sem o boné alaranjado da Harley-Davidson, manchado de suor, sempre mascando fumo.

"Você vai e volta?" Ele cospe e enxuga a boca nas costas de uma das mãos, áspera e manchada pelo sol, e a ajuda com os cabos da popa.

"Só vou até o armazém."

Bev enfia a mão dentro da bolsa de praia, procurando uma chave presa a uma pequena bóia de pesca — para o caso de acidentalmente deixar a chave cair na água. Sua atenção passeia pelo estacionamento lotado, fixando-se na Cherokee.

"É melhor eu dar a partida para ver se a bateria não descarregou."

"Bom, se isso aconteceu", diz Jack, alinhando as quatro latas de gasolina perto da bomba, "eu posso dar um jeito."

Bev o observa agachado, colocando o bocal da mangueira de gasolina em cada uma das latas, a bomba marcando o valor que desapareceria de seu bolso. A nuca de Jack lembra a ela uma pele de jacaré, e seus cotovelos são grandes calos. Ela usou os serviços dele pelo menos dez vezes por ano, com mais freqüência ultimamente, e ele não tem a menor idéia de quem ela é ou do que faz, o que é bom para ele. Ela vai até a perua, repentinamente preocupada com a possibilidade de o tanque de gasolina estar vazio também. Não consegue se lembrar se o encheu da última vez.

Destrancando a porta do motorista, ela entra e gira a chave na ignição. O motor pega depois de três tentativas, e ela fica aliviada ao ver que tem mais de meio tanque de gasolina. Quando ficar com pouca, vai parar em um posto para enchê-lo. Ligando os faróis, ela dá ré e estaciona perto do ancoradouro. Enquanto tira o dinheiro da carteira e aperta os olhos para distinguir as notas, Jack enxuga as mãos em um trapo e espera que ela abaixe o vidro da janela.

"Quarenta e quatro dólares e quarenta centavos", diz ele. "Eu coloco as latas de volta no barco e fico de olho nelas para você. Reparei que você trouxe sua amiga." Ele se refere à espingarda. "Você está pensando em deixar ela no barco? Eu não deixaria. Cuidado se for atirar nos jacarés com essa coisa. Só deixa eles mais nervosos."

Bev não consegue acreditar que quase foi embora e deixou a espingarda para trás. Ela não está pensando com clareza nessa noite, e seu joelho dói.

"A última coisa que você faz antes de ir embora", acrescenta ela quando ele desce no barco, "é encher o compartimento de peixes com gelo."

"Quanto?" Ele pega a espingarda, sobe de volta no ancoradouro e a coloca cuidadosamente no banco de trás da Cherokee.

"Uns quarenta e cinco quilos."

"Pelo jeito, você vai fazer um monte de compras para precisar desse gelo todo." Ele enfia o trapo em um dos bolsos traseiros de suas calças de trabalho velhas e puídas.

"As coisas estragam rápido aqui."

"Bom, isso vai custar mais vinte. Estou lhe dando três dólares de desconto."

Ela lhe passa duas notas de dez e não agradece pelo desconto.

"Eu vou embora lá pelas nove." Ele olha atrás dela, para o interior da Cherokee malconservada. "Então se você não tiver voltado ainda..."

"Não vou", diz Bev, engatando a marcha para sair.

Ela nunca volta antes das nove e não precisa do lembrete.

Ele olha para a porta da frente do passageiro, para a janela levantada onde faltam a manivela e o botão da trava.

"Sabe, moça, eu poderia consertar isso se algum dia você se lembrar de deixar a chave."

Bev olha de relance para a porta. "Não faz mal", ela diz. "Ninguém anda neste troço, só eu."

29

No andar de cima, na ala norte da casa, há um quarto de hóspedes que dá para o oceano, e na frente da janela de sacada está a grande mesa de Scarpetta, não uma antigüidade ou qualquer coisa especial, apenas uma mesa de computador barata.

Estantes de livros preenchem as paredes de tal forma que alguns interruptores e tomadas ficam atrás delas, e Scarpetta tem que se virar com extensões. Sua mobília é feita de compensado de bordo claro, em deprimente contraste com as belas antigüidades e peças artísticas, inclusive tapetes orientais, cristais e porcelanas, que ela passou a maior parte de sua carreira colecionando. A vida anterior de Scarpetta está trancada em um depósito de armazenagem, seguro o bastante para abrigar peças de um museu.

Ela não foi ver seus pertences desde quando Lucy cuidou de seus bens há mais de dois anos, escolhendo o lugar em função de sua proximidade com Nova York, onde Lucy tem seu quartel-general e seu apartamento. Scarpetta não sente saudade da mobília de seu passado. É inútil se importar com isso. A simples lembrança faz com que fique cansada por razões que ela não compreende totalmente.

O escritório em sua casa alugada em Delray é de um tamanho confortável, nem de longe tão espaçoso e organizado quanto aquele a que ela estava acostumada em sua casa em Richmond, onde tinha arquivos de pastas suspensas, quilômetros de espaço para trabalhar e uma sólida mesa feita sob medida com cerejeira do Brasil. Sua casa lá era em estilo campestre italiano moderno, construída pedra por pedra, as paredes eram de gesso envelhecido, as vigas expostas, dormentes de estrada de ferro, feitos em eucalipto escuro sul-africano do século XIX. Se a casa que construiu em Richmond não era bonita antes, ficou espetacular quando ela a remodelou na tentativa de erradicar o passado — um passado assombrado por Benton e Jean-Baptiste Chandonne. Mas ela não se sentiu melhor. Os fantasmas a seguiam de quarto em quarto.

Sua negação da perda insuportável e de quase ter sido assassinada eram sonhos fragmentados de horror que lhe davam arrepios, qualquer que fosse a temperatura dentro da casa. Cada estalo da madeira antiga e cada som do vento faziam com que sua mão buscasse a pistola automática que carregava, enquanto seu coração batia com força. Um dia ela saiu de seu magnífico lar e nunca mais voltou, nem mesmo para recuperar seus pertences. Lucy cuidou disso.

Para alguém que sempre havia protegido sua alma contra um mundo perverso e uma dor inatingível, ela se viu de repente como uma errante, pulando de um hotel para outro tal qual uma pedra rolando dentro da água, dando telefonemas para arranjar consultorias particulares, e rapidamente tornou-se tão envolta nas correntes emaranhadas de evidências, de incompetência investigativa e de descuido de policiais e legistas por toda parte que não teve escolha a não ser se fixar em uma outra casa porque tinha que se fixar em algum canto. Ela não podia mais revisar casos sentada em uma cama de hotel.

"Vá para o sul, bem lá embaixo", disse-lhe Lucy calma, amorosamente, certa tarde em Greenwich, Connecticut, onde Scarpetta estava escondida no Homestead Inn. "Você ainda não está pronta para Nova York, tia Kay, e com certeza ainda não está pronta para trabalhar para mim."

"Eu nunca vou trabalhar para você." Scarpetta estava sendo sincera, a vergonha fazendo com que seus olhos se desviassem da sobrinha.

"Bom, não precisa ofender." Lucy estava magoada também, e em minutos as duas estavam discutindo e brigando.

"Eu criei você", Scarpetta disse sem pensar, levantando-se da cama onde estava sentada rígida e enraivecida. "A desgraçada da minha irmã, a admirada autora de livros infantis que não tem a menor idéia de como criar sua própria filha, me largou na soleira da sua porta... quer dizer, o contrário."

"Lapso freudiano! Você precisava mais de mim do que eu de você."

"Não é difícil. Você era um monstro. Aos dez anos, quando entrou na minha vida como o cavalo-de-tróia, fui estúpida o suficiente para deixar que você ficasse por lá, e o que aconteceu? O que aconteceu?" A grande chefe, a médica-advogada sempre guiada pela lógica, estava falando de modo confuso, as lágrimas rolando no rosto. "Você tinha que ser um gênio, não é? A pior pestinha da face da Terra..." A voz de Scarpetta estava trêmula. "E eu não podia desistir de você, criança medonha." Ela mal conseguia falar. "Se Dorothy quisesse você de volta, eu teria levado aquela vaca ao tribunal e provado que ela não era boa mãe."

"Ela não era uma boa mãe e não é." Lucy estava começando a chorar também. "Vaca? Isso é acusá-la de contravenção leve quando, na verdade, ela é uma criminosa. Uma criminosa! Com distúrbio de caráter. Pelo amor de Deus, como é que você foi ter uma psicopata como irmã?" Lucy chora, sentada perto da tia na cama, os ombros delas se tocando.

"Ela é o dragão com quem você sempre luta, contra quem passou sua vida lutando", disse Scarpetta. "Você na verdade está lutando contra mamãe. Ela é caça pequena para mim. Ela não passa de um coelhinho com dentes afiados que ataca os tornozelos. Eu não perco meu tempo com coelhos. Não tenho tempo."

"Por favor, vá para o sul", Lucy implorou, levantando-se da cama e encarando-a com os olhos molhados e o nariz vermelho. "Por enquanto. Por favor. Volte para o lugar de onde você veio e comece tudo de novo."

"Estou velha demais para começar de novo."

"Porra!" Lucy riu. "Você só tem quarenta e seis anos, e os homens e mulheres olham para você em todos os lugares. E você nem repara. Você é um pacotão."

A única vez em que Scarpetta havia sido chamada de *pacote* fora quando estava com mais problemas do que os de costume e precisara de segurança policial extra. Em suas conversas pelo rádio, eles se referiam a ela como *o pacote*. Scarpetta não tinha certeza absoluta do que eles queriam dizer.

Ela foi para o sul, para Delray Beach, não exatamente voltando para suas raízes, mas para uma área perto de onde sua mãe e sua irmã moravam, ainda que a uma distância segura.

Dentro de sua casa da década de 50, alugada e surrada pelo clima, seu escritório está amontoado de papéis e pastas suspensas de papelão, com tanta coisa empilhada no chão que tem que fazer um esforço para não tropeçar em seu próprio trabalho, o que torna impossível para ela ser a pessoa predisposta de sempre quando entra ali. As estantes estão abarrotadas, alguns tomos médicos e de direito em fila dupla nas prateleiras, enquanto seus livros raros estão protegidos do sol e da umidade em um quartinho ao lado que provavelmente seria o das crianças.

Ela se serve da salada de atum preparada por Rose enquanto olha a correspondência, e seu abridor de cartas é um bisturi. Ela corta primeiro o envelope de papel-manilha, que aparentemente veio de sua sobrinha ou de alguma outra pessoa no escritório dela, e fica desconcertada ao descobrir um outro envelope dentro, desta vez totalmente branco e endereçado à mão para *Madame Kay Scarpetta, LLB.*

Ela larga o envelope sobre a mesa e sai rápido do escritório, passando correndo por Rose sem dizer nada e entrando na cozinha à procura de papel-manteiga.

30

Táxis fazem Benton lembrar de insetos.

E durante seu exílio ele passou a gostar de determinados insetos. Os bichos-pau se parecem admiravelmente com gravetos. Benton com freqüência se perde em parques e pelas calçadas, remexendo pacientemente os arbustos à procura de um bicho-pau ou, melhor ainda, um louva-a-deus, que é extremamente raro e um bom presságio, embora ele nunca tenha experimentado alguma mudança positiva na sorte imediatamente após ter visto um louva-a-deus. Talvez algum dia isso aconteça. Joaninhas também dão sorte. Todo mundo sabe disso. Se uma aparece no lugar onde ele está, ele gentilmente a direciona para o seu dedo e a leva para fora, sem se importar com os lances de escada, e a deposita em um arbusto.

Uma semana ele fez isso dez vezes e apreciou a idéia de que era a mesma joaninha que estava flertando com ele. Ele acredita que todas as gentilezas vão ser retribuídas. Também acredita que o mal acabará sendo punido, e, até começar sua não-existência, ele sempre discutia com Scarpetta, porque não acreditava nisso de jeito nenhum naquela época, e ela acreditava.

Nós geralmente não sabemos as razões das coisas, Benton. Mas acredito que sempre existe uma.

Ele ouve a voz de Scarpetta em uma caverna remota de seu cérebro, sentado no escuro banco de trás de um táxi que ruma para o sul.

Como você pode dizer isso?

Ele ouve sua própria voz respondendo para ela.

Porque já vi o suficiente para dizer isso. Que razão possivelmente pode haver para uma irmã, ou uma filha, ou um irmão, ou um filho, ou um companheiro ou companheira ser estuprado, torturado e assassinado?

Silêncio. O motorista do táxi está ouvindo hip-hop.

"Por favor, pode abaixar o som?", diz Benton calmamente, dessa vez em voz alta.

Ou que tal a velhinha atingida por um raio porque o guarda-chuva dela tinha armação de metal?

Scarpetta não responde.

Ok, então que tal aquela família inteira morta por monóxido de carbono porque ninguém lhes disse para não cozinhar com carvão vegetal na lareira, especialmente com os vidros fechados? Qual é a razão, *Kay?*

A percepção que ele tem dela persiste, como se fosse o perfume favorito dela.

Então existe uma razão para eu ter sido assassinado e ter desaparecido para sempre da sua vida?

A conversa se tornou unilateral e não vai terminar. Ele se pergunta que razão Kay teria dado para o que acredita ter acontecido com ele, convencido de que, a essa altura, ela deve ter arranjado alguma razão.

Você está racionalizando, Kay. Você esqueceu nossas conversas sobre negação.

A mente ágil de Benton passa para outra questão enquanto ele continua no táxi depois de escurecer, em direção a Manhattan, o porta-malas e cada espaço do carro amontoados com seus pertences. O motorista não disfarçou a contrariedade ao perceber que seu passageiro vinha com uma considerável pilha de bagagens. Mas Benton foi esperto. Chamou o táxi da rua, e o motorista não viu a pilha de bagagens nas sombras densas da calçada até o momento em que se viu diante da escolha entre acelerar e ir embora, ou aceitar o lucrativo trabalho de levar um passageiro até Nova York.

O nome do motorista é Robert Leary, um homem branco com cabelos castanhos, olhos castanhos, aproximadamente um metro e sessenta, oitenta quilos. Esses e outros detalhes, inclusive o número na identidade com foto presa ao quebra-sol, estão escritos em um caderninho de capa de couro do tamanho de uma carteira que Benton carrega para todo lugar aonde vai. Assim que chegar a seu quarto de hotel, ele vai, como sempre faz, transferir as anotações para seu laptop. Desde que entrou no programa de proteção a testemunhas, Benton tem registrado todas as suas atividades, todos os lugares aonde vai e todas as pessoas que encontra — especialmente se isso acontece mais de uma vez —, e até mesmo o tempo e onde ele se exercitou, e onde comeu.

Por diversas vezes, Robert Leary tentou iniciar uma conversa, mas Benton olha fixamente pela janela e nada diz, e o motorista, é claro, não tem a menor idéia de que o homem bronzeado, de traços bem-feitos, rosto barbado e cabeça raspada está silenciosamente fazendo planos e examinando condições, possibilidades e probabilidades estratégicas de todos os lugares imagináveis. Sem dúvida, o taxista está pensando no azar que teve por ter pegado um maluco que, a julgar pelas péssimas condições de sua bagagem, mergulhou em uma fase ruim, muito ruim.

"Você tem certeza de que consegue pagar a corrida?", ele pergunta, ou melhor, insiste em uma resposta pela terceira vez. "Não vai ser barato, sabe, dependendo do trajeto que eu acabar pegando, dependendo do tráfego e de quais ruas eles fecharam na cidade. Hoje em dia, nunca se sabe que ruas a polícia vai fechar. Segurança. É uma coisa. E eu não sou muito fã de metralhadoras e sujeitos de uniforme camuflado."

"Eu posso pagar a corrida", responde Benton.

Os faróis dos carros que passam retalham a janela onde ele está, iluminando brevemente seu rosto sombrio. De uma coisa ele está certo: a tentativa de assassinato de Scarpetta por Jean-Baptiste Chandonne não tem função ou significado além do fato notável de que ela usou sua inteligência e sobreviveu. Céus, obrigado. Obrigado. Outras maquinações destinadas a causar a ruína dela não têm nenhum significado além do milagre de terem falhado também. Benton conhece bem os detalhes, talvez não todos, mas o que foi parar nos noticiários é o bastante.

Cada pessoa envolvida em seu plano está direta ou tangencialmente ligada à maldosa e complexa rede dos Chandonne. Benton sabe o que fortalece os Chandonne e o que lhes tira a força. Ele conhece os receptáculos sem os quais os principais canais entre os zangões e o alto escalão não podem funcionar. A solução para aquela situação sempre foi complicada demais para que alguém a encontrasse, mas durante seis anos Benton não teve mais nada a fazer além de pensar nela.

A resposta, ele descobriu, é simples: cortar cirurgicamente os fios, descascá-los e desconectá-los; em seguida, unir pontas diferentes, refazer as ligações de forma que os criminosos entrem em curto-circuito e o império Chandonne imploda. Nesse meio-tempo, Benton — o morto Benton — observa invisivelmente aquilo que planejou e implementou como se fosse um videogame, e nenhum jogador em seu jogo tem a menor suspeita sobre o que está acontecendo, embora saiba que alguma coisa está acontecendo, e, seja lá o que for, deve ter sido instigado por traidores de dentro. Jogadores importantes devem morrer. Outros jogadores, muitos dos quais Benton não conhece, serão culpados e rotulados de traidores. Eles vão morrer.

Por esse método, Benton manipulará seus inimigos e os apagará, um por um. Segundo seus cálculos, a coalizão composta por ele e outros que nem sequer sabem que foram recrutados para seu exército particular completará sua missão em poucos meses, talvez em semanas. Segundo os seus cálculos, Rocco Caggiano já está morto ou logo estará morto, assassinado a sangue frio, seu assassinato arranjado, e Lucy e Rudy podem saber o que estão fazendo ou o que fizeram, mas o que eles não sabem é sobre o videogame. Eles não sabem que estão nele.

O que Benton não calculou e que nunca teria previsto é que Kay Scarpetta iria estabelecer uma conexão com Baton Rouge, a posição mais estratégica no mapa mental de Benton. Por alguma razão, essa parte de seu plano quase perfeito falhou. Ele não sabe o porquê. Não sabe o que aconteceu. Revê cada detalhe repetidamente, mas ao final da rotina a tela está em branco, um cursor inútil piscando hipnoticamente para ele. Agora Benton precisa se apressar. Vai contra sua natureza apressar-se. Scarpetta nunca deveria ter nenhum tipo de contato com nada nem ninguém em Baton Rouge. Marino, sim. A Última Delegacia, sim.

Descobrir que seu filho está morto resultaria inevitavelmente em Marino refazer os passos de Rocco, o que levaria Marino e seus compatriotas para Baton Rouge, onde Rocco mantém um apartamento há muitos anos. O porto em Baton Rouge é formidável. A Costa do Golf é dourada. Todos os tipos de materiais valiosos e perigosos viajam pelo Mississippi diariamente. Baton Rouge é outro território dos Chandonne, e Rocco desfrutou de muitos sucessos e gratificações lá, entre eles imunidade soberana da polícia, e intrigas, o que incluía proteger Jay Talley e Jean-Baptiste Chandonne enquanto eles aproveitavam sua parcela de diversão na região de Baton Rouge.

Jean-Baptiste e Jay tinham apenas dezesseis anos quando visitaram Baton Rouge pela primeira vez. Jean-Baptiste aprimorou suas habilidades assassinas matando prostitutas depois que Jay havia se aproveitado delas. Esses casos nunca foram ligados porque o antigo *coroner* renunciou a seus direitos investigativos em prol de outras agências, e a polícia não dava a mínima para prostitutas.

Uma pista levaria à outra até que Marino descobrisse Jay Talley e Bev Kiffin em Baton Rouge e os eliminasse. Esse era o plano. Scarpetta nunca deveria fazer parte dele. Ele sente a pulsação acelerada nas têmporas.

Segura o pulso perto do rosto, incapaz de ver as horas em seu relógio barato de plástico porque o mostrador não é luminescente. O modelo é assim. Ele não quer nada que brilhe no escuro.

"A que horas vamos chegar lá?", pergunta ele com o mesmo tom de voz comedido.

"Não sei direito", responde o motorista. "Depende de o tráfego ficar leve desse jeito. Talvez duas, duas horas e meia."

Um carro aproxima-se deles por trás, os faróis altos lançando uma luz branca cegante sobre o espelho retrovisor do táxi. O motorista xinga enquanto um Porsche 911 preto passa, as luzes vermelhas traseiras lembrando a Benton o inferno.

31

Scarpetta olha fixamente para a carta ainda não aberta, o ar quente e úmido movendo-se através da porta aberta.

Nuvens são flores negras flutuando baixo no horizonte, e ela sente que vai chover antes do amanhecer e ela vai acordar com todas as janelas embaçadas, o que é intolerável. Não há dúvida de que os vizinhos pensam que ela é obsessiva e louca quando a vêem em sua varanda com toalhas de banho às sete da manhã, esfregando vigorosamente a condensação que se forma do lado de fora do vidro. Então, em virtude da ligação forçada e vil com *ele*, ela o imagina em sua cela no corredor da morte, sem janela, e sua missão de esfregar suas janelas opacas torna-se mais urgente ainda.

A carta ainda fechada endereçada a *Madame Scarpetta LLB* encontra-se no centro de um quadrado de papel-manteiga branco e limpo. As médicas na França são tratadas por *Madame*. Nos Estados Unidos, referir-se a uma médica usando qualquer outro termo que não *doutora* é uma ofensa. Ela tem a desagradável lembrança de advogados de defesa astuciosos dirigindo-se a ela no tribunal como sra. Scarpetta, e não dra. Scarpetta, despindo-a, assim, de suas credenciais e experiência, na esperança de que os jurados e até mesmo o juiz não a levassem tão a sério quanto levariam um *doutor em medicina* cuja especialidade de patologia e subespecialidade de patologia forense exigiram seis anos adicionais de treinamento depois da faculdade de medicina.

Embora seja verdade que Scarpetta também tenha se

graduado em direito, praticamente ninguém acrescenta a abreviação para *legum baccalaureus* depois de seu sobrenome, e, pelo fato de não advogar, isso seria arrogante e enganoso para ela. Os três anos que passou na faculdade de direito em Georgetown tiveram o propósito de facilitar sua carreira na medicina legal, e mais nada. Acrescentar a abreviatura LLB após seu nome é uma gozação pretensiosa e condescendente.

Jean-Baptiste Chandonne.

Ela sabe que a carta veio dele.

Por um instante sente o horrível fedor dele. Uma alucinação olfativa. A última vez em que teve uma foi quando visitou o Museu do Holocausto e sentiu o cheiro de morte.

"Fui até o quintal com o Billy. Ele fez o que tinha que fazer e está bastante ocupado perseguindo lagartos", Rose está dizendo. "Quer que eu faça mais alguma coisa antes de ir embora?"

"Não, obrigado, Rose."

Uma pausa, e então: "Gostou da minha salada de atum?".

"Você poderia abrir seu próprio restaurante", diz Scarpetta.

Ela calça um par de luvas novas de algodão branco, próprias para investigações, e pega a carta e o bisturi, passando a ponta da lâmina triangular no canto superior do envelope. O aço inoxidável sibila através do papel barato.

32

A cadeira onde Rocco está sentado é estofada.

Duas — não, talvez tenham sido três ou quatro — horas surreais atrás, ele estava naquela mesma cadeira, jantando, quando o serviço de quarto bateu à porta, trazendo-lhe uma garrafa de champanhe, um excelente Moët & Chandon, com os cumprimentos da gerência. Rocco, que é escolado e cronicamente paranóico, não ficou nem um pouquinho desconfiado. Ele é um homem importante que se hospeda no Radisson sempre que está em Szczecin. É o único hotel decente da cidade, e a gerência costuma lhe mandar brindes, inclusive conhaques excelentes e charutos cubanos, porque ele paga as contas em dinheiro americano, e não no desvalorizado *zloty.*

Seu hábito de se sentir seguro em seu hotel explica como o intruso com a Colt entrou no apartamento de luxo de Rocco. Aconteceu tão depressa que ele não teve tempo de reagir contra o garçom alto que não estava usando uniforme e entrou como um tanque de guerra, com uma garrafa de champanhe vazia sobre uma bandeja que ele obviamente havia pegado na porta de algum outro quarto. Esse babaca — seja lá quem for — agarrou Rocco facilmente.

Rocco empurra o prato para o mais longe possível de si. Acha que vai vomitar em seguida. Está todo sujo. O cheiro no quarto é tão ruim que ele não consegue entender como seu captor o suporta, mas o jovem musculoso sentado na cama parece nem notar. Ele encara Rocco, o olhar de um homem cheio de adrenalina e pronto para matar. Não vai deixar que

Rocco se limpe. Não vai deixar Rocco sair da cadeira. Ele deixa cair o telefone celular sobre a cama depois de uma breve conversa com alguém, e vai até a bandeja com a garrafa de champanhe vazia. Rocco observa o homem limpar a garrafa cuidadosamente com um guardanapo. Rocco tenta identificá-lo. Talvez ele o tenha visto antes, ou talvez a explicação seja aquele olhar — o olhar de um agente federal.

"Escute", diz Rocco acima do barulho da TV, "só me diz quem e por quê, vai? Você me diz quem e por quê e talvez a gente consiga acertar alguma coisa que ficará melhor para você. Você é um agente, não é? Algum tipo de agente. Isso não quer dizer que a gente não possa acertar alguma coisa."

Ele disse isso pelo menos seis vezes desde que o agente entrou com a garrafa vazia na bandeja, depois bateu a porta com um chute para trás e sacou a arma. Ele já abriu a porta várias vezes, batendo-a com força logo em seguida. Isso faz Rocco ficar cada vez mais nervoso. Embora ele não entenda o propósito do agente, passou-lhe pela cabeça, mesmo em outras ocasiões em que se hospedou lá, que as portas fecham fazendo tanto barulho naquele hotel que o som parece de tiros.

"Fala baixo", é o que lhe diz o agente.

Ele coloca a garrafa de champanhe sobre a mesa de Rocco.

"Pega." O agente indica a garrafa com um movimento da cabeça.

Rocco olha fixamente para a garrafa e engole em seco.

"Pega, Rocco."

"Então vou lhe perguntar de novo. Como é que você sabe o meu nome?", insiste Rocco. "Vamos lá. Você me conhece, certo? Podemos acertar as coisas..."

"Pega a garrafa."

Ele a pega. O agente quer as impressões digitais de Rocco na garrafa. Isso não é bom. O agente quer fazer parecer que Rocco pediu, ou mesmo comprou, o champanhe e bebeu tudo. Isso é muito ruim. Os temores de Rocco aumentam enquanto o agente volta para a cama, pega uma jaqueta e tira de lá um frasco revestido de couro. Ele desatarraxa a tampa e volta para a mesa de Rocco, colocando uma grande quantidade de vodca naquilo que sobrou dos coquetéis de Rocco.

"Bebe tudo", diz o agente.

Rocco toma a vodca em vários goles, agradecido por ela descer queimando, aquecendo-o e enviando seus sedutores agentes embriagadores através do sangue até seu cérebro. Seus pensamentos confusos flutuam na direção da esperança de que o agente esteja demonstrando clemência, tratando-o de maneira decente, tentando fazê-lo relaxar. Talvez o agente esteja repensando as coisas, talvez queira fazer um acordo.

Rocco está especulando, mas é fato que alguém mandou aquele homem, alguém que sabe minuciosamente o que Rocco faz e também que uma vez por mês ele viaja para Szczecin para cuidar dos negócios dos Chandonne no porto. A principal responsabilidade de Rocco é lidar com a polícia e outros funcionários públicos. É o que ele faz sempre. Ele consegue fazer o serviço até bêbado, nada mais do que as trapaças legais de rotina e as propinas de sempre e, se necessário, lembretes sobre quão perigoso o mundo pode ser.

Apenas alguém dentro do esquema saberia a programação de Rocco e onde ele se hospeda. Os funcionários do hotel não sabem o que ele faz, apenas que ele é de Nova York, ou, pelo menos, é isso o que ele diz. Ninguém se importa com o que ele faz. Ele é generoso. É rico. Em vez do *zloty* de sempre, ele paga e dá ótimas gorjetas em dinheiro americano, que é muito difícil de conseguir e muito útil no mercado negro. Todos gostam dele. Os garçons do bar dobram a dose de vodca Chopin em seu copo no bar do andar de cima, onde ele se senta com freqüência no escuro, fumando charuto.

Seu captor parece ter uns vinte e oito anos, talvez esteja no começo dos trinta. O cabelo preto é curto e penteado com gel, daquele jeito espetado que muitos rapazes apreciam hoje em dia. Rocco repara no queixo quadrado, no nariz reto, nos olhos azul-escuros, na barba curta e na veias salientes em seus bíceps e mãos. Ele provavelmente não precisa de uma arma para acabar com alguém. As mulheres gostam dele. Provavelmente o encaram, vão para cima dele. Rocco nunca foi atraente. Quando adolescente, já sofria de calvície, e não conseguia ficar longe de pizza e de cerveja, e isso se refletia em sua aparência. A inveja toma conta dele. Sempre foi assim. As mulheres vão para a cama com ele apenas porque ele tem poder e dinheiro. O ódio por seu captor se acende.

"Você não sabe com quem está se metendo", diz Rocco.

O agente não se dá ao trabalho de responder, os olhos percorrendo o quarto como flechas. Rocco enxuga o rosto com seu guardanapo gordurento, sua atenção voltando-se para a faca de carne em seu prato.

"Tenta", diz o agente olhando para a faca. "Manda ver. Por favor, tenta. Vai tornar a minha vida muito mais fácil."

"Eu não ia fazer nada. É só me soltar e a gente esquece que tudo isso aconteceu."

"Eu não posso soltar você. A verdade é que isto não é minha idéia de divertimento. Então eu já estou de mau humor. Não me enche o saco. Você quer se ajudar? Bom, você sabe o que dizem sobre sair limpo no final das contas."

"Não sei, não. O que dizem?"

"Onde está Jay Talley?, e eu não quero ouvir outra mentira do caralho, seu babaca."

"Eu não sei", Rocco choraminga. "Juro por Deus que não sei. Também tenho medo dele. Ele é louco. Não faz o jogo, e todos nós queremos distância dele. Ele faz o que quer, juro por Deus. Por favor, posso trocar de calça? Você pode ficar me vigiando. Não vou tentar nada."

Rudy levanta da cama e abre a porta do armário, segurando a arma despreocupadamente ao lado do corpo, indicando para um Rocco cada vez mais abatido e aterrorizado que este homem não tem medo de nada. Há pelo menos meia dúzia de ternos espalhafatosos pendurados, e ele puxa uma calça e a atira na direção de Rocco.

"Pode ir." O agente abre a porta do banheiro e volta a se sentar na cama.

Rocco treme enquanto entra no banheiro e tira a calça e a cueca. Joga-as dentro da banheira, ensopa uma toalha com água da torneira e se limpa.

"Jay Talley", diz o agente de novo. "Nome verdadeiro, Jean-Paul Chandonne."

"Pode me perguntar qualquer outra coisa." Rocco está falando sério, enquanto senta em outra cadeira.

"Tudo bem. Voltamos a Jay Talley mais tarde. Você tem planos de apagar o seu pai?" O olhar do agente é frio. "Não é nenhum segredo que você o odeia."

"Eu não o reconheço como meu pai."

"Não interesa, Rocco. Você fugiu de casa. Você mudou seu nome de Marino para Caggiano. Qual é o plano e quem está envolvido?"

Rocco hesita mais ainda, os pensamentos revolvendo-se por trás de seus olhos injetados. O agente se levanta, respirando pela boca como se para evitar o fedor. Pressiona o cano do Colt contra a têmpora direita de Rocco.

"Quem, o quê, quando e onde?", diz ele, batendo de leve com o cano da arma contra a cabeça de Rocco a cada palavra. "Não me enrola, porra!"

"Eu é que ia fazer tudo. Daqui a alguns meses ele vai sair para pescar. Ele sempre vai pescar no lago Buggs na primeira semana de agosto. Ia acertar ele na cabana, fazer parecer um assalto que não deu certo."

"Então você ia matar seu próprio pai quando ele estivesse em uma pescaria. Sabe o que você é, Rocco? Você é o pior bosta que eu já encontrei."

33

Sempre que Nic Robillard passa de carro na frente da Sno Depot no centro de Zachary, ela sente vontade de chorar.

Esta noite, a barraquinha, com suas placas pintadas à mão anunciando raspadinhas, está escura e deserta. Se Buddy estivesse com ela, ele estaria olhando pela janela e pedindo com insistência, sem se importar com o fato de que a Sno Depot está fechada e não é possível para sua mãe comprar-lhe a guloseima. Nic nunca ouviu falar de alguém que gostasse tanto de raspadinha como ele, e apesar dos esforços dela para afastá-lo de doces, ele pede uma raspadinha — de cereja ou uva — sempre que ela o leva a qualquer lugar de carro.

Buddy está com o avô em Baton Rouge agora, onde sempre fica quando Nic tem que trabalhar até tarde, e desde que voltou de Knoxville ela tem trabalhado constantemente. Scarpetta a inspirou. A necessidade de impressionar Scarpetta domina a vida de Nic. Ela está determinada a fazer com que o assassino serial seja preso. Está desesperada em relação às mulheres desaparecidas, sabendo sem a menor sombra de dúvida que vai acontecer novamente se o maníaco não for apanhado. É atormentada pelo remorso e pela culpa por estar negligenciando seu filho depois de ter ficado longe dele durante dois meses e meio.

Se Buddy parasse de amá-la ou se voltasse contra ela, Nic teria vontade de morrer. Algumas noites, quando ela finalmente volta à sua casinha de estilo vitoriano perto da Igreja Católica São João Batista, na rua Lee, ela fica na cama, olhando as formas escuras em seu pequeno quarto, e escuta o silêncio enquanto imagina Buddy dormindo profundamente na casa do pai dela em Baton Rouge. Pensamentos sobre o filho e sobre o ex-marido, Ricky, voam como mariposas. Nic pondera sobre a possibilidade de dar um tiro na cabeça ou no coração, caso perdesse tudo o que importa para ela.

Ninguém tem a menor noção de que Nic fica deprimida. Ninguém jamais imagina que há momentos em que ela pensa em suicídio. O que a afasta do impensável é sua crença de que o suicídio é o pecado mais egoísta que uma pessoa pode cometer, e ela prevê as medonhas conseqüências de um ato desses, empurrando a fantasia fatal para bem longe, fora de seu alcance, até a próxima vez em que mergulhar no rodamoinho de impotência, solidão e desespero de um homem morto.

"Que merda", ela murmura enquanto segue pela Main Street na direção sul, deixando a Sno Depot para trás em seu rastro emocional. "Eu lamento tanto, Buddy, meu filhote, meu filhote querido." É tremenda a decisão que ela encara: escolher entre não fazer nada em relação às mulheres que estão sendo assassinadas e não fazer nada em relação a seu filho.

34

MON PETIT AGNEAU PRISÉ!

Meu adorado carneirinho, traduz Scarpetta, e seu coração congela diante da visão da caligrafia de Chandonne, e ela sente a presença dele naquela carta.

Ela está sentada na mesma posição há tanto tempo — na cadeira de madeira de encosto reto ao lado da porta aberta de seu quarto — que a parte inferior de suas costas dói e a mesinha de vidro está úmida pelo ar marinho. Quando se lembra de respirar, percebe que cada músculo está tenso, todo seu corpo contraído como um punho fechado.

A carta, a carta, a carta.

Fica surpresa pelo fato de a caligrafia dele ser bonita, caprichada e desenhada em tinta preta, sem uma única palavra riscada, sem um único erro evidente. Ele deve ter passado muito tempo escrevendo essa carta para ela, como se fosse um esforço carinhoso, e essa idéia apenas aumenta seu horror. Ele pensa nela. Está lhe dizendo isso por meio do próprio ato de sua caligrafia artística.

Ela lê as palavras:

> Você já sabe sobre o Bastão Vermelho e que você precisa ir para lá?
>
> Mas não até que venha me ver primeiro. No Texas!
>
> Você está vendo, eu dirijo você.
>
> Você não tem vontade própria. Você pode achar que tem, mas eu sou a corrente circulando através de seu

corpo, cada impulso vem de mim. Eu estou dentro de você. Sinta!

Lembra-se daquela noite? Você abriu ansiosamente a porta e então me atacou porque não conseguia encarar seu desejo por mim. Eu já a perdoei por tirar os meus olhos, mas você não conseguiu tirar a minha alma. Ela segue você constantemente. Se tentar, você conseguirá tocá-la.

Maintenant! Maintenant! Está na hora. O Bastão Vermelho te aguarda.

Você precisa vir até mim primeiro, ou será tarde demais para ouvir as minhas histórias.

Só vou contá-las para você.

Eu sei o que você quer, mon petit agneau prisé! Eu tenho o que você quer.

Em duas semanas estarei morto e não terei nada para dizer. Há!

Você vai me liberar para o êxtase?

Ou eu vou liberar você? Afundando meus dentes em seu macio e curvilíneo encanto.

Se você não me encontrar, eu vou encontrar você.

Amor e êxtase,
Jean-Baptiste

No banheiro em estilo antigo, com o vaso sanitário branco, a cortina de plástico protegendo a banheira branca, as paredes brancas manchadas de bolor, Scarpetta vomita. Bebe um copo de água da torneira e volta para o quarto, para a mesa, para aquele pedaço de papel daninho que, segundo ela desconfia, não irá lhe fornecer nenhuma evidência. Ele é esperto demais para deixar evidências.

Ela se senta na cadeira tentando combater as imagens da besta imunda voando através da porta da frente como um espírito maligno saindo crepitante do inferno. Mal consegue se lembrar da perseguição, aquela terrível perseguição ao redor de sua sala de estar, enquanto ele girava um martelo de ferro, o mesmo martelo que havia usado para despedaçar cabeças e corpos de mulheres, transformando-os em carne retalhada e ossos estilhaçados, especialmente os rostos.

Na época em que ela era a legista que cuidava dos assassinatos em Richmond, nunca lhe ocorreu que poderia ser a próxima. Desde aquela experiência de quase morte, ela luta para afastar de si a destruição imaginada de seus próprios corpo e rosto. Ele não a teria estuprado. Ele não consegue estuprar. A vingança de Jean-Baptiste sobre o mundo é causar morte e desfiguração, é recriar os outros segundo sua própria imagem. Ele é a personificação fundamental de ódio por si mesmo.

Se é verdade que ela salvou a própria vida cegando-o permanentemente, então ele teve sorte de não poder mais ver seu próprio reflexo no espelho de metal polido de sua cela no corredor da morte.

Scarpetta vai até um armário no corredor e afasta o aspirador de pó. Puxa uma mala para fora.

35

"Se precisar de alguma coisa, me liga no celular", diz Nic, em pé na entrada da casa branca de tijolos de seu pai, em Old Garden, onde as casas são grandes e dosséis amplos de magnólias e carvalhos americanos mantêm boa parte das residências antigas da cidade sob a sombra.

Mesmo nos dias mais claros, Nic acha que a casa de sua infância é escura e agourenta.

"Ora, você sabe que eu não vou ligar para aquele seu telefoninho moderno", diz seu pai, piscando para ela. "Mesmo que a gente não faça a chamada, tem que pagar por ela, não é assim? Ou não tem limite de milhas, quero dizer de minutos?"

"O quê?" Nic franze a testa, depois ri. "Não faz mal. Meu número novo está pregado na geladeira, quer você decida ligar ou não. Se eu não retornar a ligação logo em seguida, você sabe que é porque estou ocupada. E você se comporte, Buddy, meu filhote. Você é o meu homenzinho, certo?"

Seu filho de cinco anos espia por trás do avô e faz uma careta.

"Peguei!" Nic finge ter tirado o nariz dele e faz o velho truque de colocar o polegar no meio do indicador e do dedo médio. "Quer seu nariz de volta ou não?"

Buddy parece um desses meninos loiros que cantam no coral da igreja, vestido com um macacão um pouco curto. Ele toca o nariz e mostra a língua.

"Se você continuar mostrando a língua desse jeito, um dia ela não vai mais caber na sua boca", adverte o avô.

"Xiiiuu!", diz Nic. "Não diz essas coisas, papai. Ele vai acreditar no senhor."

Ela olha atrás dele e agarra o filho. "Peguei!" Ela o ergue e cobre seu rosto com beijos. "Parece que está na hora de fazer compras, meu homenzinho. As roupas não estão mais servindo de novo. Como você consegue fazer isso, hein?"

"Num sei." Ele a abraça com força ao redor do pescoço.

"Você não acha que poderia usar alguma outra coisa que não fosse macacão?", ela sussurra no ouvido dele.

Ele balança a cabeça com força. Ela o coloca no chão com delicadeza.

"Por que eu não posso ir também?" Buddy faz beicinho.

"Mamãe precisa trabalhar. Quando você acordar, eu vou estar de volta, ok? Vai para a cama como um homenzinho e eu lhe trago uma surpresa."

"Que surpresa?"

"Se eu contasse, não seria surpresa, seria?" Nic beija a cabeça dele de novo, e ele desarruma o cabelo como se estivesse espantando algum inseto. "Opa", diz ela para o pai. "Acho que alguém está ficando bravo."

Buddy olha para ela, uma mistura de raiva e mágoa que nunca deixa de fazer com que Nic se sinta como se o tivesse traído e desapontado. Desde que Ricky, seu ex-marido vendedor, conseguiu a promoção que sempre quis, ficou mais difícil viver com ele, viajando o tempo todo, reclamão e indelicado. Ele foi embora, e Nic está feliz e aliviada, mas profundamente ferida de um jeito que não consegue definir. As agruras da vida são sempre para o melhor se a gente está fazendo a vontade de Deus, é o que diz a doutrina de seu pai, que a ama, mas não ficou ao lado dela quando o casamento desabou.

"Você tem que entender que ser policial não combina com segurar um homem, isso se você chegar a casar", ele lhe disse quando ela foi aceita na academia da polícia oito anos atrás, após uma monótona carreira de contadora no revendedor Ford de Zachary, onde ela acabou conhecendo Ricky. Eles namoraram por três meses e foram morar juntos. Outro pecado. Pelo menos ela se livrou da casa mal-assombrada.

"A mamãe tinha seu próprio negócio", Nic lembrava-lhe toda vez que ele fazia esses comentários.

"Querida, não é a mesma coisa. Ela não andava armada."

"Talvez se ela estivesse..."

"É melhor você fechar a boca!"

Ela terminou a sentença apenas uma vez. Foi depois de ela ter entrado com o pedido de divórcio, e seu pai repreendeu-a severamente durante toda uma tarde, andando de um lado para o outro na sala de visitas, seu rosto uma tempestade de descrença, medo e raiva. Ele é um homem grandalhão e desengonçado, e cada passo aborrecido que dava parecia levá-lo de uma parede a outra e fazia balançar o antigo abajur de cristal sobre a mesinha ao lado do sofá, até que ele finalmente caiu e se quebrou.

"Ai, veja o que você fez!", ele gritou. "Você quebrou o abajur da sua mãe."

"Foi o senhor que quebrou."

"Garotas não precisam sair por aí perseguindo criminosos e disparando armas. Foi por isso que você perdeu Ricky. Ele se casou com uma linda mulher, não com uma pistoleira. E que tipo de mãe..."

Foi nesse momento que Nic disse: "Se a mamãe tivesse uma arma, talvez ela não tivesse sido assassinada por algum babaca filho-da-puta bem aqui na nossa própria casa!".

"Não se atreva a falar essas coisas", disse o pai, enfatizando cada palavra dura com uma cutucada do dedo, cutucadas que a lembravam do que havia sido feito com sua mãe.

Nunca mais tocaram naquele assunto. Ele permanece como uma tempestade sempre prestes a cair entre eles. Não importa a freqüência com que se vejam, ela não consegue sentir receptividade da parte dele nem chegar muito perto. Após dois bebês prematuros que não sobreviveram, Nic nasceu e foi a única filha que seu pai teve. Depois de se aposentar como professor de sociologia do ensino médio, ele ficou entediado e, em certa medida, desistiu da vida. Passa suas manhãs resolvendo palavras cruzadas quando não está cuidado de Buddy, e faz caminhadas obsessivamente longas e rápidas.

Ela sabe que ele se culpa. A mãe dela foi assassinada oito anos atrás no meio do dia quando ele e Nic estavam trabalhando. Talvez ela se culpe também, não tanto pela morte da mãe, diz para si mesma, mas porque, se não tivesse saído com amigos depois do trabalho, seu pai não teria sido a pessoa que encontrou o corpo e sangue espalhado por toda casa, porque sua mãe lutara contra o assassino, correndo de um quarto para o outro. Na hora em que Nic chegou em casa, ligeiramente bêbada de cerveja, a polícia fervilhava pela propriedade, e o corpo de sua mãe já fora removido. Nic nunca o viu. Foi um velório com o caixão lacrado. Ela nunca conseguiu uma cópia do relatório da polícia, e, pelo fato de o caso não ter sido resolvido, o escritório do *coroner* não pode lhe fornecer uma cópia dos relatórios de autópsia. Tudo o que ela sabe é que a mãe foi esfaqueada e cortada, e sangrou até a morte. Saber isso era o bastante. Porém por algum motivo não é mais.

Nessa noite em especial está decidida a falar, mas isso não pode acontecer, a menos que Buddy esteja ocupado.

"Você quer assistir um pouco de TV antes de ir para a cama?", ela pergunta.

Isso é realmente um privilégio especial.

"Quero", diz ele, ainda fazendo beicinho.

Ele corre para dentro da casa, e a TV é ligada.

Ela faz um sinal com a cabeça para o pai, e ele a acompanha.

"Venha", ela sussurra para ele, e eles vão para seu lugar de costume debaixo de um carvalho em uma das extremidades do quintal.

"É bom que seja alguma coisa importante." Ele tem suas falas e nunca se cansa de usá-las.

Ela percebe o brilho dos dentes dele quando fala e sabe que ele fica satisfeito quando ela o arrasta para fora no meio da noite para ter uma conversa secreta, que não é para uma criança pequena ouvir.

"Sei que você não quer falar sobre isso", Nic começa, "mas é sobre a mamãe." Ela sente o tremor e o retraimento dele, como se seu espírito tivesse de repente deixado o corpo. "Eu preciso saber mais, papai. Não saber está mexendo comigo. Talvez por causa do que está acontecendo aqui agora, com essas mulheres desaparecendo. Estou sentindo uma coisa. Não sei de que outra maneira dizer isso, mas estou sentindo uma coisa. Algo terrível." A voz dela treme. "E está me assustando, papai. A maneira como tenho me sentido às vezes está me assustando muito."

O silêncio dele é tão formidável quanto a árvore sob a qual eles se encontram.

"Lembra quando eu peguei a escada e encostei nesta árvore?" Ela olha para cima, sua visão perdendo-se entre folhas e galhos escuros e grossos. "Quando me dei conta, eu estava presa lá em cima, assustada demais para subir ainda mais ou para descer. E você teve que ir me buscar."

"Eu me lembro." A voz dele soa ausente.

"Bom, é assim que me sinto agora", continua ela, tentando apelar para a parte dele que se fechou depois que a esposa foi assassinada. "Eu não consigo subir nem descer, e preciso que você me ajude, papai."

"Não há nada que eu possa fazer", diz ele.

36

O horizonte de Szczecin é furado por antenas, as ruas são quietas, o centro da cidade é miserável.

Nenhuma das lojas parece convidativa, especialmente tão tarde da noite, e os poucos carros que estão na rua são velhos e estão em péssimas condições. O Radisson é feito de tijolos, o pátio é de paralelepípedos cinzas e vermelhos, e um enorme *banner* azul na frente dá as boas-vindas a uma reunião sobre Métodos e Modelos em Automação e Robótica, e isso é uma felicidade.

Quanto mais pessoas no hotel, melhor, e Lucy costumava programar robôs e sabe falar sobre tecnologia com qualquer um se for preciso. Mas não vai ser necessário. Ela tem um plano, um plano muito bom em todos os aspectos. Encontra um lugar para estacionar muitas ruas abaixo de uma loja Fila, pouco depois de uma *delikatesy*.

Abaixando o espelho retrovisor, rapidamente aplica maquiagem e coloca dois brincos de argola. Arranca os tênis dos pés e calça botas de caubói de seda preta que são desagradavelmente necessárias caso alguém a veja no hotel. Ela entra com esforço em uma blusa preta de linho enrugado e enfia o bastão tático na manga. Deixa a blusa desabotoada o bastante para mostrar a fenda entre os seios. Transformada em uma jovem sexy que está hospedada no hotel, Lucy está suficientemente despenteada e atraente para passar por uma típica participante da convenção que saiu para se divertir e ficou fora durante metade da noite. Jogando um casaco leve sobre os ombros e xingando as botas, anda rapidamente até o hotel sob as auras fracas da iluminação das ruas.

Esse Radisson é um *self-service*, como Lucy chama os hotéis onde ela carrega suas malas, usa a chave magnetizada do quarto para entrar no ginásio e enche seu próprio balde com gelo, e onde as camareiras ficam chocadas quando recebem gorjeta. Não há porteiro nem carregador a esta hora, apenas uma jovem lendo uma revista polonesa atrás do balcão da recepção. Lucy fica do lado de fora, no escuro, olhando para todos os lados, certificando-se de que ninguém vai chegar de repente e vê-la ali. Caso isso aconteça, vai fingir que procura a chave do quarto dentro da bolsinha de couro pendurada no ombro. Ela espera impaciente durante dez minutos até que a recepcionista cansada e entediada se levanta e sai , talvez para ir ao banheiro, talvez para ir buscar café. Lucy passa pelo saguão de entrada e desaparece dentro do elevador, apertando o botão do quinto andar.

Rudy está no quarto 511. Não é o quarto dele. Ele entrou no hotel mais ou menos da mesma maneira que Lucy, só que conseguiu uma boa oportunidade, entrou no meio de vários executivos que voltavam de um jantar. Felizmente, ele foi esperto o bastante para estar de terno e gravata. Rudy é um tipo incomum. Os antigos colegas do ERR invejavam seu belo corpo musculoso e acusavam-no de tomar esteróides, o que ele nunca fez. Lucy saberia, porque Rudy pode ter suas falhas, mas é tão honesto e sincero que ela às vezes o chama de *namorada*. Ela conhece cada detalhe da dieta dele, suplementos de vitamina e proteína, as exaustivas rotinas de exercícios e suas revistas e programas de televisão favoritos. Não consegue se lembrar da última vez em que ele leu um livro. Também entende por que ele a atacou sexualmente na Casa de Pneus e, no mínimo, sente-se mal por ter lhe quebrado o nariz.

"Eu pensei que você estava a fim de mim também, juro", explicou ele com uma enorme expressão de lamento no rosto. "Acho que fiquei muito excitado rolando entre os pneus e atirando, e você estava bem ali comigo, os cartuchos pingando para todos os lados, nós dois sujos e cheios de fuligem, e você estava tão linda que não agüentei, então fiz aquela pergunta — que não deveria ter feito — e você disse que queria sexo tantas vezes quanto possível. Pensei que você queria isso comigo."

"Bem naquele instante?", perguntou Lucy. "Você realmente pensou isso?"

"É. Que você estava com tesão e a fim também."

"De vez em quando você devia assistir outras coisas além de filmes de ação", replicou Lucy. "Walt Disney, quem sabe?"

Tiveram essa conversa dentro do quarto dela na academia do FBI, os dois sentados na cama dela porque ela não tinha medo de Rudy e nunca teve. Era ele quem estava com pontos abaixo do lábio e um nariz quebrado que exigiu as habilidades de um cirurgião plástico.

"Além disso, e sei que isso vai soar como besteira para você, Lucy, eu estava de saco cheio com as coisas que os outros caras estavam falando. Talvez eu quisesse provar alguma coisa — provar que você não era o que estavam dizendo."

"Entendi. Se tivéssemos feito sexo, então você iria lá e contaria tudo para eles."

"Não! Não foi isso que eu quis dizer. Eu não teria contado nada. Não é da conta deles!"

"Humm. Vamos ver se entendi direito. Fazer sexo na Casa de Pneus teria provado para os outros caras que eu gosto de caras — mesmo que eles não ficassem sabendo sobre nós fazermos sexo na Casa de Pneus porque você é muito honrado para sair por aí contando."

"Ah, porra." Rudy encarou o chão, desanimado. "Eu não estou falando direito. Eu não teria contado nada para eles, mas na próxima vez em que falassem mal de você, acusassem você de ser gay ou frígida ou qualquer coisa dessas, eu poderia olhar para eles de alguma maneira, fazer alguma coisa que indicasse que eles não sabiam sobre o que estavam falando."

"É bom saber que sua intenção era o meu bem-estar quando você tentou rasgar minhas roupas e me estuprar", retrucou Lucy.

"Eu não estava tentando estuprar você! Pelo amor de Deus, não use uma palavra dessas! Pensei que você estava a fim também. Merda, Lucy. O que você quer que eu faça?"

"Nunca mais tente fazer isso. Ou da próxima vez vou quebrar muito mais do que o seu nariz."

"Tá certo. Eu nunca mais vou fazer isso de novo, a menos que você comece. Ou mude de idéia."

Ele se demitiu do FBI e acabou indo trabalhar para ela na Última Delegacia. Rudy é uma mistura desconcertante. Em certo sentido, é um tonto grandalhão e bonito, incapaz de se comprometer com qualquer mulher a quem já tenha declarado amar desesperadamente (e suas escolhas, pelo que Lucy sabe, demonstram uma espantosa falta de critério). Mas como combatente do crime é tão meticuloso e habilidoso quanto como piloto de helicóptero. Rudy não é egoísta nem narcisista. Raramente bebe e nunca toma remédios, nem mesmo aspirina.

"Tem uma coisa boa nisso tudo." Rudy ergueu os olhos para Lucy quando estavam sentados na cama. "Quando o cirurgião plástico estava consertando o meu nariz, ele retirou aquela pequena protuberância que havia." Com muito cuidado, ele toca a tira de esparadrapo sobre a parte superior do nariz. "Ele diz que eu vou ficar com um nariz romano perfeito. Foi assim que ele chamou, um *nariz romano*."

Faz uma pausa, ligeiramente perplexo. "O que exatamente é um nariz romano?"

37

Lucy bate na porta do quarto 511.

Há um aviso de *Não perturbe* pendurado na maçaneta, e o volume da TV está bem alto lá dentro, cascos galopando, armas disparando. Parece que Rudy está assistindo a um filme de faroeste. Mas ele está vigiando Rocco.

Depois de uma pausa, a voz de Rudy soa lá de dentro: "Já vai".

"Pousado e seguro." Ela usa expressões de piloto de helicóptero e perscruta o corredor enquanto tira luvas de látex de um dos bolsos e as calça.

A porta se abre o suficiente para ela deslizar para dentro, e ela a fecha atrás de si. Rudy também está usando luvas cirúrgicas, e ele vira a chave e passa a tranca. Lucy tira o casaco e encara Rocco Caggiano com firmeza, observando seu corpo gorducho e flácido e seus olhos injetados. Ela absorve cada detalhe do quarto. Dobrado sobre uma cadeira está o sobretudo preto dele, e em um canto do carpete estão uma bandeja de plástico e uma garrafa vazia de champanhe ao lado de um balde de gelo de aço inoxidável cheio de água. Deve ter levado horas para o gelo derreter por completo. A cama é enorme, e exatamente na direção oposta a ela, na frente de uma janela com as cortinas fechadas, há uma mesinha de vidro com duas cadeiras. Sobre o carpete há diversos jornais britânicos. Talvez ele tenha estado na Inglaterra há pouco tempo. Mas Rocco nunca se deu ao trabalho de aprender uma segunda língua. Os jornais poderiam ter sido comprados em qualquer lugar na rota até ali. Entre a mesa e a cama há um carrinho de serviço de quarto, vazio a não ser por algumas tampas de aço inoxidável usadas para cobrir os pratos. Lucy não consegue evitar pensar no pai não reconhecido por Rocco, Pete Marino, quando vê um *t-bone* mordido, a casca de uma batata assada, um prato com um resto de manteiga (derretida), uma cesta de pão vazia e um pequeno recipiente de vidro com uma alface murcha, molho, fatias de limão e caudas de camarão. Rocco devorou completamente uma fatia de bolo de chocolate, não sobrando nada além do prato lambuzado por seus dedos.

"Estou apertada."

"Fique à vontade."

Ela entra correndo no banheiro. O fedor é horrível.

"Ele está sóbrio?", pergunta Lucy a Rudy quando volta.

"Sóbrio o bastante."

"Devem ser os genes."

"O quê?"

"A maneira como pai e filho se cuidam", diz ela. "Mas isso é a única coisa que ele e Marino têm em comum." E para Rocco: "Passando por Szczecin para dar uma olhada em algumas armas clandestinas? Talvez um pouco de munição, explosivos, aparelhos eletrônicos, perfumes e roupas de grife? Quantos conhecimentos de embarque falsos você tem dentro da sua pasta?".

Rocco a encara, sua atenção desviando-se para o decote dela.

"Tira esses olhos desgraçados de cima de mim", diz Lucy rispidamente, tendo se esquecido de sua aparência. Ela fecha mais alguns botões da blusa e retoma o interrogatório. "Provavelmente milhares deles flutuando por aí, certo, Rocco?"

Ele não responde. Lucy repara no vômito sobre o carpete entre os mocassins pretos de couro de crocodilo dele.

"Já estava na hora de você vomitar toda a sua sujeira, Rocco." Ela senta na beirada da cama.

"É um picles que você tem aí na manga, ou você só está

feliz por me ver", diz Rudy para Lucy sem sorrir, sem tirar os olhos de Rocco.

Lucy se lembra do bastão tático guardado na manga da blusa de linho, tira-o de lá e o coloca sobre o criado-mudo. O quarto está quente. Ela olha para o termostato e percebe que Rudy ajustou para vinte e quatro graus. Mais alto que isso poderia despertar alguma suspeita. Uma corrente de ar quente faz as cortinas se moverem na janela do outro lado do quarto. A janela é grande e dá para a frente do hotel. Rocco olha para a pistola, seus olhos enchendo-se de lágrimas.

"Ora, ora", observa Lucy, "você é realmente um chorão para alguém que aparenta ser tão durão e mau. E a propósito, o seu pai não chora." Ela olha para Rudy. "Você já viu o Marino chorar alguma vez?"

"Nunca."

"Você já o viu alguma vez cagar nas calças?"

"Nunca. Você sabia que o nosso amigo Rocco aqui tinha planos de enfiar uma bala na cabeça de Marino quando ele fosse pescar? Sabe, aquela viagem que ele sempre faz até o lago Buggs."

Lucy não comenta. Ela sente uma descarga de sangue na nuca. Com sorte, Marino nunca vai saber que ela e Rudy vieram aqui e provavelmente salvaram sua vida. Rocco nunca mais vai atirar em ninguém.

"Você poderia ter matado o seu pai anos atrás. Por que neste agosto?", pergunta-lhe Lucy.

Ela sabe quando Marino sai em sua viagem anual de pescaria.

Rocco dá de ombros. "Instruções."

"De quem?"

"Meu antigo cliente. Ele tem contas a acertar."

"Jean-Baptiste", diz Lucy. "Então vocês dois continuaram íntimos. Isso é tocante, porque ele é o motivo pelo qual você está prestes a morrer."

"Eu não acredito em você!", exclama Rocco. "Ele nunca... Ele precisa de mim."

"Para quê?"

"Trabalho externo", responde Rocco. "Eu ainda sou advogado dele. Ele pode me mandar qualquer coisa que queira. Pode me contatar quando quiser."

"O que ele manda para você?", pergunta Rudy.

"Qualquer coisa. Tudo o que ele tem que fazer é marcar a carta como Correspondência Jurídica, e ninguém pode abrir. Então, quando ele quer que uma carta ou alguma coisa seja mandada para alguém que obviamente não é um advogado, ele manda tudo por mim."

"A carta que recebi dele que delatava você, Rocco, ele a mandou através de você?", pergunta Lucy.

"Não. Ele nunca me mandou uma carta com o seu nome. Eu nunca as abro. Seria arriscado demais. Se ele ficasse sabendo." Ele faz uma pausa, os olhos vidrados. "Não acredito que ele te mandou uma carta!"

"Nós estamos aqui, não estamos?", diz Rudy. "Então como é que isso aconteceu se Chandonne não nos mandou uma carta dizendo tudo que precisávamos saber?"

Rocco não tem resposta.

"Por que ele iria querer que você matasse o seu pai?" Lucy não pretende esquecer o assunto. "Especialmente agora? Que contas a acertar são essas?"

"Talvez Jean-Baptiste não goste dele. Acho que você poderia considerar como um tiro de despedida." Por um instante, Rocco parece presunçoso.

"Posso dar uma olhada um instante?" Lucy estende a mão pedindo a arma de Rudy.

Ele retira o pente e tira o cartucho da câmara. O cartucho cai sobre a cama, pulando. Lucy o pega, e Rudy lhe dá a Colt. Ela se aproxima de Rocco e empurra o cartucho solto dentro do pente com o polegar.

"Seu pai me ensinou a dirigir", ela conta a Rocco em tom

de conversa normal. “Você já viu aquelas enormes camionetes dele? Bom, foi nelas que aprendi, quando ainda era tão pequena que tinha que sentar em um travesseiro, mesmo com o assento levantado.”

Ela puxa o ferrolho para trás e aponta a arma para o meio dos olhos dele.

“Ele me ensinou a atirar também.”

Ela aperta o gatilho.

Clique.

Rocco tem um sobressalto violento.

“Oops”, Lucy recoloca o pente no cabo. “Esqueci que não estava carregada. Levanta, Rocco.”

“Vocês são policiais.” A voz dele treme de medo e dúvida. “Policiais não matam as pessoas. Eles não fazem isso!”

“Eu não sou policial”, Rudy diz para Lucy. “Você é policial?”

“Não. Eu não sou policial. Não estou vendo nenhum policial neste quarto, e você?”

“Devem ser agentes paramilitares da CIA. Aposto que mandaram vocês para o Iraque, não foi? Para derrubar Saddam Hussein. Sei o que pessoas como vocês fazem.”

“Nunca estive no Iraque, você já?”, pergunta Lucy a Rudy.

“Não recentemente.”

38

Mais um filme de faroeste está passando na TV.

Bocas se movem fora de sincronia quando dois caubóis desmontam de seus cavalos, as vozes dubladas em polonês.

"Uma última chance", Rudy diz para Rocco. "Onde está Jay Talley? Não minta. Se mentir, eu vou saber."

"Ele fez um curso de análise de declarações na Academia do FBI", diz Lucy em tom de gozação. "Foi o melhor da classe."

Rocco balança a cabeça lentamente. A essa altura, está claro que, se ele soubesse, teria lhes contado. Ele é um covarde egoísta e hipócrita, e nesse exato momento tem mais medo deles do que de Jay Talley.

"Vamos fazer um acordo. Nós não vamos matar você, Rocco." Lucy joga a arma de volta para Rudy. "Você vai cometer suicídio."

"Não." Ele balança a cabeça como se tivesse doença de Parkinson.

"Você já era, Rocco", diz Rudy. "Um fugitivo. Com Alerta Vermelho. De qualquer jeito, você não vai a lugar nenhum. Vão te pegar. Com sorte, vai acabar na prisão, é provável que na Sicília, e ouvi dizer que não é nenhum passeio. Mas você sabe. Os Chandonne vão te apagar. Instantaneamente. E talvez não de maneira tão humana quanto você mesmo pode dar cabo de sua vida fedorenta e triste. Agora."

Lucy vai até a cama e tira um envelope de um dos compartimentos de sua bolsa. Dentro dele está uma folha de papel dobrado, que ela abre.

"Toma." Ela estende o papel para ele.

Ele não faz nenhum esforço para pegá-lo.

"Pega. É uma cópia do seu Alerta Vermelho. Está quentinho. Você deve estar curioso."

Rocco não responde. Até mesmo seus globos oculares parecem estar tremendo.

"Pega", Lucy ordena.

Rocco pega o papel. O Alerta Vermelho treme violentamente em suas mãos enquanto ele deixa impressões digitais no papel, um detalhe no qual provavelmente não está pensando.

"Agora leia em voz alta. Acho muito importante que você veja o que está escrito. Porque tenho certeza de que você decidirá que não tem escolha, a não ser se matar bem aqui, neste encantador quarto de hotel", diz Lucy.

A folha única tem o timbre da Interpol no canto superior direito, em vermelho vivo, é claro. Exibida em destaque está a fotografia de Rocco, obtida facilmente. Por ser tão egotista, ele nunca se escondeu de uma câmera quando representou criminosos em julgamentos infames. A foto do Alerta Vermelho é recente e bem parecida com ele.

"Leia em voz alta", ordena-lhe Lucy novamente. "É hora da historinha, Rocco."

"Características de identidade." A voz dele oscila, e ele continua a pigarrear. "Nome atual, Rocco Caggiano. Nome de nascimento, Peter Rocco Marino Júnior."

Ele faz uma pausa nesse ponto, e as lágrimas fazem seus olhos brilharem. Ele morde o lábio inferior, então continua lendo tudo a respeito de si mesmo. Quando chega nas informações jurídicas e lê que é procurado pelos assassinatos dos jornalistas siciliano e francês, seus olhos rolam em direção ao teto.

"Porra", ele murmura, respirando fundo.

"Isso mesmo", diz Lucy. "Mandado de prisão número sete-dois-seis-zero pelo pobre senhor Guarino. Mandado de prisão número sete-dois-seis-um pelo pobre Monsieur La Fleur. Emitido em 24 de abril de 2003. Dois dias atrás."

"Puta que pariu."

"O seu fiel cliente, Jean-Baptiste", lembra-lhe Lucy.

"Desgraçado", murmura Rocco. "Depois de tudo o que eu fiz por aquele bosta horroroso."

"Acabou, Rocco", diz Rudy.

Ele deixa o Alerta Vermelho cair sobre a mesa.

"Pelo que sei, os Chandonne podem ser bastante criativos", diz Lucy. "Tortura. Lembra-se de como Jay Talley gostava de amarrar as pessoas com corda para queimá-las com maçarico? Queimava-as até que a pele ficasse preta de tão queimada. Enquanto estavam vivas e conscientes. Lembra-se de como ele tentou fazer isso com a minha tia, enquanto aquela cúmplice escrota dele, Bev Kiffin, tentou me detonar com uma espingarda?"

Rocco desvia o olhar.

Ela chega mais perto dele, o pensamento sobre o que quase aconteceu com a tia tentando-a a abrir o bastão tático e bater nele até matá-lo. Ela olha para a arma sobre o criado-mudo, mas pensa melhor.

"Afogamento é outra das opções favoritas", continua ela.

Rocco se contrai ao ouvir isso. "Não", implora ele.

"Você se lembra de Thomas, o primo de Jean-Baptiste? Afogado. Não é uma maneira agradável de morrer." Ela olha para Rudy.

Ele limpa cuidadosamente a Colt com uma ponta de lençol como precaução extra, o rosto impassível, os olhos brilhando com um distanciamento e uma determinação que possibilitam que ele bloqueie a repentina onda de empatia que sente por Rocco, não importando quão indigno de viver ele seja.

Rudy olha de relance para Lucy e por um breve instante seus olhares se tocam como duas centelhas.

O suor escorre pelo rosto de Lucy, cachos de cabelo grudados em suas têmporas. Ela está pálida, e Rudy sabe que cada uma das tentativas dela de ser ríspida ou de fazer humor seco é forçada, pois ela está desempenhando o papel mais terrível de sua vida.

Ele puxa o ferrolho, mandando um cartucho para a câmara, e aproxima-se de Rocco.

"Destro, concorda, colega?", diz Rudy calmamente para Lucy.

"Concordo."

Ela não tira os olhos de Rocco. As mãos dela começaram a tremer, e ela se força a pensar em Jay Talley e em sua maléfica amante, Bev Kiffin.

Imagens.

Lucy sente a dor no rosto de sua tia quando ela espalhou na água o que acreditou serem as cinzas de Benton Wesley. O cérebro de Lucy parece escorregar dentro do crânio. Ela nunca ficou enjoada no mar. A sensação deve ser mais ou menos a que está tendo agora.

"A escolha é sua", diz ela para Rocco. "Estou falando sério. Você pode morrer agora, sem dor. Sem tortura. Sem queimaduras. Sem afogamento. O Alerta Vermelho vai ser encontrado bem aí onde você o largou, e o seu suicídio vai ser totalmente compreensível. Ou você pode sair andando daqui, sem nunca saber quando vai respirar pela última vez, nem qual pesadelo vai sofrer quando os Chandonne pegarem você. E eles vão pegá-lo."

Ele balança a cabeça afirmativamente. Claro que vão. Isso é ponto pacífico.

"Estenda a mão direita", Rudy diz a Rocco.

Os olhos de Rocco rolam para o teto novamente.

"Está vendo? Eu estou segurando a arma. Vou ajudar você", Rudy continua, falando baixo, com indiferença, enquanto o suor pinga no carpete.

"Certifique-se de que o cano esteja apontado para cima", diz Lucy, pensando na cabeça decapitada do nazista.

"Vamos, Rocco. Faça o que eu digo. Não vai doer. Você nem vai perceber."

Rudy encosta o cano na têmpora direita de Rocco.

"Para cima", lembra Lucy novamente.

"Sua mão segura o cabo, e a minha mão segura a sua."

Rocco fecha os olhos, e sua mão pula para cima e para baixo. Ele fecha os dedos gorduchos e curtos ao redor da empunhadura da arma, e a mão grande e forte de Rudy imediatamente fecha-se com firmeza ao redor deles.

"Tenho que ajudar porque você não está conseguindo segurar a arma parada", Rudy lhe diz. "Se você não atirar direito, a coisa pode ficar muito feia. E eu não posso deixar você segurar a arma sozinho, posso? Isso me tornaria um estúpido." A voz de Rudy é gentil agora. "Viu? Não é tão difícil. Agora aperte bem o cano contra a sua cabeça."

Rocco tem ânsias, seu peito está ofegante. Ele começa a hiperventilar.

"Apontada para cima", diz Lucy mais uma vez, a mente fixa na cabeça do nazista, tentando não ver a cabeça de Rocco.

Rocco começa a balançar na cadeira, o fôlego curto, o rosto lívido, os olhos fechados e apertados. A mão enluvada de Rudy puxa o gatilho.

A arma dispara com um estouro alto.

Rocco e sua cadeira caem para trás. Sua cabeça pousa sobre os jornais ingleses esparramados pelo carpete, o rosto virado para a janela. O sangue esguichando de sua cabeça soa como água corrente. A fumaça da arma torna acre o ar.

Rudy se agacha para enfiar o braço mole de Rocco e a pistola embaixo do peito. Quaisquer impressões digitais, mesmo que parciais, que venham a ser recuperadas no aço azul da Colt pertencem a Rocco.

Lucy abre uma fresta na janela, não mais que cinco centímetros, e arranca suas luvas, enquanto Rudy pressiona dois dedos contra a artéria carótida de Rocco Caggiano. A pulsação bate fracamente, depois pára. Rudy faz um sinal positivo com a cabeça para Lucy e se ergue. Enfia a mão em um dos bolsos de sua jaqueta e tira de lá um pote de mostarda alemã. A tampa tem alguns buracos, e varejeiras arrastam-se pelo interior do vidro, alimentando-se do que sobrou da carne apodrecida que ontem as atraiu para o cativeiro em um latão cheio de lixo atrás de um restaurante polonês.

Ele abre o pote e o sacode. Dúzias de moscas saem voando letargicamente, zumbindo para as lâmpadas e batendo em sombras iluminadas. Sentindo os feromônios e os sinais de uma ferida aberta, elas zumbem vorazmente em direção ao corpo imóvel de Rocco. Moscas-varejeiras, o tipo mais comum de inseto que se alimenta de carniça, pousam sobre o rosto dele. Várias delas desaparecem em sua boca.

39

São apenas oito horas da noite em Boston.

Pete Marino está sentado no portão de embarque da US Air, comendo *pretzels* com cobertura de chocolate e ouvindo outro anúncio em tom de desculpas que promete que seu vôo vai partir depois de mais um pequeno atraso de apenas duas horas e dez minutos. Isso depois de um atraso anterior que já o segurou no Aeroporto Logan por uma hora e vinte e cinco minutos além do horário marcado para sua partida.

"Que merda!", exclama ele, sem se importar com quem possa ouvir. "A essa altura, até andando eu chegaria antes."

Raramente tem tempo de ponderar sobre a vida, e ele pensa em Benton e desvia seu tormento e sua raiva focando no condicionamento físico de Benton e em seu corpo másculo e rijo. A aparência dele está até melhor do que era, decide Marino depressivamente. Como isso pode ter acontecido depois de seis anos do equivalente a um confinamento em uma solitária? Marino não consegue compreender. Começa a comer um pedaço de bolo de chocolate de uma cesta das Sobremesas Deliciosas de Gainesville que encontrou na lojinha de presentes do aeroporto e se pergunta como seria se parasse de trabalhar para Lucy, se simplesmente desistisse de ir atrás de meliantes. Eles são como baratas. A gente pisa em uma, aparecem mais cinco. Talvez Marino devesse ir pescar, talvez devesse se tornar um jogador profissional de boliche (certa vez ele quase atingiu uma contagem de pontos perfeita), quem sabe encontrar uma boa mulher e construir uma cabana no meio do mato.

Certa ocasião, há muito tempo, Marino também foi admirado, e o espelho não o odiava. As mulheres — e os homens, supõe ele, confuso e enojado — olham fixamente para Benton e sentem tesão por ele. Marino tem certeza disso. Elas não conseguem resistir a ele quando, além de sua ótima aparência, descobrem seu cérebro e sua condição de figurão no FBI, ou, mais precisamente, sua antiga condição de figurão do FBI. Marino puxa para trás fios de cabelo grisalho e acorda para o fato de que as pessoas não conhecem mais Benton, nem sabem seu nome verdadeiro, nem admiram sua antiga carreira no FBI. Ele supostamente está morto, ou é alguém chamado Tom, ou é ninguém. O fato de Scarpetta sentir tanta saudade de Benton causa uma dor de tristeza no coração de Marino e o faz cair em profundo desespero. Ele sofre profundamente por ela. Sofre profundamente por si mesmo. Se ele morresse, ela iria lamentar, mas não para sempre. Ela nunca esteve apaixonada por ele, nunca vai estar, e não quer seu corpo gordo e peludo em sua cama.

Marino passeia até outra loja de presentes e arranca uma revista sobre boa forma de uma pilha no chão, uma ação tão estranha para ele quanto hebraico. A capa traz um jovem bonitão que parece ter sido recortado de uma pedra lisa. Ele deve ter depilado o corpo todo, com a exceção da cabeça, e esfregado óleo na pele bronzeada. Marino retorna para um bar ali perto, pede mais um chope, encontra a mesma mesa em que já esteve, tira algumas migalhas de pizza com a mão e coloca a revista, meio com medo de abri-la. Por fim, reúne coragem para pegá-la, e a capa lisa gruda na mesa.

"Ei!", grita Marino para o garçom do bar. "Alguém limpa as mesas desta espelunca?"

Todas as pessoas no bar olham para Marino.

"Eu acabei de pagar três e cinqüenta por esta cerveja aguada, e a mesa está tão nojenta que a minha revista está grudando nela."

Todas as pessoas no bar olham para a revista de Marino. Diversos rapazes cutucam um ao outro e sorriem. O chateado garçom do bar, que precisaria ser um polvo para conseguir atender a todos os pedidos, joga uma toalha de bar úmida para Marino. Ele limpa a mesa e joga a toalha de volta, quase acertando a cabeça de uma senhora. Ela continua bebericando vinho branco, distraída. Marino começa a folhear a revista. Talvez não seja tarde demais para recuperar sua silhueta masculina, para voltar a ter músculos que ele possa flexionar como um pavão exibindo a cauda. Quando garoto em New Jersey, ele ficou forte por meio de flexões de braço no chão e em barras, além de repetições maníacas de exercícios com pesos que construiu com blocos de concreto e cabos de vassoura. Ele levantava as traseiras dos carros para trabalhar as costas e os bíceps, segurava um saco cheio de tijolos enquanto fazia agachamentos ou subia e descia escadas. Boxeava contra a roupa que secava no varal, especialmente nos dias com vento, quando as roupas podiam reagir.

"Peter Rocco! Pare de lutar com a roupa! Se ela cair no chão é você quem vai lavar!"

Sua mãe era uma figura indistinta atrás da porta de tela, as mãos nos quadris, tentando parecer severa enquanto a selvagem direita de seu filho arrancava uma camiseta molhada do pai dos pregadores de madeira que a prendiam e a mandava voando até um arbusto próximo. Quando Marino ficou mais velho, passou a enrolar os punhos em camadas de trapos e socava violentamente um velho colchão que guardava em um espaço na parte de trás da casa. Se é possível matar um colchão, aquele foi morto umas mil vezes, apoiado contra a varanda, o revestimento de algodão finalmente rasgando e a espuma seca e quase podre desintegrando-se a cada golpe. Marino revirava as pilhas de lixo da vizinhança buscando colchões que tivessem sido jogados fora, combatia contra seus obtusos e manchados oponentes como se os odiasse por algum pecado imperdoável que tivessem cometido contra ele.

"Quem você está tentando matar, querido?", perguntou-lhe sua mãe certa tarde quando ele estava pingando suor e trêmulo de cansaço, abrindo a porta da geladeira para buscar a água gelada que a mãe sempre guardava lá. "Não beba direto da jarra. Quantas vezes tenho que dizer? Você sabe o que são germes? São insetos pequeninos e feiosos que saem andando da sua boca bem para dentro da jarra. Não importa que você não possa vê-los. Isso não faz com que sejam menos reais, e são esses mesmos germes que fazem você e todas as outras pessoas pegarem gripe e pólio, e você acaba tendo que usar um pulmão de aço e..."

"O pai bebe da jarra."

"Sei."

"Sei *o quê*, mãe?"

"Ele é o homem da casa."

"Ora, que coisa. Imagino que ele não tem os insetos pequeninos e feiosos saindo da boca dele porque é o homem da casa. Imagino que ele não dá a mínima para quem acaba tendo que usar um pulmão de aço."

"Com quem você está lutando lá fora quando está batendo naquele colchão? Luta, luta, luta. Você está sempre lutando."

Marino compra mais um chope e se consola com o pensamento de que os modelos masculinos na revista de boa forma não são lutadores, porque têm a flexibilidade de uma rocha. Os pés deles não dançam quando estão boxeando. Eles não fazem nada a não ser levantar pesos, posar para os fotógrafos e se envenenar com esteróides. Ainda assim, Marino não se importaria de ter um estômago que se parecesse com um tanque de lavar roupa, e o que ele não daria para que seu cabelo voltasse a aparecer na cabeça em vez de continuar sua inexorável migração para outras partes do corpo! Ele fuma e bebe ao som de um jogo de basquete, sapatos rangendo e a multidão gritando no telão. Folheando ruidosamente mais algumas páginas da revista, começa a reparar nos anúncios de afrodisíacos, melhora de desempenho e convites para festas sensuais e partidas de strip-vôlei.

Quando chega nas páginas centrais, cheias de bonitões sem pêlos e usando calções que parecem fios-dentais e biquínis, ele fecha a revista. Um executivo sentado uma mesa adiante levanta-se e vai para o outro extremo do bar. Marino não se apressa para acabar seu chope, levanta-se, espreguiça-se e boceja. As pessoas no bar observam-no enquanto ele caminha até o executivo de negócios e deixa cair a revista em cima do *Wall Street Journal* dele.

"Me liga", diz Marino com uma piscadela, enquanto sai do bar balançando os quadris.

40

De volta ao portão de embarque da US Air, Marino se vê tomado por agitação e impetuosidade.

Seu vôo vai atrasar mais uma hora devido ao tempo. De repente, ele não quer mais ir para casa, para Trixie, e levantar-se de manhã e perceber o que aconteceu em Boston. Pensar em sua casinha com seu abrigo para carro em um bairro operário faz com que seu espírito afunde em amargura e em uma necessidade de resistir. Se ao menos ele pudesse identificar o inimigo. O motivo de ele continuar morando em Richmond não faz sentido. Richmond é o passado. O motivo de ele ter permitido que Benton o expulsasse não faz sentido. Ele nunca deveria ter saído do apartamento de Benton.

"Você sabe o que significa *devido* ao tempo?", pergunta Marino para a jovem ruiva sentada a seu lado, lixando as unhas.

Dois comportamentos grosseiros que Marino simplesmente não consegue tolerar são peidos em público e o som rascante de unhas sendo cuidadas acompanhado de pó de unha voando por perto.

A lixa continua a raspar e raspar rapidamente.

"Significa que eles não decidiram *se* vão tirar os nossos rabichos de Boston com um avião. Está vendo? Não há passageiros suficientes para fazer valer a pena para eles. Eles perdem dinheiro, não vão a lugar nenhum e colocam a culpa em alguma outra coisa."

A lixa pára instantaneamente, e a mulher olha para as dezenas de cadeiras de plástico vazias a seu redor.

"Você pode ficar sentada aqui a noite toda", continua Marino, "ou sair para encontrar um quarto de motel comigo."

Após um momento de descrença, ela se levanta e vai embora ofendida.

"Seu porco", diz ela.

Marino sorri, a civilidade restaurada, seu tédio abrandado, mesmo que por pouco tempo. Ele não vai esperar por um vôo que provavelmente nunca vai acontecer, e então pensa em Benton de novo. Raiva e paranóia inundam-lhe a cabeça. Sua sensação de impotência e rejeição instala-se de novo, sufocando-o com uma depressão que paralisa seus pensamentos e o deixa fatigado, como se não dormisse há dias. Ele não consegue suportar isso. Não vai suportar isso. Gostaria de telefonar para Lucy, mas não sabe onde ela está. Ela só lhe contou que estava com alguns negócios para resolver que requeriam uma viagem.

"Que negócios?", Marino perguntou a ela.

"Uns negócios."

"Às vezes me pergunto por que diabos trabalho para você?"

"Eu nunca me pergunto isso, de jeito algum. Nem penso nisso", disse Lucy ao telefone de seu escritório em Manhattan. "Você me adora."

Do lado de fora do Aeroporto Logan, Marino faz sinal para um táxi da Cambridge Checker, praticamente ficando na frente dele e acenando com os braços, ignorando a fila para pegar táxis e as dezenas de pessoas cansadas e infelizes que estão nela.

"Para o Aterro", ele diz ao motorista. "Perto da concha acústica."

41

Scarpetta também não sabe onde Lucy está.

Sua sobrinha não atende os telefones, o de casa ou o celular, e não retornou inúmeras mensagens que ela lhe enviou. Scarpetta não consegue falar com Marino e não tem a menor intenção de telefonar para Rose e lhe contar sobre a carta. Sua secretária já se preocupa demais. Scarpetta fica sentada na cama, pensando. Billy aparece e se estatela no chão longe o bastante para fazê-la ir até ele se quiser acariciá-lo. E ela quer.

"Por que você sempre deita tão longe de mim?" Ela fala com ele enquanto estende o corpo para acariciar suas orelhas macias e moles. "Ah, já entendi. Tenho que mudar de posição e chegar mais perto de você."

É o que ela faz.

"Sabe, você é um cachorro muito determinado."

Billy lambe a mão dela.

"Tenho que sair da cidade por uns dias", ela lhe conta. "Mas Rose vai cuidar bem de você. Talvez você fique na casa dela e poderá passear na praia. Então prometa que não vai ficar chateado com a minha viagem."

Ele nunca fica chateado. A única razão pela qual vem correndo quando ela está saindo de viagem é que quer passear no carro. Ele ficaria passeando de carro o dia todo se pudesse. Scarpetta liga para o escritório de Lucy mais uma vez. Embora já tenha passado muito do horário de expediente, o telefone é atendido por um ser humano vivo e desperto vinte e quatro horas por dia, sete dias por semana. Aquela noite é o turno de Zach Manham.

"Escuta, Zach", diz ela de saída. "Já é bem ruim você não querer me contar onde a Lucy está..."

"Não é que eu não queira..."

"Claro que é", ela o interrompe. "Você sabe mas não quer me contar."

"Juro por Deus que não sei", responde Manham. "Escute, se soubesse, eu ligaria para o celular internacional dela e pelo menos diria para ela ligar para você."

"Então ela está com o celular internacional. Quer dizer que ela saiu do país?"

"Ela sempre está com o celular internacional. Sabe como é, aquele que tira fotografia, faz vídeos, conecta na internet. Ela tem o último modelo. Faz até pizza."

Nesse momento nada é engraçado para Scarpetta.

"Tentei o celular dela. Não atende", diz ela, "quer esteja neste país ou em algum outro. E quanto a Marino? Você não vai me dizer onde ele está também?"

"Não falo com ele há dias", diz Manham. "Não, não sei onde ele está. Ele também não está atendendo o celular nem o pager?"

"Não."

"Quer que eu passe pelo detector de mentiras, doutora?"

"Quero."

Manham dá risada.

"Ok, eu desisto. Estou cansada demais para ficar nesse jogo a noite toda", diz Scarpetta, coçando a barriga de Billy. "Se e quando você tiver notícias de algum dos dois, peça-lhes que entrem em contato comigo imediatamente. É urgente. Tão urgente que estou pegando um avião para Nova York amanhã."

"O quê? Você está em perigo?", pergunta Manham, alarmado.

"Não quero falar a respeito disso com você, Zach. Sem querer ofender. Boa noite."

Ela tranca a porta do quarto, liga o alarme e coloca a arma no criado-mudo.

42

Marino não gosta do motorista do táxi e pergunta de onde ele é.

"Cabul."

"Cabul fica onde exatamente?", pergunta Marino. "Quer dizer, sei qual o país" (ele não sabe), "mas não sua localização geográfica exata."

"Cabul é a capital do Afeganistão."

Marino tenta situar o Afeganistão. Tudo que lhe vem à mente são ditadores, terroristas e camelos.

"E você faz o que lá?"

"Eu não faço nada lá. Eu moro aqui." Os olhos escuros do motorista olham de relance para ele pelo espelho retrovisor. "Minha família trabalhava com lã, e eu vim para cá há oito anos. O senhor deveria ir a Cabul. É muito bonita. Visitar a cidade velha. Meu nome é Bábur. Se tiver perguntas ou precisar de um táxi, ligue para minha empresa e peça para me chamar." Ele sorri, os dentes brancos brilhando no escuro.

Marino percebe que o motorista está caçoando dele, mas não entende a piada. O cartão de identificação do motorista está preso no visor do banco do passageiro, e Marino tenta lê-lo, porém não consegue. Sua visão não é mais o que costumava ser, e ele se recusa a usar óculos. Apesar da insistência de Scarpetta, ele também se recusa a fazer uma cirurgia a laser, que inflexivelmente afirma que vai deixá-lo cego ou danificar seu lóbulo frontal.

"Esse caminho não parece familiar", comenta Marino, em seu tom amuado de sempre, quando prédios desconhecidos começam a passar por sua janela.

"Pegamos um atalho pelo porto, passando pelos ancoradouros e depois pelo elevado. A vista é bonita."

Marino inclina-se para a frente no assento duro do banco, evitando uma mola que parece decidida a furar o estofamento de vinil, desenroscar e morder o lado direito de seu traseiro.

"Você está indo para o norte, seu maomé do cacete! Eu posso não ser de Boston, mas sei onde fica o Aterro, e você nem está no lugar certo da porra do rio!"

O motorista que se chama Bábur ignora completamente seu passageiro e continua em sua rota, mostrando alegremente os lugares turísticos, entre eles a Prisão de Suffolk County, o Hospital Geral de Massachusetts e o Crematório. Quando ele pára para deixar Marino na Storrow Drive, perto do prédio de Benton Wesley, porém não muito, o taxímetro marca 68,35. Marino abre a porta com força e joga uma nota de um dólar completamente amassada no banco da frente.

"O senhor me deve sessenta e oito dólares e trinta e cinco centavos." O motorista do táxi abre e alisa a nota de um dólar sobre a perna. "Vou chamar a polícia!"

"E eu vou te encher de porrada. E você não pode fazer nada a respeito, porque você é ilegal aqui, certo? Me mostra o seu *green card*, babaca, e adivinha só? Eu sou da polícia e tenho uma arma bem embaixo do meu braço." Ele tira a carteira e mostra o distintivo que não devolveu à Polícia de Richmond depois que se aposentou.

Ele disse que havia perdido o distintivo.

Pneus cantam quando o motorista do táxi sai a toda, praguejando através da janela aberta. Marino segue para a ponte Longfellow e muda de direção para sudeste, seguindo brevemente pela mesma calçada por onde ele e Benton haviam andado antes. Pega um caminho indireto embaixo da iluminação a gás nas ruas Pickney e Revere, sempre apurando o ouvido e verificando as ruas, certificando-se de que não está sendo seguido, como é seu hábito. Marino não está pensando no cartel Chandonne. Está vigiando os marginais de rua comuns e lunáticos, embora não tenha visto sinais de nenhum deles naquela parte de Beacon Hill.

Quando o prédio de Benton aparece, Marino repara que as janelas do apartamento 56 estão às escuras.

"Que merda", ele murmura, jogando fora o cigarro, sem se importar em pisar nele.

Benton deve ter saído para comer alguma coisa, ou para ir à academia, ou para correr. Mas isso não é provável, e a ansiedade de Marino aperta seu peito a cada passo. Ele sabe muito bem que Benton deixaria as luzes acesas se saísse. Não é o tipo de sujeito que gosta de entrar em uma casa ou apartamento com tudo apagado.

Subir a escada até o quinto andar é pior do que da última vez, porque a adrenalina e a cerveja aceleram seu coração extenuado até que ele mal consegue respirar. Quando chega ao apartamento 56, ele bate com força na porta. Nenhum som vem de dentro.

Ele bate com mais força ainda e grita: "Ô, Tom!".

43

Lucy dá a partida no Mercedes e de repente encara Rudy no meio da mais absoluta escuridão.

"Ai, meu Deus! Não acredito!" Ela esmurra o volante, tocando a buzina sem querer.

"O quê!" Rudy dá um pulo, surpreso e repentinamente furioso. "Que foi, porra? Que porra você está fazendo?"

"Meu bastão tático. Puta que o pariu! Eu o deixei na mesinha no quarto. As minhas digitais estão nele, Rudy."

Como ela pôde cometer um erro tão idiota assim? Tudo saiu de acordo com o plano até ela cometer um deslize, uma asneira impensável, o tipo de asneira que sempre pega as pessoas no pulo. O motor ronca em tom baixo na rua escura, nem Lucy nem Rudy muito certos sobre o que fazer. Eles estão livres. Conseguiram sair. Ninguém perto do hotel ou lá dentro os viu, e agora um deles tem que voltar.

"Desculpa", sussurra Lucy. "Eu sou uma tremenda idiota", diz ela. "Fica aqui."

"Não. Eu cuido disso." O medo de Rudy transforma-se em raiva, uma emoção mais controlável, e ele resiste a descarregar essa raiva nela.

"Eu fodi tudo. Eu vou consertar." Ela abre a porta do carro.

44

Bev Kiffin corre os dedos por um cabide cheio de calcinhas e sutiãs baratos.

A seção de lingerie do Wal-Mart fica perto do corredor com artesanato e do outro lado da seção de sapatos esportivos masculinos, uma parte da loja que ela freqüenta constantemente. Entretanto, ela tem certeza de que as atendentes, com suas roupas azuis baratas e crachás, não a reconhecem. Esse é o tipo de negócio onde empregados cansados e de olhar vítreo não prestam muita atenção em gente de aparência comum como Bev, que revira tudo à caça de pechinchas em uma loja de descontos que fica aberta vinte e quatro horas por dia, sete dias por semana.

Um sutiã vermelho rendado fascina sua imaginação, e ela verifica os tamanhos, procurando um 38. Ao encontrar um preto ela o enfia na manga de sua capa de chuva verde-escura. Depois do sutiã desaparecem ali mais duas calcinhas estilo biquíni, tamanho grande. Roubar lingerie e outros itens que não possuem sensores eletrônicos de segurança é muito fácil. Ela se pergunta por que todo mundo não faz isso. Bev não teme as conseqüências. Não soa nenhum alarme em seu lóbulo central quando ela pretende cometer um crime, de qualquer grau de seriedade. As oportunidades vão e vêm em sua tela de radar, algumas maiores e mais brilhantes do que as outras, como a mulher que acabou de entrar na seção de artesanato, interessada em bordados.

Pensar em um hobby doméstico tão estúpido como

aquele enche Bev de desprezo, enquanto ela instantaneamente deduz que a atraente loira em jeans e jaqueta azul-clara é ingênua.

Uma ovelha.

Bev continua revistando a seção de lingerie, o alvo em seu radar brilhando cada vez mais forte a cada segundo que passa, sua pulsação aumentando, as palmas das mãos ficando frias e úmidas.

A mulher coloca no carrinho novelos de fio colorido e uma tela pré-pintada com um desenho de uma águia e uma bandeira. *Quer dizer que ela é patriota,* pensa Bev. Talvez tenha um marido ou namorado que seja militar, talvez já falecido, ou talvez ainda no Iraque. Ela deve ter pelo menos trinta e cinco anos, ou pouco mais que isso. Talvez o homem dela esteja na Guarda Nacional.

O carrinho anda para a frente, aproximando-se.

Bev detecta o cheiro de colônia. O perfume é incomum e provavelmente caro. As pernas da mulher são esbeltas, sua postura é boa. Ela malha na academia. Tem tempo livre à sua disposição. Se tem filhos, pode se dar ao luxo de ter alguém para tomar conta deles quando está na academia ou no cabeleireiro.

Bev detecta um pedaço de papel, uma lista de compras, e finge não estar percebendo a mulher, que pára no corredor, olhando diretamente para os cabides de lingerie. Ela quer fazer seu homem feliz.

Uma ovelha.

Bonitona.

Alguma coisa nela faz Bev associá-la com inteligência.

Ela sabe perceber quando as pessoas são inteligentes. Elas não têm que dizer uma única palavra, porque o resto delas diz tudo. A mulher empurra o carrinho direto para o cabide, a menos de um metro de onde Bev está, e o perfume invade suas narinas, penetrando em todos os lugares de sua cabeça, e seu foco se fecha quando a mulher abre o zíper da jaqueta, pega um sutiã vermelho do mostrador e o segura sobre os seios grandes e firmes.

Ódio e inveja eletrificam cada nervo e músculo no corpo matronal de Bev, seu lábio superior enchendo-se de suor frio. Ela caminha na direção dos sapatos masculinos enquanto a mulher digita um número no celular. Ele toca em algum lugar por vários segundos.

"Querido?", diz ela com voz doce e feliz. "Ainda aqui. Eu sei. É tão grande." Ela ri. "Eu gosto mais do Wal-Mart do que do Acadian." Ela ri de novo. "Bom, talvez sim, se você não se importar."

Ela estende o braço esquerdo para olhar o relógio, o tipo de relógio usado por corredores. Bev esperava algo mais refinado.

45

Uma chuva leve umedece as ruas de Szczecin quando Lucy se aproxima do Hotel Radisson.

Dessa vez ela não tem que esperar a moça da recepção abandonar seu posto. O saguão está deserto. Ela entra, de maneira casual mas rápida, e se dirige para os elevadores. Seu dedo está prestes a apertar o botão do elevador quando as portas se abrem e um homem bastante bêbado sai cambaleando, trombando com ela.

"Desssculpa!", diz ele em voz alta, assustando e atrapalhando Lucy.

O que fazer? O que fazer?

"Ah, mas vê só se você não é a coisinha mais linda que eu já vi na minha vida!"

As palavras dele soam enroladas, como se sua boca estivesse cheia de lidocaína, e ele está quase gritando enquanto olha para ela com malícia, avaliando-a do cabelo até as botas de cetim, passando pelo decote. Ele anuncia que sua festa está acontecendo no apartamento 301 e que ela precisa ir até lá. E continua a lengalenga. Puxa, puxa, como ela é bonita e sexy, e é claro que é americana, e ele era de Chicago, transferido recentemente para a Alemanha, e está solitário, separado da mulher, que era uma vaca.

A recepcionista volta correndo para o saguão, e menos de um minuto depois um segurança aparece e fala em inglês com o bêbado.

"Talvez o senhor deva voltar para o seu apartamento. Já é

tarde e o senhor deveria ir dormir", diz o guarda com firmeza, olhando Lucy carrancudo e com desconfiança, como se supondo que ela fosse a namorada vulgar do homem, ou talvez uma prostituta, e que talvez também esteja bêbada.

Ela bate no botão do elevador, errando-o diversas vezes, balançando o corpo e agarrando o braço do bêbado.

"Vamo, amor, vamo embora", balbucia ela com um sotaque russo, apoiando-se nele.

"Ai, que doçura..." Ele está prestes a demonstrar surpresa e prazer por aquela companhia, quando ela levanta a cabeça e lhe dá um beijo demorado.

As portas do elevador se abrem e ela o empurra para dentro, abraçando-o e continuando o longo beijo de língua que tem gosto de alho e uísque. O segurança ainda está olhando carrancudo para eles quando as portas se fecham.

Erro.

O segurança vai se lembrar do rosto dela. O rosto de Lucy é difícil de esquecer, e o segurança teve muito tempo para olhar para ele porque Lucy estava presa ao babaca bêbado.

Grande erro.

Ela aperta o botão 2 enquanto o homem a acaricia com rudeza. Ele não parece notar que o elevador está parando no andar errado, mas de repente sua nova amante está se esquivando dele e fugindo, ajeitando a roupa. Ele tenta correr atrás dela, balançando os braços, xingando, prende o pé no carpete e tropeça.

Lucy segue as placas que indicam a saída, entrando em outro corredor, e em seguida em uma escadaria. Em silêncio ela sobe três lances de escada e espera no vão mal iluminado, prendendo a respiração e apurando o ouvido, suor escorrendo pelo rosto e ensopando a sensual blusa preta. Possivelmente foi mais o hábito do que o instinto que fez com que ela pegasse o cartão plástico do hotel que servia de chave e estava na mesa do apartamento de Caggiano e o enfiasse no bolso de seu casaco. Sempre que encerra a conta em um hotel, ela fica com a chave, quando é descartável, para a eventualidade de de repente perceber que esqueceu alguma coisa. Certa vez, e ela nem gosta de lembrar disso, esqueceu sua arma na gaveta de um criado-mudo e só percebeu quando estava entrando em um táxi. Felizmente ela ainda estava com a chave.

O aviso de *Não perturbe* continua agourentamente pendurado na maçaneta do quarto 511, e Lucy examina o corredor, esperando desesperadamente não ser mais surpreendida por ninguém. Ao se aproximar, ela ouve o som da televisão no quarto de Rocco, e uma dor forte lhe apunhala o estômago. O medo queima. A lembrança do que ela e Rudy fizeram é terrível, e agora ela precisa enfrentar o pecado deles de novo.

Uma luz verde brilha, e ela abre a porta com os cotovelos porque não tem um par de luvas novo. Encontra um muro formado pelo mau cheiro da última refeição gordurosa de Rocco e detecta seu sangue saturado de álcool. Ele coagula como um pudim sob sua cabeça. Os olhos semi-abertos e mortos, a cadeira tombada, a arma sob seu peito, cada detalhe exatamente como ela e Rudy deixaram. Varejeiras zumbem ao redor do corpo, procurando o pedaço perfeito daquele imóvel humano úmido do qual possam se apropriar para botar seus ovos. Lucy olha, paralisada, o frenesi dos insetos.

Ela centra a atenção no bastão tático. Ele também está exatamente onde ela o deixou, sobre a mesinha à esquerda da cama.

"Ai, graças a Deus", murmura ela.

O bastão é seguramente recolocado na manga, e ela abre com cuidado a porta, esfregando a maçaneta com a blusa. Dessa vez ela desce pela escada até o térreo, passando pela área de serviços, onde ouve um murmúrio de vozes, possivelmente vindo da cozinha. Encostados nas paredes há carrinhos cheios de pratos sujos, flores murchas em vasos, garrafas de vinho vazias e sobras de coquetéis e outras bebidas. A comida endurece na porcelana do hotel e mancha as toalhas brancas e os guardanapos amarfanhados. Não há moscas ali. Nenhuma.

Ela engole repetidas vezes, enjoada de repente quando pensa nas varejeiras rastejando sobre Rocco e alimentando-se de seu sangue coagulado. Pensa no que vai acontecer em seguida. Dentro do quarto abafado, os ovos de varejeira vão chocar e produzir larvas que, dependendo de quanto tempo ele ficar sem ser descoberto, vão se agrupar sobre seu corpo em decomposição, especialmente dentro do ferimento e de outros orifícios. Varejeiras adoram fendas e passagens fundas, escuras e úmidas.

A presença acentuada de predadores de carne putrefata vai atrapalhar a determinação da hora da morte de Rocco, como pretendia Rudy ao colocar as moscas no quarto. O patologista forense que examinar o corpo de Rocco vai ficar confuso pela história de quando o serviço de quarto entregou-lhe o jantar e pelo adiantado estado de infestação de larvas e de decomposição. Seu nível de álcool no sangue indicará que Caggiano estava embriagado quando morreu de um ferimento de arma de fogo auto-infligido que lhe penetrou a têmpora e lhe rasgou o cérebro em uma tempestade de estilhaços de chumbo e de arestas de cobre serrilhadas e afiadas de uma bala de meia camisa e ponta oca. As digitais na arma serão as dele.

O calor dentro do quarto será considerado, mas não deve levantar suspeitas. A garrafa vazia de champanhe tem as digitais de Caggiano, caso a polícia se dê ao trabalho de investigar, embora não haja registro de ele ter pedido champanhe ou de tê-lo recebido com os cumprimentos do gerente. Ele poderia ter comprado em qualquer outro lugar. O Alerta Vermelho vai ter as digitais dele, caso alguém queira investigar, e ela deve supor que vão fazer isso.

Ela desejou que Rocco não tivesse pedido serviço de quarto, mas estava preparada para essa possibilidade, pensando que, seja lá quem tenha levado o jantar, vai se lembrar da gorjeta e não vai querer revelar que foi em dinheiro americano. Ele ou ela não vão querer estar associados a nenhum tipo de escândalo que envolva a polícia. Além disso, se a hora da morte de Rocco, segundo for determinado pelo patologista forense, não concordar de maneira alguma com o que tem a dizer o empregado do hotel que se encarregou do serviço de quarto — supondo que a pessoa fale —, então pode-se muito bem supor que a pessoa está enganada em relação à hora, possivelmente até em relação ao dia certo. Ou talvez ela esteja mentindo. Ninguém naquele hotel vai confessar ter aceitado dinheiro americano, e quem sabe quais outros presentes e contrabando que Rocco, um fugitivo, provavelmente lhes deu durante os muitos anos em que se hospedou naquele hotel.

Quem vai se importar com a morte de Rocco Caggiano? Talvez ninguém, a não ser a família Chandonne. Eles vão ficar intrigados. Lucy tramou isso com a esperança de que eles façam pressão para descobrir os fatos. Talvez fiquem sabendo. Talvez não. O suicídio será aceito, e ninguém vai sentir pesar, nem dar a mínima.

46

Lucy corre através da escuridão, com uma dor no peito que não se deve ao esforço físico.

O Mercedes está silencioso estacionado em um dos lados da rua, e ela não consegue ver Rudy através das janelas de vidro escurecido. As trancas se soltam quando ela abre a porta do motorista.

"Missão cumprida?", pergunta ele no escuro, com severidade na voz. "Não dê a partida ainda."

Ela lhe conta sobre o encontro com o bêbado e os funcionários do hotel e explica a maneira como lidou com tudo. Ele não diz nada. Lucy sente a desaprovação e a irritação dele com ela.

"Me dá um crédito. Acho que estamos bem."

"Tão bem quanto se poderia estar nessas circunstâncias", ele tem que reconhecer.

"Não há motivo para ninguém me ligar ao quarto de Rocco, à morte dele", continua ela. "Tenho certeza de que o pessoal do hotel não vai entrar no quarto com aquele aviso de *Não perturbe* na porta. Mais moscas vão entrar pela abertura na janela. Vamos dizer que ele seja encontrado em três ou quatro dias, as larvas vão ter devorado o corpo a ponto de ele não ser reconhecido. E, caso você não saiba, as moscas-varejeiras também são atraídas por merda.

"E o álcool no sangue vai estar alto também, não há nenhuma razão no mundo para alguém pensar em outra coisa que não suicídio, e o hotel vai querer que o cadáver podre e as larvas saiam de lá o mais rápido possível. E o legista vai pensar que ele está morto há mais tempo do que o pessoal do serviço de quarto diz — supondo que haja alguma hora exata associada ao pedido de jantar de Rocco, e provavelmente não vai haver. Os pedidos não ficam registrados em um computador. Sei disso com certeza."

"Com certeza?", pergunta Rudy. "Como diabos você pode dizer que sabe disso com certeza?"

"O que você acha que eu sou, alguma imbecil? Eu liguei para eles. Dias atrás. Disse que era representante da Hewlett-Packard para manutenção dos computadores deles e que o da cozinha que era usado para controlar o serviço de quarto precisava de uma atualização nos programas. E eles não sabiam sobre o que eu estava falando, disseram que não usavam computadores para o serviço de quarto, apenas para controle do estoque. Então falei sobre as vantagens de usar um hp pavilion 753n com um processador Intel Pentium e disco rígido de oitenta megabytes, CD-ROM e tudo o mais necessário para controle dos pedidos do serviço de quarto... A questão é: não existe registro no computador da hora em que Rocco pediu o jantar, certo?"

Rudy fica em silêncio e então pergunta: "Eles usam Hewlett-Packards naquele hotel?".

"Mais fácil ainda de descobrir, foi só ligar na gerência. Sim, eles usam", responde ela.

"Ok, mandou bem nessa. Então mesmo que o bêbado ou qualquer outra pessoa tenha prestado atenção em você, a maneira como encenamos o crime de Rocco vai fazer parecer que ele estava morto muito antes da hora em que você foi para a festa do bêbado."

"Isso mesmo, Rudy. Estamos bem. Rocco já está infestado. Uma multidão de larvas vai produzir calor e acelerar a decomposição, e de toda forma parece suicídio — cometido antes — muito antes do que qualquer pessoa possa imaginar."

Ela dá a partida no carro, colocando a mão no braço dele. "Agora podemos dar o fora daqui?"

"Não podemos cometer mais nenhum erro, Lucy", diz ele em um tom de voz de quem perdeu a discussão. "Não podemos mesmo."

Ela arranca do meio-fio, zangada.

"O fato é que pelo menos duas pessoas naquele hotel pensam que você poderia ser uma participante bêbada de alguma convenção ou mesmo uma prostituta, e você não é fácil de esquecer, não importa o que tenham pensado que você é. Provavelmente não importa nem um pouco, mas..." Ele não termina a frase.

"Mas poderia ter importado." Lucy dirige cuidadosamente, verificando os espelhos e as calçadas, escuras e cheias de sombras.

"Isso mesmo. Poderia."

Ela sente o olhar dele e a mudança de estado de espírito. Ele está se acalmando, lamentando por ter sido duro com ela.

"Ei, Rudy-Rudy." Ela estende a mão e toca o rosto dele afetuosamente, a barba curta fazendo-a pensar na língua de um gato. "Estamos indo embora e estamos bem."

Ela pega a mão dele e a aperta com firmeza.

"O que aconteceu foi ruim, Rudy, péssimo, mas vai acabar tudo bem. Nós estamos bem", diz ela.

Quando um, ou o outro, ou mesmo ambos estão assustados, eles nunca admitem, mas sabem porque precisam um do outro. Ambos ficam querendo desesperadamente o corpo quente do outro. Lucy leva a mão dele até a boca, apoiando o braço dele contra ela.

"Não", diz ele. "Nós dois estamos cansados, deprimidos. Não é uma boa hora para... não estar com as duas mãos no volante. Lucy... não", murmura ele quando ela beija profundamente seus dedos, as juntas dos dedos, a palma da mão.

Ela faz amor com uma das mãos dele e desliza a outra para dentro de sua blusa preta de linho.

"Lucy, pare... ai, cacete... não é justo." Ele solta o cinto de segurança. "Não quero sentir o que estou sentindo por você, porra."

Lucy continua dirigindo.

"Você sente, não é? Pelo menos às vezes, não é?"

Lucy acaricia o cabelo dele, o pescoço, escorrega a mão para dentro do colarinho dele e passa os dedos nos músculos de sua nuca. Não olha para ele enquanto acelera.

47

Por diversas vezes, Nic enviou memorandos para a força-tarefa de Baton Rouge, lembrando aos homens e mulheres — na maioria homens — que um Wal-Mart ou qualquer outra megaloja desse tipo seria um lugar muito bom para um assassino espreitar suas vítimas.

Ninguém prestaria atenção a um veículo no estacionamento, não importando a hora, e, com base nos recibos de cartão, todas as mulheres desaparecidas fizeram compras no Wal-Mart, se não o que fica perto do campus da Universidade Estadual de Louisiana, então os outros em Baton Rouge e New Orleans. Ivy Ford fez isso. No sábado antes de desaparecer, ela veio de carro de Zachary e fez compras nesse Wal-Mart que fica perto da universidade.

A força-tarefa nunca respondeu diretamente a Nic, mas alguém ligado a eles deve ter telefonado para o chefe dela, porque ele a encontrou na sala de descanso, antes de ela partir para Knoxville e disse, sem mais nem menos: "Quase todo mundo compra em lojas Wal-Mart, Sam's Clubs, Kmarts, Costcos e outras, Nic".

"Sim, senhor", respondeu ela. "Quase todo mundo compra."

Baton Rouge fica fora da jurisdição dela, e a única possibilidade de ela mudar esse fato seria o promotor geral mandar as fronteiras às favas. Ela não tem um bom motivo para solicitar isso, e ele não teria um bom motivo para fazer isso. Nic nunca foi do tipo que pede permissão, a menos que o assunto se erga diante dela como uma ponte levadiça, restando-lhe como única opção pisar no freio e dar a volta. Hoje em dia ela trabalha disfarçada onde quer que seus instintos a levem, que com freqüência é o Wal-Mart perto da universidade, perto de onde mora seu pai em Old Garden. Não é difícil intuir qual área da loja um assassino poderia freqüentar se estivesse procurando por uma presa. A seção de lingerie o deixaria excitado, especialmente se uma vítima em potencial estivesse olhando calcinhas e sutiãs, verificando estilos e tamanhos, como aquela mulher corpulenta de cabelo curto começando a ficar grisalho estava fazendo momentos antes de sair da loja com mercadorias roubadas enfiadas na manga da capa de chuva. O pequeno roubo não vai ser denunciado porque Nic tem outras prioridades. Ela deixa seu carrinho em um dos corredores e sai da loja, atenta para cada homem que vê, consciente de sua atenção e de sua atividade, e muito consciente de sua arma dentro da capanga.

Do lado de fora, o estacionamento é razoavelmente bem iluminado por postes altos. Os poucos carros que ainda se encontram lá — menos de cem — estão estacionados juntos, como se para fazer companhia uns aos outros. Ela localiza a ladrazinha gorducha caminhando rapidamente em direção a um Chevrolet azul-escuro com placas da Louisiana. Nic memoriza a placa enquanto caminha na direção da mulher sem parecer notá-la. Na verdade, Nic não percebe a presença de ninguém na área que pudesse ser um potencial assassino serial. Se a mulher está sendo espreitada por alguém, e sem dúvida isso seria muito difícil de acontecer, não há nenhum sinal.

Mais uma vez, Nic é aguilhoada pela culpa porque está desapontada. A idéia de ela possivelmente lamentar que uma mulher não esteja prestes a se tornar outra vítima é tão detestável que Nic nunca admitiria suas esperanças pecaminosas para ninguém e mal admite para si mesma. Ela reprime essa verdade tão completamente que é provável que passasse no teste com um detetor de mentiras se um investigador lhe perguntasse: "Você fica desapontada quando segue uma vítima potencial e o assassino não tenta raptá-la ou não consegue raptá-la?". Nic não ficaria tensa, nem hesitaria. Sua pulsação ficaria igual quando ela respondesse "Não". Quanto mais curta a resposta, menor a chance de seu sistema nervoso a trair.

Ela nem chega perto do lugar onde está estacionado seu próprio carro, um Ford Explorer verde-escuro de cinco anos, clandestinamente equipado com giroscópio portátil, que pode ser montado sobre o painel, uma espingarda, um kit de primeiros-socorros, cabos para fazer ligação entre baterias, sinalizadores, um extintor de incêndio, uma mochila com uniformes camuflados, botas, pentes de munição extra e outros equipamentos táticos, um scanner portátil embaixo do painel e um carregador para o seu celular internacional, que também funciona como intercomunicador. Uma boa parte desse equipamento ela comprou com seu próprio dinheiro. Na vida, ela sempre está muito preparada para o pior.

A mulher revira o interior de uma imunda bolsa de praia de lona, a uns três metros do Chevrolet. Com certeza não se encaixa nem um pouco na vitimologia. Mas Nic não confia nos chamados padrões ou *modus operandi*. Ela se lembra de Scarpetta insistindo em dizer que perfis são perigosos, porque estão repletos de erros. Nem todo mundo faz tudo da mesma maneira o tempo todo, e, se não fosse por isso, a mulher é, no mínimo, uma solitária que está em um estacionamento escuro e relativamente deserto perto de um enorme campus universitário, e isso a torna vulnerável aos predadores.

A mulher se atrapalha com um chaveiro e o deixa cair. Ao abaixar-se para pegá-lo, perde o equilíbrio e cai, gritando e agarrando o joelho esquerdo.

Ela se debate desamparada, vê Nic e implora: "Me ajuda!".

Nic corre até ela e se agacha perto da mulher.

"Não se mexa", diz a ela. "Onde dói?"

Nic sente o cheiro de repelente de insetos e odor corporal. Passa-lhe de maneira vaga pela cabeça que as chaves que estão no chão não parecem ser de um Chevrolet relativamente novo.

"Acho que desloquei alguma coisa no meu joelho", diz a mulher, seus olhos fixos nos de Nic. "É meu joelho ruim."

O sotaque dela é sulista com uma cadência bastante específica. Ela não é da região, e suas mãos são ásperas e rudes, como se estivesse acostumada a trabalho físico duro, como fazer faxina ou descascar mariscos. Nic percebe que ela não tem nenhuma jóia, nem mesmo um relógio. A mulher ergue a perna da calça e olha um machucado roxo inflamado bem no meio da rótula. O machucado não é novo. Instintivamente, Nic sente repulsa pelo desagradável cheiro da mulher, por seu mau hálito, e alguma coisa em seu comportamento que ela não consegue identificar, mas que a perturba. Ela se levanta e recua.

"Posso chamar uma ambulância", diz Nic. "Não há muito mais que eu possa fazer, senhora. Eu não sou médica."

Um olhar toma o rosto da mulher, tornando-o mais severo sob o brilho das luzes do estacionamento.

"Não, eu não preciso de ambulância. Como eu disse, isso me acontece o tempo todo." Ela tenta se levantar.

"Então por que a senhora tem apenas um ferimento?"

"Eu sempre caio do mesmo jeito."

Nic mantém distância. Ela não tem a intenção de oferecer mais ajuda. A mulher está suja, talvez seja doente mental, e Nic sabe muito bem que não deve se envolver com esse tipo de pessoas. Elas podem ser desagradáveis, imprevisíveis, até mesmo violentas quando alguém tem algum tipo de contato físico com elas. A mulher está em pé agora, apoiada na perna direita.

"Pode acreditar, vou arrumar uma xícara de café e descansar um pouco", diz ela. "Vou ficar bem, vou sim."

Lentamente, ela se afasta mancando do Chevrolet, de novo na direção da loja.

Nic se comove. Enfia a mão no bolso da calça jeans enquanto anda a passos rápidos atrás da mulher.

"Tome." Nic dá a ela uma nota de cinco dólares.

A mulher sorri, seus olhos escuros e espertos vibrando para os olhos de Nic.

"Deus te abençoe." Ela agarra o dinheiro. "Você é delicada como uma ovelha", diz ela.

48

A porta do outro lado do corredor se abre e um homem muito mais velho de camiseta e calça de moleton estuda Marino com desconfiança.

"Que barulheira é essa?", pergunta ele, o cabelo grisalho espetado como os espinhos de um ouriço, o rosto enrugado com pedaços de barba curta, os olhos inchados e injetados.

Marino conhece muito bem aquele olhar. O homem andou bebendo, provavelmente desde quando levantou e tomou o primeiro copo.

"Você viu o Tom?", pergunta Marino, suando e respirando com dificuldade.

"Não conheço ele direito. Não vai ter um ataque cardíaco. Não sei ressuscitação cardiopulmonar, mas tenho uma noção sobre a manobra de Heimlich."

"Ele prometeu me encontrar" — Marino toma fôlego — "e eu vim lá da Califórnia."

"Veio?" O homem está muito curioso agora e sai no corredor. "E por quê?"

"Como assim, por quê?" Marino se recobra o suficiente para falar rispidamente com o homem, como se aquilo não fosse da conta dele. "Porque a porra da corrida do ouro acabou. Porque eu estou cansado de ficar sentado na beira da baía. Porque eu cansei de ser uma porra de uma estrela de cinema."

"Se você apareceu em filmes, nunca te vi, e eu alugo filmes todo dia. O que mais tem para se fazer por aqui?"

"Você viu o Tom?", insiste Marino, tentando em vão girar a maçaneta virando-a com força e sacudindo a porta.

"Eu estava dormindo quando você começou a barulheira", diz o homem, que deve ter pelo menos uns sessenta anos e parece um tanto demente. "Eu não tenho visto o Tom e não dou a mínima para gente que nem ele, se é que você me entende."

Ele examina Marino.

"O que você quer dizer com *gente como ele*?"

"Homo."

"Isso é novidade para mim, não que eu me importe com o que as pessoas fazem, contanto que eu não esteja por perto para ver. Ele trazia homens aqui para o apartamento ou coisa assim? Porque não sei se quero entrar se..."

"Ah, não. Nunca vi ele trazer ninguém para o apartamento. Mas um outro homo no prédio, um que usa roupa de couro e brinco, me contou que já viu o Tom em algum desses bares onde os homos vão e uns levam os outros para uma visita rápida no banheiro."

"Escuta, seu tonto, eu ia sublocar esta espelunca daquele filho-da-puta", Marino informa ao homem, a voz inflamada. "Já paguei os três primeiros meses adiantados, e dirigi da Califórnia até aqui para pegar a chave e me mudar. Todas as minhas coisas estão aqui na porra do meu caminhão."

"Isso realmente ia me deixar puto."

"Não diga, Sherlock."

"É sério, ia me deixar bem puto mesmo. Quem é Sherlock? Ah, sei. É aquele detetive com o chapéu e cachimbo. Eu não leio livros com violência."

"Então, se você ouvir algum barulho vindo deste apartamento, ignore. Mesmo que tenha que usar dinamite, eu vou entrar."

"Você não está falando sério, está?", preocupa-se o homem.

"Claro", diz Marino com sarcasmo. "Eu ando por aí com

dinamite no bolso. Eu sou um terrorista suicida com sotaque de New Jersey. Sei até pilotar aviões, só não sei decolar nem pousar."

O velho desaparece dentro de seu apartamento, e ouve-se o som de um pega-ladrão sendo fechado.

49

Marino estuda a porta de metal côncava do apartamento 56. A uns trinta centímetros acima da maçaneta há uma tranca de cilindro. Ele acende um cigarro, apertando os olhos através da fumaça diante do inimigo: uma fechadura barata de latão com uma tranca de botão e, o mais problemático, uma tranca de cilindro único. Nenhuma das outras portas no corredor tem uma tranca assim, confirmando a suspeita de Marino de que o próprio Benton instalou essa. Conhecendo-o bem, Marino sabe que ele optou por uma tranca à prova de pé-de-cabra, do tipo que nem um ladrão, nem um pistoleiro, e muito menos um Marino irritado poderiam perfurar sem fazer com que uma lâmina de metal acionada por mola descesse como uma guilhotina e estragasse a ponta da broca. Um risco de segurança sobre o qual Benton não tinha muito o que fazer era o batente da porta, que é uma faixa estreita de metal parafusada na madeira.

Vai ser moleza, diz Marino para si mesmo enquanto tira um canivete multifuncional de um estojo de couro gasto preso ao cinto.

As dobradiças são do tipo comum, de pino, e Marino abre um alicate de sua ferramenta de múltiplas funções, aplica-o sobre um pino e o retira da dobradiça como se fosse uma rolha saindo de uma garrafa. Em pouco tempo três pinos estão no chão, a porta livre do lado esquerdo. Com dois puxões fortes, Marino quebra as trancas no batente de metal. Dentro do apartamento, ele apóia a porta contra a abertura para poder ter um pouco de privacidade e acende a luz.

Benton foi embora, sem deixar nada para trás, a não ser comida nos armários, uma geladeira cheia de Budweiser e meio saco de lixo na cozinha. *Eu podia muito bem pegar uma cerveja enquanto estou aqui*, pensa Marino. O abridor de garrafas está no balcão onde Marino o viu pela última vez, parecendo dar-lhe boas-vindas de uma forma generosa e afetiva, como uma meia de Natal. Nada mais está fora do lugar. Até mesmo a lava-louças está vazia.

Estranho.

Benton teve o cuidado de deixar apenas impressões digitais parciais nas janelas, tampos de mesa ou copos, pratos e utensílios de cozinha. Marino continua a pegar e erguer objetos, analisando-os na luz oblíqua. Algumas marcas no lugar por onde passou o aspirador de pó no carpete são visíveis. Benton limpou o lugar todo, e quando Marino examina o saco de lixo não encontra nada além das garrafas de Budweiser que tomou e pedaços de vidro da Dos Equis que ele quebrou na pia. Cada pedaço de vidro está limpo, os rótulos das cervejas molhados e com restos de sabão.

"Que diabo está acontecendo aqui?", pergunta Marino para a sala de estar vazia.

"Não sei", responde uma voz masculina por detrás da porta apoiada. "Está tudo bem aí?"

Marino reconhece o vizinho que mora do outro lado do corredor. "Vai dormir", diz ele mal-humorado. "E, se você e eu vamos nos dar bem, você precisa cuidar da sua própria vida... Qual é o seu nome?"

"Dave."

"Que engraçado, eu sou Dave também."

"Também."

"É, mas não precisa repetir tudo o que eu digo." Marino olha com raiva para o espaço entre a porta e o batente.

Dave parece mais curioso do que assustado, espiando

dentro, tentando ver o que há na sala. O tamanho considerável de Marino bloqueia a visão do vizinho barulhento.

"Não dá para acreditar que o desgraçado foi embora sem mais nem menos", diz Marino. "Que tal ter que arrombar seu próprio apartamento para poder entrar?"

"Eu não gostaria de ter que fazer isso."

"E não é só isso, a espelunca está um chiqueiro, e ele levou todos os talheres de prata, as panelas e frigideiras, e todos os sabonetes e rolos de papel higiênico."

"Os talheres e utensílios de cozinha pertencem ao imóvel", diz Dave em tom de desaprovação. "Mas de onde estou olhando, o lugar parece estar bem arrumado."

"É, *de onde você está olhando.*"

"Sempre achei que ele era um homem esquisito. Por que será que ele levou o papel higiênico?"

"Só conheci ele há uns meses, quando respondi a um anúncio dele para sublocação", comenta Marino.

Ele endireita o corpo e se afasta da porta, analisando o interior do apartamento de novo enquanto Dave fica espiando. Os olhos dele são avermelhados e apáticos, as bochechas caídas e rosadas com vasos sangüíneos rompidos, provavelmente de passar anos dentro de uma garrafa de uísque.

"É", diz ele. "Ele nunca falava nada, quer dizer, nunca, nem quando passava por mim no corredor ou quando acontecia de abrirmos as nossas portas ao mesmo tempo. A gente ficava lá, cara a cara, e o máximo que ele fazia era me dar uma espécie de sorriso e mexer o queixo."

Marino não acredita muito em coincidências e desconfia que Dave escutava quando Benton saía e chegava, e acabava abrindo a porta no exato momento em que Benton estava abrindo a dele.

"Onde você estava esta tarde?" Marino se pergunta se Dave ouviu a discussão, em voz alta, que veio do apartamento de Benton.

"Ah, não sei. Depois do almoço eu durmo um monte."

Bêbado, pensa Marino.

"Ele é do tipo que não tem amigos", continua Dave.

Marino continua examinando o apartamento, em pé perto da porta, enquanto Dave fica espiando através do espaço entre o batente e a porta.

"Nunca vi ele receber uma visita sequer, e eu moro aqui há cinco anos. Cinco anos e dois meses. Odeio este lugar. Ele às vezes parecia ir embora. Desde que me aposentei do serviço de chefe de cozinha do Lobster House, tenho que cuidar das minhas economias."

Marino não tem idéia de como cuidar das economias tem qualquer coisa a ver com o vizinho misterioso do homem.

"Você era o chefe lá? Sempre que venho a Boston eu como no Lobster House."

Isso não é verdade, muito menos Marino visita Boston com freqüência.

"Você e o resto do mundo, sim, senhor. Bom, eu não era bem o chefe de cozinha, mas poderia muito bem ter sido. Qualquer dia desses eu cozinho para você."

"Durante quanto tempo o esquisito morou aqui?"

"Ah." Dave suspira, os olhos brilhando enquanto ele observa Marino pela fresta. "Eu diria que estava fazendo uns dois anos. Não seguidos. Qual era o seu prato favorito no Lobster House?"

"Dois malditos anos. Que interessante. Ele me contou que tinha acabado de se mudar e que tinha sido transferido ou qualquer coisa assim, que é por isso que ele desistiu do apartamento."

"Bom, provavelmente é lagosta", observa Dave. "Todos os turistas pegam a lagosta e enfiam ela em tanta manteiga que é um espanto que sintam o gosto de qualquer outra coisa que não seja manteiga, e aí eu estava comentando com os outros caras que trabalham na cozinha: de que adiantava trazer lagostas fresquinhas se ninguém sente gosto de nada, além de manteiga?"

"Eu odeio frutos do mar", diz Marino.

"Bom, a gente fazia uns bifes muito bons também. Angus cem por cento de primeira, maturado."

"*Maturado* sempre me preocupa. Na mercearia, maturado quer dizer estragado. Sabe como é, coisas velhas, já cheias de bichos."

"Bom, ele não ficava aqui o tempo todo", diz Dave. "Entrava e saía, às vezes desaparecia por semanas. Mas de jeito nenhum ele acabou de mudar. Como eu disse, tenho visto ele entrar e sair há dois anos."

"Mais alguma coisa que você possa me contar sobre essa bicha que me deixou trancado para fora e sumiu com metade das coisas desta espelunca?", pergunta Marino. "Quando eu o encontrar, vou chutar o rabo dele."

Dave balança a cabeça e o desapontamento passa por seus olhos. "Eu queria muito ajudar, mas, como já disse, não conhecia o homem, e estou contente que ele tenha ido embora, e está parecendo que você e eu vamos ser grandes vizinhos, *Dave Também*."

"Unha e carne. Agora vai dormir. Deixa eu fazer umas coisas aqui dentro e depois falo com você."

"Foi um prazer te conhecer. Acho que vou te chamar de *Dave Também* de agora em diante, se você não se importar."

"Boa noite."

50

Benton morou aqui durante dois anos e ninguém o conhecia, nem mesmo seu vizinho solitário e intrometido, Dave.

Não é que Marino esteja realmente surpreso, mas a percepção é um lembrete da vida desolada e limitada de Benton, mais uma razão pela qual sua recusa a voltar para si mesmo, para seus amigos e para aqueles que o amam não faz sentido. Marino senta-se na cama perfeitamente arrumada de Benton, o olhar parado sobre o espelho em cima da cômoda. Pelo fato de conhecer bem Marino, Benton deve ter desconfiado que o outro iria voltar para ralhar com ele e dizer-lhe coisas desagradáveis de novo. Não havia mais nada que pudesse magoá-lo tanto quanto ter dito que não queria mais ver Marino — nunca mais.

Ele foca em sua imagem enorme e pouco saudável no espelho, o suor escorrendo pelo rosto, e lhe ocorre que Benton desligou o ar-condicionado na sala quando eles estavam discutindo. Mas, quando Marino arrombou a porta, o ar-condicionado estava ligado na sala, mas não naquele quarto. Cada movimento que Benton faz é deliberado. Esse é seu jeito de ser, e, para ele, ligar o ar-condicionado no máximo na área da sala e desligar no quarto tinha um motivo. Marino levanta da cama e anda até o aparelho na janela e encontra um envelope preso com fita adesiva na lateral.

Perfeitamente alinhadas e no centro, escritas em letra de fôrma, estão as iniciais PM.

A empolgação aparece, mas é temperada pela prudência

de Marino. Ele vai até a cozinha para pegar uma faca afiada. Voltando ao quarto, ele a coloca sobre o ar-condicionado. Em seguida vai até o banheiro e puxa diversas vezes o rolo de papel higiênico, enrolando a tira muitas vezes ao redor dos dedos. Volta para o aparelho e repara que as duas pontas estão dobradas sobre si mesmas, a mesma técnica que a polícia usa para evitar que a fita para retirar impressões digitais grude nas luvas. Ele corta a parte de cima do envelope e retira de dentro uma folha de papel em branco dobrada. Ao desdobrá-la, ele lê, escrito com a mesma letra do envelope: "Por favor, continue".

Perplexo, Marino pensa por um momento que o bilhete pode não ser para ele e que não foi escrito por Benton. Mas nem a fita nem o papel são velhos, pensa, e estão muito limpos, e as pontas dobradas da fita indicam que a pessoa que a manuseou poderia estar usando luvas de látex. As iniciais de Marino são PM, e Benton sabe que comparações de caligrafia são geralmente frustradas por letras de fôrma, a menos que um analista de documentos esteja comparando amostras de letras de fôrma de um mesmo indivíduo. Benton também sabe que Marino certamente iria ao quarto e ligaria o ar-condicionado. Ou, se nada disso acontecesse, Marino estranharia o fato de um dos aparelhos estar ligado e o outro não.

"*Continue* no *ar-condicionado*?", diz Marino em voz alta, frustrado e exausto.

Ele volta para a cozinha e abre com força a porta de um dos armários onde há poucos instantes reparou em uma pilha bem arrumada de pequenos sacos de papel da mercearia. Ao abrir e balançar um deles, um envelope cai de dentro.

"Mas que porra é essa? Você está tirando uma com a minha cara, seu filho-da-puta?"

A frustração lhe aperta o peito quando ele pensa na maneira como Benton o tratou, como se os dois não tivessem sido amigos a vida toda, companheiros, quase irmãos, compartilhando a mesma mulher, mas de maneiras totalmente diferentes. Em uma parte fantástica e secreta da mente de Marino, ele e Benton eram casados com Scarpetta — ao mesmo tempo. Agora Marino tem direitos exclusivos sobre ela. Mas ela não sente falta dele, e essa angústia reprimida aumenta sua instabilidade, sua perturbação. Uma palpitação de pânico revolve-lhe o estômago e flutua até sua garganta.

Do lado de fora, na escuridão, sem um táxi à vista, Marino acende um cigarro e senta-se enfraquecido em uma mureta de tijolos, respirando com dificuldade, o coração batendo violentamente contra as costelas, como um boxeador que o estivesse golpeando, atacando-o, deixando-o sem ar. Uma dor dispara através do lado esquerdo de seu peito, aterrorizando-o, e ele respira de forma lenta e profunda, mas não consegue ar suficiente.

Um táxi vazio passa, parece longe, enquanto suor pinga do rosto de Marino, sentado perfeitamente imóvel sobre a mureta, os olhos arregalados, as mãos nos joelhos. O cigarro cai de seus dedos crispados e rola pelas pedras arredondadas da pavimentação, parando em uma fenda.

51

Bev não consegue parar de pensar nela.

Ela devia ficar longe daquela ovelha que acabou de lhe dar cinco dólares no estacionamento do Wal-Mart. Mas não consegue. Bev não consegue controlar a compulsão, e embora sua reação desafie qualquer explicação racional, existe uma causa e um efeito em seus pensamentos sombrios e hediondos. A ovelha a rejeitou. A mulher afastou-se de Bev como se ela fosse repulsiva e em seguida ousou degradá-la ainda mais dando-lhe dinheiro.

Dentro do Wal-Mart, Bev fica mais tempo perto de uma prateleira com repelentes de insetos, pegando as embalagens, fingindo ler os rótulos enquanto observa o estacionamento através do vidro espelhado. Para sua surpresa, a ovelha não está dirigindo um carro novo, mas uma velha Explorer verde-escura que, por algum motivo, não parece apropriada para uma dona de casa ou namorada rica e mimada. Mais interessante ainda, ela está sentada dentro do veículo com o motor ligado e os faróis apagados. Bev entra e sai de um provador em cinco minutos, vestida com uma camisa havaiana espalhafatosa e com bermudas — nenhuma das peças foi paga e as etiquetas anti-roubo foram cortadas com seu canivete. Sua capa de chuva está do avesso e dobrada sobre o braço; na cabeça, um chapéu barato de plástico, desses contra chuva, ainda que a noite esteja clara. Se as pessoas chegarem a reparar nela, vão supor ou que ela é louca ou que arrumou o cabelo.

A Explorer continua no mesmo lugar. Bev caminha diretamente para o utilitário branco, sujo e malconservado de Jay, confiante em que a ovelha não reparou nela, ou, pelo menos, não a relacionou com a mulher que encontrou e para quem deu dinheiro menos de meia hora atrás. Saindo com o carro, Bev vira à esquerda na Perkins, depois cruza a Acadian e pára em um pequeno estacionamento cheio de carros porque o Caterie é um restaurante popular, especialmente entre os universitários. Ela desliga o motor e os faróis, esperando, seu desejo queimando-a de maneira cada vez mais intensa quanto mais tempo a ovelha fica sentada dentro da Explorer verde-escura no estacionamento do Wal-Mart do outro lado da rua.

Talvez ela esteja falando com alguém pelo celular. Quem sabe dessa vez ela está brigando com seu homem em vez de ficar falando com aquele jeito meloso nojento. Bev é uma especialista em seguir as pessoas. Faz isso regularmente quando está dirigindo a Cherokee de Jay. Antes de se tornar uma fugitiva de um acampamento de pesca, ela seguia pessoas, dependendo do que precisava ser feito, ou simplesmente por seguir. Mas naqueles dias suas atividades tinham um propósito, ou pelo menos eram um meio voltado para um fim útil. Seja lá o que Bev estivesse fazendo, ela estava seguindo ordens.

Em certa medida, ela está seguindo as ordens de Jay agora, mas os métodos e as emoções mudam quando se pede repetidamente para uma pessoa realizar a mesma tarefa. Bev começou a aproveitar, a desenvolver suas próprias fantasias e a se divertir sozinha. É direito dela.

A Explorer se dirige para o centro do bairro Old Garden. A bela loira que a dirige não faz idéia de que a mulher com o joelho ruim não está muito longe. Isso diverte Bev. Ela sorri quando a Explorer diminui a velocidade e vira à direita em uma entrada para carro escura limitada por arbustos altos. Bev passa na frente da casa, estaciona no fim da rua e sai da perua. Ela se cobre rapidamente com a capa escura e retrocede até a casa de tijolos brancos bem a tempo de ver a porta da frente se fechar, a mulher segura do lado de dentro. Bev volta para a Cherokee, anota o endereço e pega uma rua paralela para não passar na frente da casa de novo. E espera.

52

Mais do que qualquer outra coisa, Jean-Baptiste Chandonne quer uma antena bipolar, mas ele não tem direito de freqüentar a loja da prisão e é lá que as antenas são vendidas.

Os presos que têm um status mais favorável podem comprar antenas bipolares, fones de ouvido, rádios portáteis, um amplificador com AM/FM e um medalhão religioso com uma corrente. Pelo menos alguns deles podem. O Animal, em particular, adora se vangloriar de seu rádio portátil, mas ele não tem uma antena bipolar porque os presos só podem ter um item da lista especial que eles chamam de As Dez Mais. No corredor da morte, os privilégios são limitados pelo temor de que os presos confeccionem armas.

Jean-Baptiste não se interessa por uma arma. Seu corpo é sua arma, caso ele decida liberá-lo. Não é interessante liberá-lo, não agora. Quando é levado com algemas para o chuveiro, ele não precisa atacar os guardas, o que certamente conseguiria fazer devido a seu magnetismo, que é ampliado quando passa por diversas portas de metal com barras de ferro. Seu poder se acumula. Ele pulsa em sua virilha e ergue a parte superior de seu crânio fazendo-o pairar sobre sua cabeça. Ele deixa uma trilha visível de centelhas. Os agentes correcionais nunca entendem o motivo de ele sorrir, e seu comportamento deixa-os bastante aborrecidos.

As luzes se apagam às nove. O agente que opera o painel de controle adora girar cada um dos botões, lançando os presos em completa escuridão em suas celas. Jean-Baptiste ouviu os guardas comentando que a escuridão dá aos "safados" tempo para pensar bastante sobre suas execuções iminentes, a punição por aquilo que fizeram quando estavam do lado de fora, livres e capazes de satisfazer seu amor. Aqueles que não matam não entendem que a união suprema com uma mulher é libertá-la, ouvi-la gritar e gemer, cobrir-se com o sangue dela enquanto se sacia em seu corpo e em seguida a expõe, para que todas as pessoas possam ver, e portanto compartilhem do êxtase dela e do casamento de seu magnetismo com ele por toda a eternidade.

Ele está deitado em sua cama, o suor empapando os lençóis, seu cheiro preenchendo a pequena e abafada cela, o aparelho sanitário de aço inoxidável formando uma silhueta de sapo contra o lado direito da parede do fundo. Os condenados estão quietos, com exceção do Animal. Ele conversa baixinho consigo mesmo, quase sussurrando, sem perceber que Jean-Baptiste pode ouvi-lo sem precisar dos ouvidos. À noite o Animal se transforma na entidade fraca e impotente que realmente é. Ele vai ficar muito melhor depois que o coquetel o colocar para dormir e não mais precisar de sua carne fraca e imperfeita.

"... Fica quieta. É gostoso, né? Pára, por favor, pára. Pára! Isso dói! Não chora. É gostoso. Você não entende, sua putinha? É gostoso! Eu quero a minha mãezinha! Eu também. Mas ela é uma prostituta. Agora pára de gritar, está ouvindo? Se você gritar mais uma vez..."

"Quem está aí?", pergunta Jean-Baptiste ao ar malcheiroso.

"Cala a boca. Cala essa porra de boca. A culpa é sua. Você tinha que gritar, não é? Eu te falei pra não gritar. Bom, você não vai mais mascar chiclete. Sabor canela. Deixou a embalagem cair perto do balanço para eu saber o sabor que você gosta. Putinha estúpida. Fica bem aqui na sombra, ok? Tenho que correr, correr. Essa é boa pra valer, tenho que correr, tenho que correr." Ele começa a cantarolar baixinho. "Tenho que correr, tenho que correr, tenho que correr-correr-correr..."

"Quem está aí?"

"Toc, toc, quem está aí?", responde o Animal em tom de zombaria. "Peludo, peludo, pouco sortudo, quando vai crescer a sua pica? Com as bolinhas enfiadas no rabo e uma salsicha menor que uma titica." Canta baixinho, baixinho, mas alto o suficiente. "Eu sou um poeta, sabia? Sabia disso, maravilha sem pinto? Um cara realmente sensível, é isso o que eu sou. Ovo de pata, ovo de pato. O gato come o rato. As gostosas eu como e depois mato."

"Quem está aí?" Jean-Baptiste exibe seus dentes pequenos, pontudos e muito espaçados. Ele os lambe com força e experimenta o sabor metálico e salgado de seu próprio sangue.

"É só eu, Bola de Pêlo. Seu melhor amigo no mundo. Seu único amigo no mundo todo. Você não tem ninguém, só eu, sabia? Deve saber. Quem mais conversa com você e manda bilhetinhos de amor de porta em porta até que entrem na sua cela, todos sujos e lidos por todo mundo?"

Jean-Baptiste escuta, sugando sangue da língua.

"Você tem uma família po-de-ro-sa. Ouvi falar neles no meu rádio. Mais de uma vez eu ouvi."

Silêncio. Os ouvidos de Jean-Baptiste são como antenas parabólicas.

"Co-ne-xões. Onde estão aqueles merdas daqueles guardas quando a gente precisa deles?", diz ele zombando da escuridão.

Sua voz odiosa voa como pequenos morcegos através das barras de ferro na porta de Jean-Baptiste. Palavras flutuam ao redor dele, e ele as afasta com movimentos bruscos de suas mãos peludas.

"Você sabia que fica louco aqui dentro, Bola de Pêlo? Se você não sair, fica louco como um gato com um fio elétrico enfiado no cu. Sabia disso, Bola de Pêlo?"

"*Je ne comprend pas*", sussurra Jean-Baptiste, uma gota de sangue escorrendo-lhe pelo queixo e desaparecendo em seu corpo coberto de cabelos finos como os de um bebê.

Ele passa o dedo no sangue e lambe o dedo.

"Ah, você *comprendez vous*, muito bem. Talvez eles enfiem alguma coisa no seu cu, hein? E cabum!" O Animal ri baixinho. "Escuta, depois que eles te colocam naquela jaula, eles podem fazer o que quiserem, e quem vai saber? Se você contar para alguém, eles te machucam ainda mais e dizem que foi você quem se machucou sozinho."

"Quem está aí?"

"Eu tô cansado pra cacete de ouvir você dizendo isso, essa merda de quem tá aí, seu Micro-Pinto! Você sabe muito bem quem está aí. Sou eu. Seu a-mi-go."

Jean-Baptiste ouve o Animal respirando. O ar dele viaja, passando por duas celas, e Jean-Baptiste sente cheiro de alho e Burgundy tinto, um Clos de Mouches jovem, que ele chama de um vinho estúpido porque não dormiu o suficiente em lugares escuros e úmidos para se tornar brilhante e saboroso. No escuro, a cela de Jean-Baptiste no corredor da morte é sua *cave*.

"Mas o negócio é o seguinte, meu amigo especial, seu único amigo. Eles têm que me transportar em uma van para o lugar onde vão acabar comigo. Huntsville. Que nome! Quer dizer vila do caçador. E eu sou o caçado e o vilão, certo? A viagem leva uma hora. E se acontecer alguma coisa entre os pontos A e B?"

Na Place Duphine, castanheiros, azaléias e rosas estão florindo com exuberância. Jean-Baptiste não precisa ver, apenas sentir o cheiro para saber onde está: Bar du Caveau e Restaurant Paul, que é muito bom. As pessoas estão desligadas dele, comendo e bebendo atrás de um vidro, sorrindo e rindo ou recostando-se intensamente à luz de velas. Algumas delas irão embora e farão amor, sem saber que estão sendo observadas. Jean-Baptiste desliza pela noite até a ponta da Ile St.-Louis, e as luzes de Paris são capturadas na corrente do Sena e brilham como cabelo fino. Em apenas alguns minutos ele está a mais ou menos dois quilômetros do necrotério.

"Bom, eu não tenho recursos para fazer nada. Mas aposto que você tem. Você manda pararem aquela van quando estiverem me levando para a injeção, e eu volto para buscar você, Bola de Pêlo. Meu tempo acabou. Três dias. Ouviu? Três malditos dias. Sei que você consegue achar um jeito. Pode arrumar tudo, pode salvar o meu rabo e aí vamos ser parceiros."

Dentro de uma *brasserie* na Ile St.-Louis, ele estava sentado em um canto e olhou para uma varanda cheia de vasos de flores, e uma mulher saiu para olhar, talvez para o céu azul ou para o rio. Ela era muito bonita, e suas janelas estavam abertas para o ar fresco do outono. Ele se lembrou que ela cheirava a lavanda. Foi isso o que pensou.

"Você pode tê-la depois que eu acabar", disse Jay enquanto bebericava um Clos de Bèze do Domaine Prieuré Roch. O vinho tinha aroma de amêndoas curadas.

Ele faz o Burgundy tinto girar lentamente, e o líquido lambe toda a volta do copo como uma língua quente fazendo vagarosos movimentos circulares.

"Eu sei que você quer um pouco." Jay ergueu o copo e riu do duplo sentido. "Mas você sabe como vai conseguir, *mon frère*."

"Está ouvindo, Bola de Pêlo? Três malditos dias, só uma semana antes de você, vou garantir que você pegue todas as vadias que quiser lá fora. Vou trazê-las para você, desde que não se importe que eu tire o meu pedaço delas primeiro. Já que você não pode, certo? Então por que você não iria dividir?" Uma pausa, e a voz do Animal torna-se sinistra. "Está me ouvindo, Bola de Pêlo? Livre como um pássaro!"

"Então vamos lá", diz Jay, piscando um olho.

Ele colocou o copo sobre a mesa e disse que voltaria logo. Jean-Baptiste, barbeado e com um boné puxado para baixo sobre o rosto, não deveria falar com ninguém enquanto Jay... Ele não pode chamá-lo de Jay. Jean-Paul, enquanto Jean-Paul estivesse lá. Através da janela, Jean-Baptiste observou seu belo irmão chamar a mulher na varanda. Ele estava gesticulando, apontando, como se precisasse de informações, e ela sorriu e começou a rir das palhaçadas dele. De maneira instantânea, ela foi conquistada pelos encantos dele e desapareceu de novo no interior do apartamento.

Então seu abençoado irmão estava novamente sentado à mesa. "Saia", ele ordenou a Jean-Baptiste. "O apartamento dela fica no terceiro andar." Ele indicou a posição com um movimento da cabeça. "Você viu onde é. Vá se esconder enquanto ela e eu tomamos um drinque. Ela vai ser bem fácil. Você sabe o que fazer. Agora saia daqui e não assuste ninguém."

"Seu filho-da-puta feioso, pedaço de bosta cheio de pêlo." O sussurro horrendo do Animal flutua para o interior da cela de Jean-Baptiste. "Você não quer morrer, quer? Ninguém quer morrer, a não ser as pessoas de quem nós *cuidamos*, quando elas não agüentam mais e começam a implorar, certo? Livre como um pássaro. Pense nisso. *Livre como um pássaro.*"

Jean-Baptiste visualiza a médica chamada Scarpetta. Ela vai adormecer em seus braços, seus olhos nunca vão sair de cima dela, e ela vai estar com ele sempre. Acaricia a carta que ela lhe enviou, datilografada e breve, implorando para ir vê-lo, pedindo a ajuda dele. Ele queria que ela a tivesse escrito à mão, para poder estudar cada curva e contorno de sua caligrafia sensual. Jean-Baptiste imagina Scarpetta nua e chupa a língua.

53

Os trovões soam como tímpanos de uma orquestra ao longe, e as nuvens passam rapidamente sobre a lua quarto minguante.

Bev não vai voltar para Dutch Bayou até a tempestade passar, caso venha para o sudeste, mas a previsão não disse que isso aconteceria. Porém ela ainda não está pronta para voltar para o ancoradouro. A ovelha na Ford Explorer verde-escura percorreu uma rota interessante durante as últimas duas horas, e Bev não consegue entendê-la. Ela — seja lá quem for — percorreu ruas e em especial estacionamentos sem nenhum motivo que Bev possa perceber.

Seu palpite é que a ovelha brigou com seu homem e se recusa a ir para casa agora, provavelmente para deixá-lo morto de preocupação, um daqueles joguinhos. Bev tem tido o cuidado de ficar à distância, entrando em ruas paralelas, parando em postos de gasolina na Rodovia 19, e então acelerando. Por diversas vezes, Bev passou pela Explorer pela pista da esquerda, adiantando-se pelo menos uns quinze quilômetros, saindo da estrada e esperando que sua vítima passasse à sua frente de novo. Em pouco tempo elas atravessam Baker, uma cidadezinha com lojas com nomes estranhos: Raif's Po-Boy, Money Flash Cash, Crawfish Depot.

A cidadezinha desaparece como uma miragem, e a extensão da rodovia torna-se completamente escura. Não há nada lá, não há luzes, apenas árvores, e um *outdoor* que diz: *Você Precisa de Jesus.*

54

Os olhos dos jacarés fazem Bev se lembrar de periscópios fixando-a em seu campo de visão antes de desaparecerem sob a água que tem cor de café fraco.

Jay lhe disse que os jacarés não vão mexer com ela a menos que ela mexa neles. E diz a mesma coisa sobre as cobras boca-de-algodão.

"Você perguntou para eles o que acham? E se isso é verdade, então como as bocas-de-algodão saem que nem loucas das árvores tentando entrar no barco? E lembra aquele filme que assistimos? Ah, como é que chamava...?"

"*As faces da morte*", respondeu ele, dessa vez mais divertido do que aborrecido com as perguntas dela.

"Lembra aquele guarda de parque que caiu no lago e bem ali, na frente da câmera, o jacaré pegou ele?"

"As cobras não caem no barco a menos que você as assuste", explicou Jay. "E o jacaré pegou o guarda do parque porque o guarda do parque estava tentando pegar o bicho."

Isso pareceu bem razoável, e Bev sentiu-se ligeiramente tranqüilizada, até que Jay deu aquele sorriso cruel, fez uma meia-volta e explicou de que maneira ela poderia dizer se um animal ou um réptil é um predador e, portanto, um agressor, e, portanto, um caçador destemido.

"Está tudo nos olhos, benzinho", disse ele. "Os olhos dos predadores estão na frente da cabeça, como os meus." Ele apontou para seus lindos olhos azuis. "Como os de um jacaré, como os de uma cobra, como os de um tigre. Nós, predadores, vamos olhar sempre para a frente à procura de alguma coisa para atacar. Os olhos dos não-predadores ficam mais nas laterais da cabeça, porque de que maneira uma droga de um coelho vai se defender de um jacaré, certo? Então o coelhinho precisa de visão periférica para ver o que está vindo e correr como um doido."

"Eu tenho olhos de predador", disse Bev, satisfeita por saber disso, mas não muito contente em ouvir que os jacarés e as cobras são predadores.

Olhos assim, percebeu ela, significavam que alguma coisa estava à espreita, procurando machucar ou matar. Os predadores, especialmente os répteis, não têm medo das pessoas. Merda! No que diz respeito a Bev, ela não é páreo para um jacaré ou para uma cobra. Se ela cair na água ou pisar em uma cobra, quem vai ganhar? Não vai ser ela.

"Os humanos são os predadores perfeitos", disse Jay. "Mas nós somos complicados. Um jacaré é sempre um jacaré. Uma cobra é sempre uma cobra. Um humano pode ser um lobo ou uma ovelha."

Bev é um lobo.

Ela sente seu sangue quente lupino excitado enquanto desliza passando pelos ciprestes que se projetam do rio como as saliências no dorso de um monstro marinho. Os olhos da linda loira, com mãos e pés amarrados no assoalho do barco, piscam diante da luz intermitente do começo da manhã. Sempre que as raízes dos ciprestes aparecem na água é um sinal de que a água não é muito funda, e Bev está atenta enquanto dirige lentamente em direção à cabana de pesca. De vez em quando sua prisioneira tenta mudar de posição para aliviar a terrível dor em suas juntas, e sua respiração ofegante lhe queima as narinas, a mordaça molhada sendo sugada para dentro e para fora de sua boca.

Bev não sabe o nome dela e avisou-a para não dizê-lo. Isso foi há algumas horas, dentro da Cherokee, depois que a ovelha percebeu que não conseguiria sair pela porta do passageiro, e se tentasse pular por cima do banco, Bev iria atirar nela. Então a ovelha ficou tagarela, tentando ser amigável, tentando fazer Bev gostar dela, chegando até mesmo a perguntar educadamente o nome de Bev. Todas fazem isso, e Bev sempre diz a mesma coisa: "Meu nome não é da porra da tua conta, e eu não quero saber o seu, nem porra nenhuma sobre você".

A mulher ficou instantaneamente impotente, percebendo que não seria com conversa que se livraria de qualquer horror que estivesse guardado para ela.

Nomes só têm duas finalidades: use-os para manipular as pessoas, para elas sentirem que suas vidas têm valor, e recuse-se a usá-los para fazer com que as pessoas sintam que suas vidas não têm valor. Além disso, Bev logo vai descobrir muitas coisas sobre esse lindo cordeirinho, quando Jay monitorar as notícias em seu rádio.

"Por favor, não me machuque", implora a ovelha. "Eu tenho família."

"Não estou ouvindo", diz Bev. "E sabe por quê? Porque você não passa da caça do dia."

Bev ri, desfrutando da força de sua própria voz, porque em pouco tempo não terá mais voz. Jay é quem vai ter. Uma vez que ele se apodere da ovelha, não haverá mais nada para Bev fazer, a não ser aquilo que ele ordenar que ela faça ou não. Na maior parte do tempo, Bev vai ficar olhando, e os pensamentos sobre aquilo a subjugam com uma compulsão para controlar e abusar enquanto ainda pode. Ela amarra a ovelha mais forte do que Jay, junta os tornozelos e os pulsos nas costas de forma que o corpo fique arqueado, tornando mais difícil para o diafragma da ovelha relaxar e se contrair enquanto ela se esforça para respirar.

"Vou te dizer uma coisa, meu bem", diz Bev dirigindo o barco. "Nós vamos ancorar logo ali embaixo daquelas sombras, e eu vou cobrir você legal com repelente, cada centímetro de você, porque meu homem não vai querer você toda inchada e coçando."

Ela ri ao ver os olhos da prisioneira se arregalarem e as lágrimas inundarem seus lábios vermelhos e inchados. Essa é a primeira vez que a ovelha ouve a menção a um homem.

"Agora pára de choramingar, meu bem. Você tem que ficar bem bonita, e neste exato momento você está uma merda."

A ovelha pisca com força, a mordaça produzindo ruídos molhados cada vez que ela respira, de maneira rápida e superficial, agonizante. Bev leva o barco para perto da margem, desliga o motor e joga a âncora. Pega a espingarda e examina as árvores, procurando cobras. Satisfeita com o fato de que o único ser que vai se machucar é sua prisioneira, ela coloca a espingarda *pump-action* sobre o encerado e posiciona uma das almofadas do barco no chão a centímetros de sua "linda caça do dia", a maneira como ela continua a chamar a mulher. Bev procura em sua bolsa de praia e tira uma embalagem plástica de repelente de insetos.

"Eu agora vou tirar a sua mordaça e vou desamarrar você", diz Bev. "Sabe por que eu posso ser tão boazinha, meu bem? Porque você não tem nenhum lugar para ir, a não ser para fora do barco, e se você pensar no que tem nessas águas, dificilmente vai querer nadar um pouquinho. Ou que tal a caixa de guardar peixe?"

Bev abre a tampa do compartimento, que é do tamanho de um caixão e está cheio de gelo.

"Isso vai te manter bem fresquinha, se você decidir ser valentona. E você não vai fazer isso, vai?"

A mulher balança a cabeça vigorosamente e diz "Não" quando a mordaça é retirada. "Obrigada, obrigada", diz ela com voz trêmula, umedecendo os lábios.

"Aposto que as suas juntas estão doendo pra diabo", diz Bev, desamarrando-a sem pressa. "Jay, o meu homem, me amarrou uma vez, amarrou os meus tornozelos e os meus pulsos bem forte atrás das costas até que eu fiquei curvada como um *pretzel*, que nem você. Isso excitava ele, sabe?" Ela joga a corda sobre o encerado. "Bom, logo, logo você vai descobrir."

A mulher esfrega os tornozelos e os pulsos esfolados, tentando recuperar o fôlego. Ela faz Bev pensar em uma líder de torcida, uma daquelas loiras atléticas naturalmente bonitas, como as que aparecem nas revistas de adolescentes. Ela usa óculos de armação fina que a fazem parecer inteligente, e está na idade certa, fim dos trinta, talvez já tenha quarenta.

"Você vai à faculdade?", pergunta-lhe Bev.

"Vou."

"Bom. Muito bom mesmo." Ela desaparece em meio a seus pensamentos por um momento, uma expressão relaxada em seu rosto carnudo e maltratado pelo sol.

"Por favor, me leva de volta. Nós temos dinheiro. Podemos pagar o que você quiser."

A maldade de Bev volta de supetão aos seus olhos. Jay é inteligente e tem dinheiro. A mulher é inteligente e tem dinheiro. Ela se inclina perto da mulher, o barulho dos mosquitos soando alto atrás das árvores. Não muito longe dali, um peixe salta na água. Quanto mais alto está o sol, mais quente fica, e a camisa havaiana de Bev está úmida de suor.

"Isso não tem nada a ver com dinheiro", diz Bev quando a mulher a encara, a esperança desaparecendo gradualmente de seus olhos azul-claros. "Você não sabe o que é tudo isso?"

"Eu não fiz nada para você. Por favor, me deixa ir para casa e eu nunca vou contar nada para ninguém. Eu nunca vou fazer nada para complicar a sua vida. E eu nem poderia fazer isso. Não conheço você."

"Bom, você está se preparando para me conhecer, meu bem", diz Bev, colocando uma das mãos ásperas e secas no pescoço da mulher e esfregando-o com o polegar. "Eu e você estamos nos preparando para nos conhecermos direitinho."

A mulher pisca, molhando os lábios rachados, enquanto a mão de Bev começa a descer, tocando-lhe a depressão do pescoço, depois mais embaixo, explorando todos os lugares que deseja. A mulher senta-se rigidamente e fecha os olhos. Ela estremece quando Bev enfia a mão debaixo de suas roupas, abrindo-lhe o sutiã nas costas. Bev começa a passar o repelente de insetos, esfregando-o no corpo nu da ovelha, sentindo sua carne firme e sedutora tremendo como gelatina. Bev pensa em Jay e na mancha no chão embaixo da cama, e sacode com força a ovelha, batendo-lhe a cabeça no motor.

55

Na esquina da rua 83 com a Lexington, um caminhão de entregas atropelou um pedestre — uma mulher idosa.

Benton Wesley ouve por acaso a conversa excitada da multidão abobalhada, enquanto luzes de emergência piscam, o quarteirão fechado pela fita amarela que delimita as cenas de crime. O acidente fatal ocorreu há menos de uma hora, e Benton já viu sangue demais na vida, o que o faz passar rápido pelo local e respeitosamente desviar os olhos do corpo preso sob um dos pneus traseiros do caminhão.

Ele ouve as palavras *miolos* e *decapitada*, e alguma coisa sobre *dentaduras* espalhadas na rua. Se as coisas acontecessem de acordo com o gosto do público, cada cena de morte seria em *pay-per-view*: cinco dólares por acesso, e você pode olhar todo o sangue que seu coração agüentar. Quando Benton costumava chegar a cenas de crime e todos os policiais saíam do caminho para permitir que seu olho de especialista verificasse cada detalhe, ele tinha o direito de ordenar que pessoas não autorizadas fossem embora. Podia desabafar seu desagrado da maneira que quisesse — às vezes com calma, às vezes não.

Ele examina a área por trás dos óculos escuros, seu corpo magro movendo-se através da calçada cheia de gente, andando para um lado e para o outro com a agilidade de um lince. Um boné preto de beisebol bem comum cobre-lhe a cabeça raspada, e ele retrocede em direção ao quartel-general de Lucy, depois de descer de um táxi a dez quarteirões ao norte dali, em vez de na frente do prédio dela ou mesmo perto dela. Benton provavelmente poderia passar andando por Lucy e dizer "com licença", e ela não o reconheceria. Seis anos se passaram desde que a viu ou falou com ela pela última vez, e ele está desesperado para saber como ela está, como está o som da voz dela, como ela age. A ansiedade o pressiona para a frente em seu passo determinado até que ele se aproxima de um moderno edifício de granito polido na rua 75. Um porteiro está em pé na frente, as mãos atrás das costas. Sente calor dentro do uniforme cinza e muda o peso de uma perna para a outra, o que indica que seus pés doem.

"Estou procurando A Última Delegacia", Benton lhe diz.

"A o quê?" O porteiro o olha como se ele fosse louco.

Benton repete o que disse.

"Você está falando de algum tipo de delegacia de polícia?" O porteiro o examina, e as palavras *sem-teto* e *pirado* aparecem em seu cansado rosto irlandês. "Talvez esteja querendo a delegacia na rua 69."

"Vigésimo primeiro andar, suíte vinte e um zero três", responde Benton.

"É, agora eu sei do que você está falando, mas não chama A Última Delegacia. Vinte e um zero três é uma companhia de software — sabe como é, coisa de computador."

"Tem certeza?"

"Droga, eu trabalho aqui, não é?" O porteiro está ficando impaciente, e percebe com o canto do olho uma mulher cujo cachorro está farejando perto demais da floreira em frente ao prédio. "Ei", diz ele para ela. "Não queremos cachorros fazendo as coisas nos nossos vasos."

"Ela só está farejando", responde a mulher, indignada, puxando a guia com força e arrastando sua infeliz poodle toy de volta para o meio da calçada.

Depois de se afirmar, o porteiro ignora a mulher e sua cachorra. Benton enfia a mão em um bolso do jeans desbotado e tira um pedaço de papel dobrado. Ele o abre e alisa, olhando um endereço e um número de telefone que nada têm a ver com Lucy, ou seu prédio, ou com o escritório que realmente é chamado de A Última Delegacia, apesar do que pensa o porteiro. Se acontecer de o porteiro informar a ela, talvez em tom de zombaria, que algum esquisito parou ali perguntando por um lugar chamado A Última Delegacia, ela vai ficar em alerta, vai ficar muito preocupada. Marino acredita que Jean-Baptiste sabe o nome da empresa de Lucy. Benton quer que Marino e Lucy fiquem em alerta e preocupados.

"Aqui diz vinte e um zero três", Benton diz ao porteiro, enfiando o pedaço de papel no bolso de novo. "Qual é o nome da empresa? Talvez a informação que me deram esteja errada."

O porteiro entra e pega uma prancheta. Correndo o indicador por uma página, ele retruca: "Ok, ok, vinte e um zero três. Como eu disse, alguma coisa de computador. Infosearch Solutions. Se quiser subir, tenho que ligar para eles e pedir algum documento de identidade".

Um documento de identidade, sim, mas não é necessário ligar, e Benton está surpreso. O porteiro está sendo ostensivamente rude e preconceituoso em relação a um estranho malvestido que se apresenta diante dele, não mais atento — como não o são muitos nova-iorquinos — para o fato de que a maior virtude da cidade no passado foi receber bem os estranhos malvestidos, imigrantes desesperadamente pobres que mal falavam inglês. Benton fala um inglês primoroso quando quer, e não é pobre, embora suas reservas sejam controladas.

Ele procura no bolso da jaqueta uma carteira e tira de lá um documento de motorista: Steven Leonard Glover, quarenta e quatro anos, nascido em Ithaca, Nova York, não mais Tom Haviland porque Marino o conhece por esse pseudônimo. Sempre que Benton tem que mudar de identidade, o que faz toda vez que é preciso, ele passa por um período de depressão e absoluta falta de sentido na vida, descobrindo-se novamente mais bravo do que o necessário e tanto mais determinado a ser bem-sucedido sem se consumir em ódio.

O ódio destrói o recipiente que o contém. Odiar é perder a clareza da mente e da visão. Por toda sua vida ele resistiu ao ódio, e seria muito mais fácil e adequado odiar os criminosos sádicos, cheios de raiva e sem arrependimentos que ele incansavelmente rastreou e prendeu além do que era adequado quando estava no FBI. O dom de Benton para a evasão e a inacessibilidade não seria possível se ele odiasse ou se entregasse a qualquer emoção extrema.

Ele tornou-se amante de Scarpetta enquanto ainda era casado, e talvez esse seja o único pecado que não perdoa. Ele não tolera imaginar a angústia que Connie e suas filhas sofreram quando acreditaram que ele havia sido assassinado. Às vezes considera seu exílio uma punição pelo que fez a sua família, porque foi fraco e se entregou ao extremo de uma emoção que ainda sente. Scarpetta tem esse efeito sobre ele, e ele cometeria o mesmo pecado novamente — ele sabe disso — se pudesse voltar no tempo, ao momento em que pela primeira vez eles perceberam o que estavam sentindo um pelo outro. Sua única desculpa — bem frágil, ele sabe — é que o desejo que surgiu entre eles e o fato de terem se apaixonado não foi premeditado por nenhum dos dois. Aconteceu. Simplesmente aconteceu.

"Vou ligar para eles", diz o porteiro, devolvendo o documento falso para Benton.

"Obrigado... qual é o seu nome?"

"Jim."

"Obrigado, Jim, mas isso não será necessário."

Benton vai embora, ignorando o sinal vermelho para pedestres, atravessando a rua 75 e tornando-se parte do fluxo anônimo de pessoas que preenche a avenida Lexington. Desviando de repente sob um tapume, ele abaixa ainda mais a aba do boné, mas, por trás dos óculos escuros, seus olhos não perdem nada. Se qualquer uma daquelas pessoas distraídas passassem por ele novamente no próximo quarteirão, ele reconheceria seu rosto, sempre atento e sempre em guarda. Três vezes, e ele vai seguir seja quem for e capturar essa pessoa em sua videocâmera de bolso. Ele juntou centenas de teipes nos últimos seis anos, e até agora eles não significam nada além de demonstrar que ele vive em um mundo muito pequeno, não importando o tamanho da cidade.

Os policiais têm uma presença ostensiva em Nova York, sentados em carros-patrulha, conversando uns com os outros nas calçadas e esquinas. Benton passa por eles, olhando para a frente de forma impassível, sua arma presa ao tornozelo, uma violação tão séria que ele provavelmente seria abordado e jogado contra o muro de algum prédio, caso algum policial visse a pistola. Ele seria algemado, colocado dentro de um carro da polícia, interrogado, investigado no sistema de computadores do FBI, suas impressões digitais seriam tiradas e ele seria acusado em um tribunal, e, na verdade, isso tudo de nada adiantaria. Quando ele trabalhava em cenas de crime, suas digitais foram registradas no AFIS, o sistema de identificação de impressões digitais automatizado. Depois de sua suposta morte, suas digitais — inclusive sua ficha com as dez impressões armazenadas em câmara fria — foram alteradas, trocadas com as de um homem que morrera de causas naturais e cujas impressões digitais haviam sido tiradas clandestinamente na sala de embalsamamento de uma casa funerária em Filadélfia. O perfil do DNA de Benton não está em nenhum sistema automatizado do planeta.

Ele pára no vão de entrada de um prédio e disca o número do auxílio à lista em um telefone celular cujo endereço para cobrança é o de um número de telefone do Departamento de Justiça Criminal do Texas. Programar o endereço de cobrança não foi algo tão difícil de fazer. Benton teve anos para se tornar um perito em computadores, usando o ciberespaço e violando-o em benefício próprio. Uma ocasional ligação a cobrar acrescentada às contas telefônicas do sistema penitenciário do Texas provavelmente não vai ser notada e não poderia ser ligada a ninguém.

Benton sabe que, quando fizer sua chamada para o escritório de Lucy, o nome e o número da penitenciária do Texas vai aparecer em qualquer sistema de segurança sofisticado que ela tenha. É claro que todas as chamadas que ela recebe são gravadas. É claro que Lucy deve ter seu próprio sistema computadorizado de análise de voz. É claro que Benton tem a voz de Jean-Baptiste gravada, e a tem há anos, desde os tempos muito perigosos de uma operação secreta que não acabou com o cartel dos Chandonne, mas, em vez disso, aniquilou a identidade e a vida de Benton. Por tudo o que aconteceu, Benton ainda não se perdoou. Ele não acredita que jamais consiga se livrar de sua culpa e humilhação. Ele subestimou aqueles cuja confiança era um sinônimo de sua vida.

Quando criança, Benton e seu anel mágico cometeram erros em suas investigações de fantasia. Como adulto, ele e seu anel de ouro do FBI também cometeram erros, enganos de julgamento e avaliações psicológicas de assassinos totalmente erradas. Mas no momento de sua carreira no qual mais precisou de discernimento e de sua inteligência, ele cometeu um deslize, e pensar nisso ainda o enraivece, deixa-o doente, enche-o de auto-recriminação.

Ele diz a si mesmo, durante a maioria de seus momentos de desespero: *A culpa não é de mais ninguém. Nem mesmo dos Chandonne ou de seus asseclas. Você cavou seu próprio poço e agora precisa sair dele.*

56

"É só papel comum de copiadora", explica para Scarpetta por telefone o oficial de relações públicas de Polunsky, Wayne Reeve.

"Nós compramos resmas e vendemos para os prisioneiros por um centavo a folha. Os envelopes são do tipo mais barato, brancos, três por vinte e cinco centavos", acrescenta ele. "Se não se importa que eu pergunte, por que está interessada?"

"Pesquisa."

"Ah." A curiosidade dele aumenta.

"Análise forense de papel. Eu pesquiso nessa área. E se o prisioneiro não tem privilégios de compra?", pergunta Scarpetta de seu escritório em Delray Beach.

Ela estava saindo de casa apressada, com a mala, quando o telefone tocou. Rose atendeu. Scarpetta atendeu a ligação ansiosamente. Vai perder o vôo para Nova York.

"Ele — ou ela — pode conseguir papel de carta, envelopes, selos e tudo mais. O privilégio não é negado a ninguém, de jeito nenhum. A senhora entende, não é? Advogados", diz Reeve.

Scarpetta não lhe pergunta se Jean-Baptiste Chandonne ainda está no corredor da morte. Ela não alude ao fato de ter recebido uma carta dele e de não ter mais certeza de que Chandonne esteja realmente trancafiado.

Chega, seu filho-da-puta.

Para mim chega, seu filho-da-puta.

Você quer me ver, você vai me ver, seu filho-da-puta.

Você quer conversar, então nós vamos conversar, seu filho-da-puta.

Se você escapou, eu vou descobrir, seu filho-da-puta.

Se você escreveu ou não esta carta, eu vou descobrir, seu filho-da-puta.

Você não vai machucar mais ninguém, seu filho-da-puta.

Eu quero você morto, seu filho-da-puta.

"O senhor poderia me mandar amostras do papel que os prisioneiros usam?", pergunta ela a Reeve.

"Amanhã sem falta", promete ele.

57

Urubus-de-cabeça-vermelha voam baixo no céu azul, o cheiro de morte e decomposição atraindo-os para o pântano além do píer cinzento e gasto pelo tempo.

"O que você fez, jogou carne aqui perto?", reclama Bev para Jay prendendo uma corda em uma estaca. "Você sabe muito bem como eu odeio esses urubus."

Jay sorri, a atenção voltada para a ovelha curvada na popa do barco. Ela esfrega os pulsos e os tornozelos, as roupas parcialmente desabotoadas e em desalinho. Por um instante, uma onda de alívio passa através de seus olhos aterrorizados, como se fosse impossível que o belo homem loiro que está no píer pudesse ser mau. Jay está usando apenas jeans puídos e cortados acima dos joelhos, os músculos em seu corpo esculpido e bronzeado saltando a cada movimento que ele faz. Ele entra no barco com leveza.

"Entra", ordena ele a Bev. "Oi", diz ele para a mulher. "Eu sou Jay. Pode relaxar agora."

Os olhos arregalados dela estão presos a ele. Ela continua esfregando os pulsos e umedecendo os lábios.

"Onde estou?", pergunta ela. "Não estou entendendo..."

Jay estende a mão para ajudá-la a se levantar, e as pernas dela não respondem, então ele a pega pela cintura.

"Vamos lá. Está meio dura, não é?" Ele toca pedaços de cabelo grudados com sangue seco na nuca da mulher e seus olhos se incendeiam. "Ela não deveria ter machucado você. Você está machucada, não está? Tudo bem. Agüente aí. Vou pegar você, assim." Ele a levanta como se ela não pesasse nada. "Coloque o braço ao redor do meu pescoço. Isso." Ele a coloca no píer e sobe logo em seguida. Ajudando-a a se levantar, ele a pega no colo novamente e a carrega para dentro da cabana.

Bev está sentada na cama estreita e com cheiro desagradável. Não há cobertas, apenas um lençol desbotado e amassado e um travesseiro manchado que perdeu o formato e está quase plano. Os olhos de Bev seguem Jay quando ele coloca a mulher no chão, segurando-a pela cintura enquanto ela tenta se equilibrar.

"Acho que não consigo ficar em pé", diz ela, evitando Bev, fingindo que Bev não está ali. "Meus pés estão dormindo."

"Ela amarrou você muito forte, não é?", diz Jay, e seus olhos queimam com mais intensidade. "O que você fez a ela?", ele pergunta a Bev.

Bev o encara.

"Sai da cama", ele diz a ela. "Ela precisa deitar. Está machucada. Pega uma toalha molhada!" Para a ovelha, ele diz, enquanto a ajuda a se deitar. "Eu não tenho gelo. Lamento. Gelo seria bom para a sua cabeça."

"Tem gelo na caixa do barco. E suprimentos", diz Bev sem inflexões.

"Você não me trouxe os cachorros", comenta Jay.

"Eu estava ocupada, e nenhum lugar estava aberto."

"Tem um monte de vira-latas por aí, se você não tiver preguiça de procurar."

Ela abre a geladeira e derrama água gelada em um pano de prato.

"Está tudo bem", responde a ovelha mansamente, relaxando um pouco.

Jay é bonito e gentil. Ele é amigo. Não é repugnante, como aquela mulher horrorosa.

"Vou ficar bem. Não preciso de gelo."

"Não está tudo bem." Jay acomoda gentilmente o travesseiro sob a cabeça dela, e ela grita de dor. "Não, não está nada bem."

Ele escorrega uma das mãos sob o pescoço dela, movendo-lhe a cabeça de forma a poder sentir-lhe a nuca. A pressão de seus dedos é muito forte, e a mulher grita de novo.

"O que você fez com ela?", ele pergunta a Bev.

"Ela caiu no barco."

A mulher não diz nada e se recusa a olhar para Bev.

"Caiu com uma ajudinha, quem sabe?", pergunta Jay em um tom de perfeito autocontrole.

Ele arruma a blusa da ovelha, abotoando-a sem tocar na mulher.

58

Benton tira a jaqueta e a coloca em uma lata de lixo.

Um quarteirão para o sul, ele joga o boné de beisebol em outra lata de lixo e mergulha nas sombras de alguns tapumes para abrir sua mochila de lona. Dentro dela está uma bandana preta, e ele a amarra apertada ao redor da cabeça. Veste um colete de brim com uma bandeira americana bordada nas costas. Em um momento de intervalo do tráfego de pedestres, ele substitui seus óculos escuros por outros com uma armação completamente diferente. Enrolando a mochila, ele a coloca embaixo do braço e segue à esquerda pela rua 73, depois à esquerda de novo na Terceira Avenida e de volta para a 75, onde pára na esquina do prédio de Lucy. Jim, o porteiro, ignora-o e entra no lobby para aproveitar um pouco do ar condicionado.

A nova tecnologia é uma aliada e uma inimiga de Benton. Chamadas de telefones celulares podem ser rastreadas além da identidade de quem as faz. Os sinais ricocheteiam em satélites e voltam para o lugar onde o responsável está geograficamente localizado quando a chamada é feita, e até hoje é impossível enganar essa tecnologia. Benton não tem escolha a não ser tentar desviar dela. Embora a identidade daquele que telefona vá erroneamente indicar que a chamada está sendo feita em uma prisão do Texas, a transmissão por satélite vai revelar que a chamada foi feita em Manhattan, indicada, com absoluta precisão, em uma área menor do que um quarteirão da cidade.

Benton faz a chamada do endereço de Lucy na esquina da Lexington com a rua 75. Jean-Baptiste está no corredor da morte, e isso é fácil de confirmar. A lógica ditaria que Jean-Baptiste não poderia ter ligado a cobrar de Manhattan. Então quem foi? Lucy ficará intrigada com a chamada feita de um lugar tão próximo a seu prédio, e, conhecendo-a tão bem quanto a conhece, Benton tem certeza de que ela vai fazer um telefonema de seu próprio endereço para ver se o satélite acusa as mesmas coordenadas.

Isso vai levá-la à conclusão de que deve haver algum probleminha técnico, a transmissão voltou para onde a chamada foi recebida em vez de para o lugar onde foi iniciada. Ela não vai entender como isso pode ter acontecido, uma vez que nunca aconteceu antes. Lucy vai ficar paranóica. Sem dúvida, vai ficar brava, porque não perdoa serviço malfeito ou erros técnicos. Vai colocar a culpa da confusão na companhia telefônica ou em seu pessoal. Provavelmente a segunda opção.

Quanto a Jim, o porteiro, quando lhe perguntarem, ele dirá que no exato momento em que a chamada foi feita, ele não viu ninguém com um telefone celular na frente do prédio ou perto dele. Vai ser uma mentira. Quase todo mundo em Nova York anda por aí com um celular no ouvido. A verdade é que, mesmo que Jim se lembre da hora exata em que deixou seu posto para aproveitar o ar condicionado do saguão, ele nunca vai admitir isso.

O último obstáculo é a análise de voz, que Lucy irá realizar de imediato para verificar que quem ligou foi Jean-Baptiste Chandonne. Isso não é ameaça. Benton passou muitos anos meticulosamente estudando, transcrevendo e ditando gravações da voz de Jean-Baptiste, depois regravando-as em arquivos digitais com um único microfone direcional que, quando usado em modo ultra-sensível, capta som multidirecional ou ruídos de fundo — nesse caso, o interior de uma prisão. Ele editou e juntou tudo em um computador, e os resultados são perfeitos, cada arquivo uma explosão de sons para a secretária eletrônica ou para um receptor vivo que não tem a oportunidade de uma resposta que o force a um envolvimento mental que seria impossível. Passando do *Menu* para uma pasta que ele chamou de *Redstick* para indicar Baton Rouge, ele verifica o horário no visor de cristal líquido e confirma mais uma vez que todos os detalhes estão em ordem.

Ele liga o microfone em uma das entradas do aparelho e ajusta um fone de ouvido.

O telefone na Infosearch Solutions — A Última Delegacia — é atendido.

"Manhattan. Chamada a cobrar para Infosearch Solutions na Setenta-e-cinco", diz ele no microfone.

"Seu nome?"

"Unidade Polunsky."

"Aguarde, por favor."

A telefonista completa a ligação.

"Chamada a cobrar de Unidade Polunsky. O senhor aceita?"

"Sim", sem pausa ou mudança de inflexão.

"Boa tarde. Quem está falando, por favor?", continua uma voz masculina, o identificador de chamadas mostrando o Departamento de Justiça Criminal do Texas.

Benton ajusta o supressor de ruído para o nível máximo para erradicar os sons do tráfego de Nova York e outros que poderiam ser desastrosos para uma chamada supostamente feita do interior de uma penitenciária. Ele aperta *Play*. Uma luz verde se acende e o *Arquivo Um* começa.

"*Quando Mademoiselle Farinelli voltar, diga-lhe Baton Rouge.*" A voz gravada de Jean-Baptiste é tão natural quanto se ele mesmo estivesse falando em tempo real.

"Ela não está no escritório. Quem está falando? Quem é?" O homem no escritório de Lucy tenta falar com algo que não passa de um chip de memória na linha. "Quer deixar algum recado?"

A chamada terminou sete segundos atrás. Benton apaga

o *Arquivo Um* da pasta *Redstick,* para garantir que a mensagem falsa de Jean-Baptiste não possa ser tocada nunca mais, por ninguém.

Ele caminha de novo rapidamente pela calçada congestionada, a cabeça inclinada para baixo, sem deixar passar nenhum detalhe.

59

"Por favor, não me machuque", diz a ovelha.

Jay ajuda a mulher a se sentar na cama. Ela chora e geme enquanto ele gentilmente limpa seu cabelo ensangüentado, preocupado com o corte em seu couro cabeludo, causado por uma pancada violenta contra o motor externo. Ele volta a garantir que o machucado não é sério e não houve fratura de crânio. Ela não está vendo em dobro, está?

"Não", responde ela, a respiração entrecortada enquanto ele lhe toca o cabelo novamente com a toalha molhada e cheia de sangue. "Estou vendo bem."

A doçura de Jay, sua atitude protetora, tem o efeito de costume, e a atenção da mulher está fixa apenas nele. Ela se identifica com ele de tal maneira que sente que pode lhe contar que Bev — cujo nome a mulher não sabe — empurrou-a sobre o motor externo.

"Foi assim que eu bati a cabeça", confidencia ela para Jay.

Ele atira a toalha ensangüentada para Bev. Ela não se moveu, em pé no meio do quarto pequeno, olhando para ele como se fosse uma cobra prestes a atacar. A toalha pousa em seus pés e ela não a pega do chão.

Ele diz a ela para pegá-la.

Bev não pega a toalha.

"Pega e lava na pia", diz ele. "Eu não quero olhar para essa coisa no chão. Você não devia ter machucado ela. Limpa a toalha e tira todo esse repelente dela."

"Ela não precisa tirar o repelente de mim", implora a

mulher. "Talvez seja até melhor não tirar, por causa de todos esses insetos."

"Não. Você precisa ser lavada", diz Jay aproximando-se e cheirando-lhe o pescoço. "Tem muito em você. Isso é tóxico. Ela deve ter derramado o frasco inteiro em você. Isso não é bom."

"Eu não quero que ela toque em mim de novo!"

"Ela machucou você?"

A ovelha não responde.

"Eu estou aqui. Ela não vai machucar você."

Jay se levanta da beirada da cama, e Bev recolhe a toalha molhada e cheia de sangue.

"Não precisamos desperdiçar água", diz ela. "O reservatório está baixo."

"Vai acabar chovendo", retruca Jay, estudando a mulher como se ela fosse um carro que ele fosse comprar. "De qualquer forma, o reservatório ainda tem bastante. Lava a toalha e traz de volta aqui."

"Por favor, não me machuque."

A mulher ergue a cabeça do travesseiro. Ele está rosado e molhado, e uma mancha vermelha brilhante indica que o corte começou a sangrar novamente.

"É só me levar para casa que eu não conto para ninguém. Para ninguém, juro por Deus."

Os olhos dela suplicam para Jay, sua única esperança, porque ele é maravilhoso de se olhar e até agora foi gentil.

"Não vai contar para ninguém o quê?", pergunta Jay, aproximando-se, sentando-se na beirada da cama de armação de metal com seu colchão sujo e irregular. "O que há para contar? Você se machucou, não é mesmo, e nós somos os bons samaritanos, tomando conta de você."

Ela balança a cabeça afirmativamente, a incerteza e em seguida o medo distorcendo-lhe o rosto.

"Que seja rápido. Por favor", sussurra ela entre convulsões, choros e soluços que lhe sacodem o corpo. "Se vocês não vão me deixar ir embora. Que seja rápido."

Bev volta com a toalha e a entrega para Jay. Água pinga na cama e desce por seu braço nu e musculoso. Bev passa os dedos pelo cabelo dele e beija-lhe a nuca, então aproxima-se bastante dele, enquanto ele abre a blusa da mulher.

"Ah. Sem sutiã", diz ele. "Ela não estava usando?" Jay vira o pescoço de um lado para o outro, exigindo uma resposta em uma voz macia que agora se tornou assustadora.

Bev desliza as mãos pelo peito suado dele.

Os olhos da mulher estão arregalados com o mesmo terror que Bev viu no barco. Ela treme violentamente, os seios nus balançando. Um pouco de saliva brota de um dos cantos da boca da mulher, e Jay levanta-se, enojado.

"Tira o resto das roupas dela e limpa ela bem", ordena ele a Bev. "Se fizer mais alguma coisa com ela, sabe o que vou fazer com você."

Bev sorri. A encenação deles é bem ensaiada e acontece há muito tempo.

60

Na manhã seguinte, Scarpetta ainda está na Flórida.

Novamente, ela estava prestes a partir e foi interrompida, dessa vez pelo FedEx entregando-lhe dois pacotes, um do Escritório de Informações da Unidade Polunsky, o outro um pacote grande contendo o caso de Charlotte Dard, na maior parte cópias dos relatórios da autópsia e dos laboratórios, e lâminas histológicas.

Scarpetta posiciona uma lâmina do ventrículo esquerdo sobre a platina do microscópio. Se pudesse somar as horas que passou vendo lâminas durante toda sua carreira, o número estaria na casa das dezenas de milhares. Embora ela respeite o histologista, cuja dedicação está voltada para as minúsculas estruturas de tecidos e as histórias que suas células podem contar, nunca conseguiu compreender como alguém pode ficar sentado dentro de um pequeno laboratório dia e noite, cercado por partes de coração, pulmão, fígado, cérebro e outros órgãos, e ferimentos e estigmas de doenças que são recortados em pedaços e adquirem a consistência de borracha quando colocados em frascos com um fixador como a formalina. Cada parte de tecido é embebida em cera de parafina ou resina plástica e cortada em fatias finas o suficiente para que a luz as atravesse. Depois de serem colocadas em lâminas de vidro, são coloridas com uma variedade de corantes que foram desenvolvidos pela indústria têxtil do século IX.

Na maioria dos casos, Scarpetta vê muitos tons de rosa e azul, mas existe uma perfusão de cores usadas, dependendo do tecido, da estrutura celular e das possíveis máculas que devem revelar seus segredos para ela do outro lado das lentes. Os corantes, assim como as doenças, com freqüência recebem o nome de quem os descobriu ou inventou, e é aí que a histologia torna-se desnecessariamente complicada, quando não irritante. Não é suficiente para os corantes e para as técnicas de sua aplicação que sejam chamados de azul ou violeta; eles precisam ser azul cresil, violeta cresil, ou azul da prússia de Perl, ou hematoxilina de Heidenhain (vermelho purpúreo), ou tricromo de Masson (azul e verde), ou Bielschowsky (vermelho neutro), ou seu favorito, a prata metenamina de Jones. Um legado patológico tipicamente egocêntrico é uma coloração de Van Gieson de um núcleo celular de Schwann retirado de um Schwannoma, e Scarpetta não consegue entender por que o naturalista alemão Theodor Schwann quis que um tumor recebesse seu nome.

Ela observa através das lentes as faixas de contração no tecido tratado com corante rosa retirado de uma seção do coração de Charlotte Dard na autópsia. Algumas fibras estão sem núcleos, o que indica necrose, ou a morte do tecido, e outras lâminas revelam uma inflamação e uma antiga cicatrização que foram coradas em rosa e azul, e estreitamento das artérias coronárias. A mulher de Louisiana tinha apenas trinta e dois anos quando caiu morta na porta de um motel em Baton Rouge, vestida para sair, chaves na mão.

Suspeitou-se, oito anos atrás, na época da morte dela, que o farmacêutico da família deu-lhe ilegalmente o potente analgésico OxyContin, encontrado em sua agenda. Ela não tinha receita para o remédio. Em uma carta para Scarpetta, o dr. Lanier sugere que esse farmacêutico pode ter fugido para Palm Desert, Califórnia. O dr. Lanier não revela em que baseia essa possibilidade nem dá mais detalhes sobre sua decisão de reabrir o caso de Charlotte Dard.

É uma confusão por múltiplas razões: o caso é antigo; não existe evidência de que o remédio veio do farmacêutico, e mesmo que tenha vindo, a menos que ele tenha premeditado matá-la com OxyContin, ele não é culpado de assassinato em primeiro grau; na época da morte de Charlotte Dard, ele não falou com a polícia, mas por meio de um advogado afirmou que um amigo da família com hérnia de disco pode ter dado OxyContin para Charlotte e ela acidentalmente ter tido uma *overdose*.

Diversas cópias de cartas enviadas oito anos atrás para o dr. Lanier são de Rocco Caggiano, o advogado do farmacêutico.

61

Atrás da janela na frente da mesa de Scarpetta, sombras rastejam sobre as dunas de areia acompanhando o movimento do sol. As folhagens das palmeiras raspam umas nas outras de leve, e um homem que está passeando na praia com um labrador inclina o corpo contra o vento. Mais longe, no horizonte azul nebuloso, um navio de carga se dirige para o sul, provavelmente para Miami. Se Scarpetta está muito envolvida em seu trabalho, vai esquecer o horário e onde está e logo vai perder outro vôo para Nova York.

O dr. Lanier atende o telefone e está rouco quando diz "Alô".

"Sua voz está terrível", diz Scarpetta compassiva.

"Não sei o que foi que me pegou, mas estou me sentindo mal pra diabo. Obrigado por retornar a minha ligação."

"Que remédios o senhor está tomando? Espero que sejam descongestionantes e algum xarope expectorante, e que fique longe dos anti-histamínicos. Experimente usar aquelas fórmulas que não dão sono e que não têm anti-histamínicos ou succinato de doxilamina no rótulo — a menos que queira ficar completamente seco e arranjar uma infecção bacteriana. E fique longe de álcool. Ele abaixa a imunidade."

Ele assoa o nariz. "Só para você saber, eu sou médico de verdade. Especializado em adição, o que significa que conheço alguma coisa a respeito de drogas." Ele diz isso sem soar como se estivesse na defensiva. "Achei que você poderia ficar aliviada por saber isso."

Scarpetta fica constrangida por ter feito suposições. Os *coroners* são sempre nomeados, e infelizmente, no país inteiro, muitos deles não são médicos.

"Não tive a intenção de insultá-lo, doutor Lanier."

"E não insultou. A propósito, seu parceiro Pete Marino pensa que você anda sobre as águas."

"O senhor sabe tudo sobre mim." Ela está confusa. "Ótimo. Agora podemos tratar de negócios. Eu examinei o caso de Charlotte Dard."

"Esse é antigo e um dos bons, e é claro que não estou falando a sério. Não há nada de bom nele. Espere um pouco. Deixe-me pegar algum instrumento de escrita. Não tenho dúvida de que existe um Triângulo das Bermudas para canetas, e na minha casa ele é personificado pela minha amada esposa. Pronto."

"O caso da senhora Dard é definitivamente desconcertante", começa Scarpetta. "Como o senhor sabe com base nos relatórios dos exames toxicológicos, a taxa de oximorfone — o metabólito do OxyContin — é de apenas quatro miligramas por litro de sangue, o que a coloca na faixa de baixo risco letal. O exame gástrico deu negativo, e o nível no fígado não foi maior do que o nível no sangue. Em outras palavras, morte por overdose de OxyContin é um equívoco. Está muito claro que o nível da droga nela não é tão crítico quanto os achados clínicos dela."

"Concordo. Foi isso que pensei o tempo todo. Se você interpreta o exame toxicológico dela à luz dos achados histológicos, é possível que ela não precisasse de um nível tão alto para uma overdose acidental. Embora os relatórios e diagramas corporais não indiquem nenhum estigma cutâneo de abuso anterior de drogas intravenosas", acrescenta ele. "Então meu palpite é que ela gostava de comprimidos, mas não de agulhas."

"Com certeza ela era uma usuária crônica de medicamentos", diz Scarpetta. "O coração dela nos diz isso. Necrose irregular e fibroses com diferentes progressões, e isquemia crônica, além de doença de coronária ou cardiomegalia. Basicamente, um coração de cocainômano."

Essa é uma expressão genérica que não necessariamente significa que a pessoa era viciada em cocaína. Drogas como narcóticos, narcóticos sintéticos, OxyContin, hidrocodone, Percocet, Percodan e qualquer outra coisa que o viciado consiga arranjar vão destruir seu coração completamente, da mesma maneira que a cocaína faria. Elvis Presley foi um triste exemplo disso.

"Preciso lhe perguntar sobre as ausências", diz o dr. Lanier após uma pausa.

"O que tem elas?" Deveria ser sobre isso que ele queria falar com tanta urgência com ela. "Não vi nada no arquivo do caso que o senhor me mandou que mencionasse ausências."

Ele percebe a irritação dela. Como consultora particular, sua atuação é limitada pelas informações médico-legais que lhe são apresentadas, e a ausência de achados pertinentes — ou a presença de achados incorretos — é intolerável. Quando trabalhava em seus próprios casos ou supervisionava aqueles que estavam sendo tratados por seus outros patologistas forenses por todo o estado da Virgínia, ela não tinha que depender da competência ou da veracidade de pessoas que eram praticamente estranhos.

"Charlotte Dard sofria de ausências ocasionais", explica o dr. Lanier. "Ou pelo menos isso é o que me contaram na época."

"Quem lhe contou?"

"A irmã dela. Parece que", continua ele, "ou melhor, deixe-me especificar isso, *supostamente* ela sofria de amnésia retrógrada..."

"Eu certamente pensaria que a família dela saberia isso, a menos que nunca houvesse ninguém em casa."

"O problema é que o marido dela, Jason Dard, é um sujeito um tanto sombrio. Ninguém por aqui sabe muita coisa, talvez nada, sobre ele, a não ser que é podre de rico e mora em uma antiga fazenda. Eu não diria que a senhora Guidon é uma testemunha confiável. Embora ela certamente deva ter dito a verdade sobre o estado da irmã anterior à sua morte."

"Eu li o relatório da polícia, que é bastante sucinto. Conte-me o que o senhor sabe", diz Scarpetta.

Após um ataque de tosse, o dr. Lanier responde. "O hotel onde ela morreu fica em uma parte não muito agradável da cidade, na minha jurisdição. Uma camareira encontrou o corpo."

"E quanto aos exames de sangue? Na papelada que o senhor me mandou, só encontrei os níveis de autópsia. Então não posso saber se ela poderia ter índices de GGTP ou CDT elevados associados ao abuso de álcool."

"Desde que a contatei pela primeira vez, consegui rastrear alguns resultados de exames de sangue anteriores, porque ela ficou no hospital durante cerca de duas semanas antes de morrer. Foram arquivados em lugar errado, lamento dizer. Tenho uma funcionária em especial de quem eu adoraria me livrar. Mas ela é do tipo que nos processaria pelo menor motivo. A resposta à sua pergunta é não — GGTP e CDT não estavam elevados."

"Por que ela estava no hospital?"

"Para exames depois de sua última crise de ausência. Então, é óbvio, ela teve um desses blecautes duas semanas antes de morrer. Mais uma vez, digo *supostamente*."

"Bom, se ela não tinha GGTP ou CDT elevados, parece-me que poderíamos descartar o álcool como causa das ausências", responde Scarpetta. "E, doutor Lanier, não posso lhe fornecer uma segunda opinião se não receber todas as informações."

"Seria ótimo se eu também recebesse todas as informações. Nem lhe conto como é a polícia por aqui."

"Qual era o comportamento da senhora Dard durante as ausências?"

"Parece que era violento, ela atirava coisas para todos os lados, quebrava a casa ou o lugar onde estivesse. Certa vez ela quebrou os vidros e amassou as portas e o capô de sua Maserati. E derramou alvejante sobre os bancos de couro."

"Há algum registro disso em alguma funilaria?"

"Aconteceu em maio de 1995 e eles levaram dois meses para consertar o estrago, então o marido trocou o carro por um novo para ela."

"No entanto, esse não foi o último surto que ela teve." Scarpetta passa rapidamente para outra página de seu bloco de anotações, escrevendo de maneira rápida e ilegível.

"Não, o último — duas semanas antes de sua morte — foi no outono, dia primeiro de setembro de 1995. Na ocasião ela passou algum tipo de lâmina em quadros avaliados em mais de um milhão de dólares. Supostamente."

"Isso aconteceu na casa dela?"

"Pelo que entendi, foi em um salão."

"Testemunhas?"

"Apenas em relação ao resultado, com base no que me contaram. Mais uma vez, isso está de acordo com o que a irmã e o marido relataram na ocasião."

"Com certeza o consumo excessivo de remédios poderia causar essas ausências. Uma outra possibilidade é epilepsia do lobo temporal. Algum registro de ela ter sofrido algum ferimento na cabeça?"

"Nenhum de que eu tenha conhecimento, e nenhuma fratura ou cicatriz antiga apareceu no raio X nem no exame integral. Os registros do hospital indicam que depois de seu segundo surto, que, como eu disse, foi em primeiro de setembro de 1995, ela passou por toda uma série de exames: ressonância magnética, tomografia por emissão de pósitrons e assim por diante. Nada. É claro que epilepsia do lobo temporal nem sempre aparece, e talvez ela tenha sofrido algum tipo de ferimento na cabeça sobre o qual simplesmente não sabemos. É difícil imaginar. Estou inclinado a pensar que seu abuso de medicamentos foi a causa."

"Com base nas informações que tenho, concordo. Os achados dela correlacionam-se com abuso crônico e não com uma única overdose de OxyContin. Parece que a única resposta quanto à causa da morte é investigação."

"Diacho. Esse é o problema. Os policiais que cuidaram do caso não fizeram porcaria nenhuma e com toda a certeza também não vão fazer nada agora. Que inferno, tudo é um problema aqui. Menos a comida."

"A senhora Dard provavelmente é uma morte de origem cardíaca com abuso crônico de medicamentos como fator colaborador", diz Scarpetta. "Isso é o máximo que posso lhe oferecer."

"Não ajuda muito o fato de termos um procurador federal que é um idiota, Weldon Winn", o dr. Lanier segue reclamando. "Desde que esse maldito assassino serial começou a agir, um monte de gente está enfiando o nariz em tudo. Política."

"Suponho que o senhor esteja na força-tarefa", Scarpetta o interrompe.

"Não estou. Eles dizem que não sou necessário, uma vez que não apareceram corpos."

"E se um corpo aparecer, o senhor não precisa saber nada sobre a investigação? Mesmo se acreditarem que cada uma das mulheres foi assassinada? Tudo que o senhor está me contando vai de mal a pior", diz Scarpetta.

"Você está absolutamente certa. Não fui convidado para olhar as cenas dos locais onde elas desapareceram. Não examinei as casas delas, nem os carros e nem uma única cena de crime."

"Bom, o senhor deveria ter ido", responde Scarpetta. "Quando uma pessoa é raptada e se supõe ter havido um homicídio, a polícia deveria pedir-lhe que examinasse tudo e que soubesse de todos os detalhes. O senhor deveria ter acesso a todas as informações."

"*Deveria* não significa nada por aqui."

"Quantas das mulheres desaparecidas são — ou eram — da sua jurisdição?"

"Até agora, sete."

"E o senhor não visitou uma única cena de desaparecimento? Desculpe-me por perguntar sempre as mesmas coisas. Mas estou incrédula. E agora as cenas de crime não existem mais, estou certa?"

"Os casos já esfriaram mais do que um bloco de gelo", responde ele. "Acho que os carros ainda estão apreendidos, e pelo menos há isso de bom. Mas não dá para deixar um estacionamento ou uma casa fechados para sempre, e eu não tenho a menor idéia do que aconteceu com as casas delas." Ele faz uma pausa para tossir. "E vai acontecer de novo. Logo. O sujeito está aumentando o ritmo."

62

Com a nebulosidade, o céu está ficando azul-encardido, e o vento aumenta.

Scarpetta revolve a papelada enquanto fala com o dr. Lanier. Ela acabou de encontrar um atestado de óbito, dobrado dentro de um envelope. O documento não está autenticado e não deve ter sido emitido pela repartição do dr. Lanier. Apenas um tabelião teria autorização para mandar a Scarpetta ou a qualquer outro solicitante uma cópia — uma cópia autenticada. Quando Scarpetta era chefe, teria sido impensável para qualquer um de seus funcionários cometer um erro tão grave.

Ela menciona a cópia problemática do atestado de óbito, acrescentando: "Não estou tentando interferir na maneira como o senhor conduz sua repartição, mas achei que o senhor deveria saber...".

"Mas que diabo!", exclama ele. "Adivinha qual foi a funcionária? E não suponha que foi um *erro*. Algumas pessoas por aqui adorariam me colocar em uma encrenca."

O nome de solteira no atestado de óbito é De Nardi, o pai chamava-se Bernard De Nardi, a mãe, Sylvie Gaillot De Nardi.

Charlotte De Nardi Dard nasceu em Paris.

"Doutora Scarpetta?"

Ela ouve vagamente a voz rouca e a tosse dele. Sua mente trava nas mulheres desaparecidas, na morte suspeita de Charlotte Dard e no bloqueio de informações que mantém o *coro-*

ner no escuro. O sistema legal da Louisiana é notório por sua corrupção.

"Doutora Scarpetta? Ainda está aí? Será que caiu a ligação?"

A execução de Jean-Baptiste Chandonne será em breve.

"Alô?"

"Doutor Lanier", ela diz finalmente. "Deixe-me perguntar-lhe uma coisa. Como foi que ouviu falar a meu respeito?"

"Ah, que bom. Pensei que a ligação havia caído. Foi por meio de uma indicação indireta. Uma indicação bastante incomum, aliás, que sugeriu que eu contatasse Pete Marino. Isso me levou a você."

"Uma indicação incomum de quem?"

Ele espera passar mais um ataque de tosse. "Um sujeito no corredor da morte."

"Deixe-me adivinhar: Jean-Baptiste Chandonne."

"Não me surpreende que você tenha adivinhado. Eu andei pesquisando. Confesso. Você teve uma história bastante assustadora com ele."

"Não vamos falar sobre isso", diz ela. "Eu também suponho que ele seja a fonte de informação sobre Charlotte Dard. E, a propósito, Rocco Caggiano, o advogado que representou nosso misterioso farmacêutico que supostamente fugiu para Palm Desert, ele também é advogado de Chandonne."

"Ora, isso eu não sabia. Você acha que Chandonne teve alguma coisa a ver com a morte de Charlotte Dard?"

"Aposto que ele, ou alguém em sua família ou associado a ela, teve", diz ela.

63

Lucy não tomou banho, seu comportamento de costume no escritório abalado pela exaustão e pelo estresse pós-traumático que ela não vai admitir.

Ela está com a aparência de quem dormiu de roupa, o que de fato aconteceu — duas vezes. Uma vez em Berlim, quando o vôo foi cancelado, e a segunda em Heathrow, quando ela e Rudy tiveram que esperar três horas para embarcar em um vôo de oito horas que os deixou no Aeroporto Kennedy menos de uma hora atrás. Pelo menos eles não tinham bagagem para perder, seus poucos pertences enfiados em uma pequena sacola de lona. Antes de sair da Alemanha, eles tomaram banho e se livraram das roupas que tinham usado no quarto 511 do Hotel Radisson em Szczecin.

Lucy limpou todas as impressões digitais de seu bastão tático e, sem interromper o passo, jogou-o pela janela ligeiramente aberta de um Mercedes amassado que estava estacionado em uma rua estreita e tranqüila cheia de outros carros. Com certeza o dono do Mercedes iria ficar intrigado com o bastão e iria se perguntar quem o teria deixado em seu banco da frente e por quê.

"Feliz Natal", murmurou Lucy, e ela e Rudy continuaram caminhando rapidamente dentro da madrugada.

A manhã estava escura e fria demais para moscas-varejeiras, mas com a tarde, quando Rudy e Lucy já haviam partido fazia muito tempo, as moscas teriam acordado na Polônia. Um número maior dos imundos insetos alados iria encontrar a janela ligeiramente aberta de Rocco Caggiano e entrar zumbindo em enormes bandos para se alimentar de seu corpo frio e duro. As moscas iriam estar ocupadas depositando centenas — talvez milhares — de ovos.

O chefe de pessoal de Lucy, Zach Manham, só precisa de uma evidência para deduzir que sua chefe está fora de si e que alguma coisa muito ruim aconteceu onde quer que ela tenha estado. Ela emite um cheiro corporal forte e desagradável. Mesmo quando Manham passava horas na academia ou corria quilômetros com Lucy, ela não fedia, não desse jeito. O cheiro dela é o odor forte de medo e estresse. Sua secreção demanda pouca transpiração, que é úmida e pegajosa e concentra-se nas axilas, permeando intensamente as roupas, tornando-se mais desagradável e perceptível com o tempo. Acompanhando essa reação aguda há uma elevação nos batimentos cardíacos, respiração curta, palidez e pupilas contraídas. Manham não conhece a fisiologia de uma reação que ele aprendeu a reconhecer cedo em sua antiga carreira como investigador do escritório do promotor público de Nova York, mas não precisa conhecer.

"Vá para casa descansar um pouco", ele diz repetidas vezes a Lucy.

"Pára com isso", ela finalmente grita com ele, interessada no volumoso gravador digital que está sobre a mesa de Manham.

Ela coloca os fones de ouvido e aperta a tecla *Play* novamente, manipulando o volume.

Pela terceira vez, ela ouve a mensagem críptica que seu sistema de identificação de chamadas bastante preciso localizou na Unidade Polunsky, enquanto o sistema de rastreamento por satélite indica que a chamada foi feita praticamente na porta da frente do prédio onde fica o escritório de Lucy, ou talvez até mesmo dentro dele. Apertando com força a tecla de desligar, ela se senta, exausta e transtornada.

"Que droga, que droga!", exclama ela. "Eu não entendo! Zach, você fez alguma cagada aqui?"

Ela esfrega o rosto, um resto de rímel está grudado em seus cílios e a deixa enlouquecida. Quando fez o papel de garota bonitinha que pareceu perfeitamente adequado no Hotel Radisson em Szczecin, ela acabou pegando um tubo de rímel à prova d'água, e ela odeia rímel, e estava sem um removedor de maquiagem porque não é muito amiga de cosméticos. Então ela esfregou o rosto com bastante força, mas só conseguiu encher de sabão os olhos, que estão injetados e inchados, como se ela tivesse bebido a noite inteira. Com raras exceções, álcool em serviço é proibido, e as primeiras palavras que saíram da boca dela quando apareceu em seu escritório menos de uma hora atrás, deixando um rastro de mau cheiro sempre que se movia, foram para explicar que ela não passara a noite na farra, como se Manham ou qualquer outra pessoa desconfiasse, mesmo por um segundo, que ela havia feito isso.

"Eu não fiz nenhuma cagada, Lucy", responde Manham pacientemente, olhando para ela com preocupação.

Ele está perto dos cinqüenta anos, em ótimas condições físicas, tem um metro e oitenta de altura, o cabelo castanho espesso e com tufos grisalhos nas têmporas, e seu antigo sotaque do Bronx é neutralizado ou alterado sempre que necessário. Manham é um mímico natural. É surpreendente como se adapta a qualquer ambiente. As mulheres acham-no irresistivelmente atraente e divertido, e ele tira vantagem profissional disso. Não existem julgamentos morais na Última Delegacia, a menos que um investigador seja tolo e egoísta o bastante para violar o código inflexível do comportamento impecável. As escolhas pessoais de alguém não devem nunca, absolutamente nunca, interferir nas missões que todos os dias colocam vidas em risco.

"Sinceramente não tenho a menor idéia sobre o que aconteceu aqui, por que o sistema de rastreamento por satélite está indicando a área adjacente ao prédio", Manham diz a Lucy. "Entrei em contato com Polunsky, e Jean-Baptiste está lá. Eles dizem que ele está lá. Ele não poderia ter aparecido aqui. Isso seria impossível, a menos que ele possa levitar, diacho."

"Acho que você está querendo dizer viajar para fora do corpo", retruca Lucy, e sua parcialidade e sua arrogância estão incontroláveis, o que a faz se sentir muito mal. "Levitar significa pairar acima do chão."

Ela se sente impotente porque sua mente sempre lógica e brilhante não consegue decifrar o que aconteceu, e ela não estava lá quando aconteceu.

Manham olha educadamente para ela. "É ele? Tem certeza?"

Lucy conhece a voz de Jean-Baptiste, macia, quase doce, com forte sotaque francês. Ela nunca vai esquecer a voz dele.

"É ele, sim", diz ela. "Pode fazer a análise vocal, mas já sei qual vai ser o resultado. E eu acho que Polunsky tem que provar que o babaca que eles têm no corredor da morte é realmente Chandonne — por exemplo, com um teste de DNA. Talvez a porra da família dele tenha aprontado alguma. Se for preciso, eu mesma vou até lá para ver a cara feia dele."

Ela odeia odiar Jean-Baptiste. Nenhum investigador competente pode se entregar a emoções, senão seu julgamento pode ser obscurecido, de maneira até mesmo fatal. Mas Jean-Baptiste tentou matar a tia de Lucy. Por isso ela o despreza. Por isso ele deveria morrer. Isso é o que Lucy deseja fervorosamente. Por aquilo que ele pretendeu e tentou, ele deveria sentir o terror abjeto que infligiu aos outros e que desejou infligir a Scarpetta.

"Um novo teste de DNA? Lucy, precisaríamos de um mandado judicial." Manham tem consciência dos limites jurisdicionais e legais e viveu muito tempo segundo os padrões estabelecidos por eles, o que faz com que, no mínimo, ele se preocupe quando Lucy sugere um plano que, no passado, seria impensável e impossível, e que, no mínimo, teria resultado na supressão de evidências que destruiriam um caso no tribunal.

"Berger pode requerer." Lucy está se referindo à assistente do promotor público, Jaime Berger. "Telefone a ela e peça para vir até aqui assim que puder. Tipo, agora."

Manham não evita o sorriso. "Tenho certeza de que ela não tem nada para fazer e vai adorar a diversão."

64

Scarpetta espalha dezenas de fotografias coloridas que tirou, colocando cada folha do papel que veio de Polunsky em um negatoscópio e fotografando todas elas sob luz ultravioleta, e depois novamente com ampliação 50X.

Ela as compara com as fotografias da carta de Chandonne que recebeu. O papel não tem linha-d'água e é composto de fibras de madeira emaranhadas, comuns em papel barato, ao contrário dos papéis de melhor qualidade, que incluem trapo.

Visualmente, tem uma superfície lisa e brilhante, típica em papel de datilografia, e ela não percebe irregularidades que pudessem sugerir que tenha vindo do mesmo lote do fabricante, o que, na verdade, não importa. Mesmo que o papel tenha vindo do mesmo lote, essa evidência científica seria fraca em um tribunal, porque a defesa iria instantaneamente insistir que, devido ao enorme tamanho do lote do fabricante, tipos baratos de papel como esse são produzidos *junto com milhões e milhões de folhas em cada lote.*

O papel tipo carta não é diferente daquele que Scarpetta usa em sua impressora. Por ironia, a defesa poderia criar um caso dizendo que *ela* escrevera a carta de Chandonne e a remetera para si mesma.

Ela já foi submetida a acusações mais ridiculamente bizarras do que essa. Ela não se ilude. Uma vez acusada, sempre acusada, e ela foi acusada de muitas infrações profissionais, legais e morais para sobreviver ao intenso escrutínio de qualquer um que possa querer destruí-la novamente.

A cabeça de Rose aparece na porta do escritório de Scarpetta. “Se você não sair neste exato minuto, vai perder mais um vôo.”

65

Comprar café na rua é uma velha rotina que dá a Jaime Berger uma fuga temporária do caos.

Ela recebe o troco das mãos de Raul, agradece, e ele balança rapidamente a cabeça, ocupado, ciente da longa fila atrás dela, e pergunta se ela quer manteiga, embora ela tenha recusado a manteiga durante todos os anos em que tem sido cliente do quiosque na rua Centre, em frente ao escritório do procurador federal. Ela sai andando com seu café e o almoço com alto teor de carboidratos que é constituído de um *bagel* — com semente de papoula — e duas embalagens de queijo cremoso em um saco de papel branco com um guardanapo e uma faca de plástico. O telefone celular preso em seu cinto vibra como um inseto.

"Alô", atende ela, parando na calçada em frente ao seu edifício de granito, que fica perto do Ponto Zero, onde, no dia 11 de setembro de 2001, ela estava olhando pela janela de seu escritório quando o segundo avião bateu contra o World Trade Center.

O espaço vazio ao lado do rio Hudson deixou um espaço vazio dentro dela também. Olhar para o ar sem nada, olhar para o que não está mais lá, faz com que ela se sinta mais velha do que seus quarenta e oito anos, e com a passagem de cada época em sua vida ela perdeu uma parte de si mesma que nunca poderá ser recuperada.

"O que você está fazendo?", pergunta Lucy. "Estou ouvindo o caos das ruas, então você deve estar no meio de policiais, advogados e assassinos em volta do Palácio da Justiça. Em quanto tempo você chegaria ao Upper East Side, onde as coisas são mais civilizadas?"

É comum Lucy não dar a Berger a oportunidade de falar coisa alguma até que seja tarde demais para dizer não.

"Você não tem tribunal agora, tem?"

Berger responde que não. "Acho que você quer me ver *agora*."

Sendo realista, *agora* significa em quarenta e cinco minutos, devido ao tráfego moroso. É quase uma da tarde quando Berger sobe até o vigésimo primeiro andar do prédio de Lucy. As portas do elevador se abrem para uma área de recepção em mogno com as palavras *Infosearch Solutions* em letras de metal na parede atrás da mesa curva de vidro. Não há uma área de espera para os clientes, e a mesa é ladeada por duas portas de vidro opaco. A da esquerda se abre eletronicamente quando as portas do elevador se fecham, uma câmera invisível no lustre transmitindo a imagem de Berger e todos os sons que ela produz em monitores de tela platinada em todas as salas interiores.

"A sua aparência está horrível. Mas o que importa é a minha aparência", diz ela secamente quando Lucy a cumprimenta.

"Você está muito fotogênica", retruca Lucy, fazendo um gracejo que já usou em outra ocasião. "Você poderia ter tido uma carreira brilhante como atriz em Hollywood."

Berger é uma mulher morena com traços bem definidos e dentes bonitos. Está sempre vestida de maneira impecável, em terninhos executivos realçados por acessórios caros, e, embora ela não pense em si mesma como uma atriz, todo bom promotor é teatral durante suas entrevistas e com certeza no tribunal. Berger olha para uma parede com portas de mogno fechadas. Uma delas se abre, e Zach Manham sai, segurando uma pilha de CDs.

"Vamos para a minha sala", Lucy diz a Berger. "Apareceu uma aranha."

"Uma tarântula", acrescenta Manham, sério. "Como vai, chefe?" Ele aperta a mão de Berger.

"Ainda sente saudade dos bons tempos?" Berger sorri para ele, mas seus olhos desmentem o tom de brincadeira.

Perder Manham do esquadrão de investigadores da Procuradoria, ou de sua Equipe A, como ela o chama, ainda é incômodo, embora tenha sido para o melhor e ela continue a trabalhar com ele em ocasiões como essa.

Mais uma época que passou.

"Venha por aqui", diz Manham.

Berger segue Lucy e ele até um local simplesmente chamado de *o laboratório*. É uma sala grande, à prova de som, como um estúdio de gravação profissional. Diversas prateleiras suspensas estão abarrotadas de sistemas sofisticados de áudio, vídeo e posicionamento global, além de diversos sistemas de rastreamento que desafiam os conhecimentos de Berger e sempre a surpreendem quando ela vai ao escritório de Lucy. Em toda parte, luzes piscam e telas de vídeo mudam de uma imagem para outra, algumas delas do interior do prédio, outras de locais que não fazem sentido para Berger.

Ela repara em algo que se assemelha a um feixe de pequenos microfones sobre uma mesa lotada de modems e monitores.

"O que é essa mais recente geringonça?", pergunta ela.

"É a mais nova jóia que você vai ter. Um transmissor ultramicro", responde Lucy, pegando o feixe e soltando um dos transmissores, do tamanho de uma moeda de vinte e cinco centavos e preso a um fio fino e comprido. "Vai junto com isto." Ela dá um tapinha em uma caixa preta com plugues e um monitor de cristal líquido. "Nós podemos fazer sumir esta coisinha na bainha de um de seus ternos Armani, e se te pegarem, o rastreador com tecnologia quasi-Doppler pode localizar a sua posição exata por meio de sinais de VHF e UHF.

"Amplitude da freqüência, vinte e sete a quinhentos megahertz. Canais selecionados por um teclado simples, e esta outra coisa que você está vendo" — ela dá uma pancadinha na caixa preta — "é um sistema de rastreamento que podemos usar para monitorar qualquer lugar em que você esteja, no carro, na sua motocicleta, na sua bicicleta. Nada mais do que um oscilador de cristal alimentado por uma bateria de níquel-cádmio. Consegue monitorar até dez alvos ao mesmo tempo, supondo que seu marido esteja por aí farreando com diversas mulheres."

Berger não reage à sutileza que é tudo, menos sutil.

"À prova d'água", continua Lucy. "Com uma bolsa legal para carregá-lo, com alça de ombro e tudo. Talvez eu peça à Gurkha ou à Hermès para criar um modelo especial — talvez em avestruz ou canguru — especialmente para você. Com antena para aeronaves disponível, caso queira se sentir segura voando em um Learjet, um Gulf Stream, ou qualquer outro modelo em que você se locomova, especialmente para você, que é uma mulher do mundo."

"Fica para uma outra vez", diz Berger. "Espero que você não tenha me feito vir até aqui para me mostrar o que acontece se eu me perder ou for raptada."

"Para falar a verdade, não."

Lucy senta na frente de um monitor grande. Seus dedos digitam rapidamente no teclado enquanto ela passa por várias janelas na tela, entrando cada vez mais em um aplicativo científico forense que Berger não reconhece.

"Você arruma essas coisas na Nasa?", pergunta ela.

"Talvez", responde Lucy, apontando o cursor para uma pasta cujo nome é um número que, mais uma vez, não faz o menor sentido para Berger. "A Nasa faz muito mais do que apenas trazer rochas lunares para a Terra. Vamos colocar as coisas nos seguintes termos" — Lucy faz uma pausa, as mãos sobre o teclado, olhando intensamente para a tela —, "eu tenho uns coleguinhas que são cientistas de foguetes no Centro de Pesquisas em Langley." Ela faz um círculo com o mouse. "Tem muita gente legal por lá que não recebe o crédito que merece" — tec-tec-tec. "Nós temos alguns projetos surpreendentes em andamento. Ok." Ela clica em um arquivo também numerado e com a data de hoje.

"Lá vamos nós." Ela olha para Berger. "Escute isto."

"Boa tarde. Quem está falando, por favor?" A voz masculina na fita pertence a Zach Manham.

"*Quando Mademoiselle Farinelli voltar, diga-lhe Baton Rouge.*"

66

Berger puxa uma cadeira e senta, presa à tela do computador.

Congelados na tela há dois espectrogramas — cortes digitais de 2,5 segundos — de uma voz humana gravada convertida para freqüências elétricas. Os padrões resultantes são faixas horizontais e verticais em branco e preto que, como borrões de Rorschach, evocam diferentes associações imaginativas, dependendo de quem está olhando para eles. Nesse caso, os espectrogramas lembram a Lucy uma pintura abstrata em branco e preto de tornados.

Ela menciona isso para Berger e acrescenta: "Faz sentido, não é? O que eu fiz aqui — ou melhor, o que o computador fez aqui — foi encontrar os sons da fala de Chandonne em uma outra fonte. Nesse caso, aquela sua entrevista filmada depois que ele foi preso em Richmond. O computador procurou palavras que se equiparassem".

"É claro que o desgraçado não facilitou quando a gente olha para as palavras que ele usou na chamada que recebemos. Em nenhum lugar nessa entrevista com você", continua Lucy, "ele diz Baton Rouge, por exemplo. Muito menos ele me menciona — usando meu nome — Lucy Farinelli. Isso nos deixa com as palavras *quando*, *voltar* e *diga-lhe*. É um número de sons muito menor do que eu gostaria de ter para comparação. Nós queríamos pelo menos vinte sons de fala para obter uma equiparação positiva. Mas o que conseguimos apresenta uma semelhança significativa. As áreas mais escuras nos espectrogramas conhecidos correspondem à intensidade das freqüências." Ela aponta as áreas negras dos espectrogramas na tela do computador.

"Parecem iguais para mim", observa Berger.

"Definitivamente. Nas três palavras *quando*, *voltar* e *diga-lhe*, sim, eu concordo."

"Ei, eu estou convencido", diz Manham. "Mas no tribunal seria bem difícil, pelo motivo que Lucy comentou. Não temos equiparações suficientes de sons para convencer um júri."

"Esqueça o tribunal por enquanto", diz a mais respeitada promotora de Nova York.

Lucy digita outras teclas e ativa um segundo arquivo.

"*Começo a tocar nos seios dela e abro o sutiã*", diz a voz de Jean-Baptiste — aquela voz macia e educada.

Então Lucy diz: "Vamos lá, três outros fragmentos de uma entrevista que contém palavras para comparação".

"*Fiquei um pouco confuso no início quando tentei tocá-la e não consegui tirar o top.*"

A seguinte é: "*Mas posso dizer que você é bonita*".

"Mais", diz Lucy. "*Era um bilhete de volta, classe econômica, para Nova York.*"

Lucy explica: "Nossas três palavras, Jaime, e estão bem parecidas. Como já mostrei, essas frases são da sua entrevista filmada com Chandonne antes de ele ser citado, quando você entrou no caso como promotora especial".

É difícil para Lucy ouvir os trechos dessa entrevista. De uma maneira um tanto ambígua, ela se ressente por Berger ter forçado Scarpetta a assistir ao teipe, embora fosse necessário, totalmente necessário, sujeitá-la a horas do que não passou de pornografia violenta e manipulada depois de ele quase a ter matado. Jean-Baptiste mentiu e adorou ter feito isso. Não há dúvida de que ele estava sexualmente excitado pela idéia de que Scarpetta, uma vítima e testemunha-chave, fazia parte de seu público. Durante horas, ela assistiu-o e escutou-o inventar com detalhes não só a história sobre o que ele fez em Richmond, mas o seu chamado encontro romântico de 1997 com Susan Pless, uma meteorologista do canal CNBC cujo corpo barbarizado foi encontrado em seu apartamento no Upper East Side de Nova York.

A mulher tinha vinte e oito anos, uma bela afro-americana surrada e mordida da mesma maneira grotesca que as outras vítimas de Chandonne. Apenas em seu assassinato foi recolhido sêmen. Nos assassinatos mais recentes de Jean-Baptiste, aqueles em Richmond, as vítimas estavam nuas apenas da cintura para cima, e não se recuperou sêmen, apenas saliva. Esse fato levou a conclusões, parcialmente baseadas em análise de DNA, de que a rede dos Chandonne é uma configuração coesa de crime organizado para o lucro e aberrações violentas cometidas por esporte sádico. Jean-Baptiste e Jay Talley apreciam o esporte sem lucro. No assassinato sexual de Susan Pless, os dois irmãos trabalharam em conjunto, o afável Jay seduzindo e estuprando Susan e depois passando-a para seu gêmeo horrendo e impotente.

Lucy, Berger e Manham olham para os espectrogramas sonoros na tela do computador. Embora a análise de voz não seja uma ciência exata, os três estão convencidos de que o homem que deixou a mensagem e Jean-Baptiste Chandonne são a mesma pessoa.

"Como se eu precisasse disso." Berger passa o dedo na tela do vídeo, deixando uma trilha tênue. "Eu reconheceria a voz daquele puto em qualquer lugar. *Tornado*. É isso mesmo. Essa é a verdade. O jeito como ele passa destroçando as vidas das pessoas, e não é que parece que ele voltou a fazer isso?"

Lucy explica o rastreamento por satélite que aponta para a área imediatamente ao redor do prédio onde estavam, enquanto o identificador de chamadas mostra que a chamada foi feita do outro lado do país, na Unidade Polunsky no Texas. "Como entender isso?"

Berger balança cabeça. "A menos que haja algum tipo de

defeito técnico ou alguma outra explicação que me escapa, pelo menos neste momento."

"O mais importante é que eu quero saber de verdade que Jean-Baptiste Chandonne ainda está no corredor da morte no Texas e está agendado para tomar uma injeção no dia 7 de maio", diz Lucy.

"Pode crer", murmura Manham, apertando sucessivamente o botão de uma caneta, clic-clic-clic, um hábito nervoso que aborrece todos que o conhecessem.

"Zach?" Berger levanta a sobrancelha, olhando para a caneta.

"Desculpe." Ele enfia a caneta em um bolso da camisa branca engomada. "A menos que vocês duas precisem de mim, tenho alguns telefonemas para fazer." Ele olha para as duas.

"Estamos bem. Mais tarde eu te informo", diz Lucy. "E se alguém telefonar me procurando, é para dizer que ninguém sabe onde estou."

"Ainda não está pronta para vir à tona e respirar um pouco?" Manham sorri.

"Não."

Ele sai, mal se ouvindo o som abafado da porta almofadada.

"E Rudy?", pergunta Berger. "Tomara que esteja em seu apartamento, tomando uma ducha ou tirando uma soneca. Parece que você deveria estar fazendo a mesma coisa."

"Não. Nós dois estamos trabalhando. Ele está na sala dele no fim do corredor, perdido no ciberespaço. Rudy, o viciado em internet, o que é excelente. Ele tem mais mecanismos de busca varrendo o universo do que a Inglaterra tem de linhas de trem."

"Para conseguir um mandado para fazer com que Chandonne passe por um exame de DNA", diz Berger, "tenho que mostrar uma causa provável, Lucy. E um telefonema gravado não só não vai servir, como não tenho certeza sobre quanto você quer que vaze deste escritório. Especialmente tendo em vista que nós realmente não sabemos o que o telefonema significa..."

"Nada", interrompe Lucy. "Você sabe que isso é o quanto eu quero que vaze deste escritório. Absolutamente nada."

"O pecado imperdoável." Berger sorri, seus olhos tocados por uma leve tristeza ao olhar para o rosto determinado e sério de Lucy, um rosto ainda liso e iluminado pela juventude, um rosto com lábios sensualmente grossos da cor de terra vermelha escura.

Se é verdade que as pessoas começam a morrer no dia em que nascem, então Lucy parece ser uma exceção. A Berger parece que ela é uma exceção para todas as coisas humanas, e só por essa razão ela receia que Lucy não vá viver muito. Ela tem uma visão do rosto jovem e atraente e do corpo forte em cima de uma mesa de aço inoxidável para autópsias, uma bala na cabeça, e não importa o quanto se esforce para apagar essa imagem de sua mente, ela não consegue.

"Deslealdade, mesmo quando se origina da fraqueza, é o pecado imperdoável", concorda Lucy, intrigada e desconcertada pela maneira como Berger está olhando para ela. "Qual é o problema, Jamie? Você acha que temos um vazamento? Porra, os meus pesadelos são sobre isso. O pesadelo com o qual eu vivo. Tenho mais medo disso do que da morte." Ela está começando a ficar irritada. "Se eu pegar alguém nos traindo... bom, um só judas nesta organização e estamos todos fritos. Por isso eu tenho que ser durona."

"É, Lucy você é durona." Berger se levanta, mal olhando os padrões de voz de Chandonne captados no monitor. "Nós temos um caso não resolvido aqui em Nova York: Susan Pless."

Lucy se levanta também, os olhos intensos encontrando os de Berger, prevendo a próxima coisa que ela vai dizer.

"Chandonne foi acusado do assassinato dela, e você sabe todas as razões pelas quais desisti, larguei tudo, decidi não processá-lo e deixei que o Texas ficasse com ele."

"Por causa da pena de morte", diz Lucy.

67

As duas param diante da porta à prova de som, os monitores brilhando com imagens das câmeras em circuito fechado mudando constantemente, e diversas luzinhas, brancas, verdes e vermelhas piscando, como se Lucy e Berger estivessem na cabine de uma espaçonave.

"Eu sabia que ele seria sentenciado à morte no Texas, e ele foi, dia 7 de maio", murmura Berger. "Mas não havia pena de morte para ele aqui, nunca em Nova York."

Ela coloca seu bloco de anotações dentro da pasta, fechando-a. "Qualquer dia desses, é possível que o promotor público permita a existência da injeção por aqui, mas provavelmente não durante o meu mandato. Porém suponho que a pergunta agora, Lucy, seja a seguinte: nós queremos que Chandonne morra? E, mais exatamente, nós queremos que a pessoa que está na cela dele em Polunsky, seja lá quem for, seja executada quando não podemos ter certeza de quem é essa pessoa, agora que recebemos essas comunicações do famigerado Loup-Garou?"

Berger diz *nós*, embora não tenha recebido nenhuma comunicação de Jean-Baptiste Chandonne. Até onde Lucy sabe, apenas ela, Marino e Scarpetta receberam: cartas, e agora um telefonema que parece ter sido feito do Upper East Side de Manhattan, a menos que a tecnologia tenha falhado, ou tenham falhado os programadores humanos.

"Nenhum juiz vai me conceder um mandado para testar o DNA dele", diz Berger novamente em seu tom de voz de costume, calmo e seguro. "Não sem uma causa provável para um mandado. Se eu conseguir, vou tentar extraditá-lo para Nova York e acusá-lo do assassinato de Susan Pless. Com base no DNA da saliva dele, conseguiremos uma condenação mesmo que saibamos que o sêmen na vagina dela não era dele, mas, na verdade, de Jay Talley, seu irmão gêmeo. O advogado de Chandonne, Rocco Caggiano, vai tentar todos os truques sujos que tiver, caso tiremos esse caso da gaveta — por assim dizer."

Lucy evita falar sobre Rocco Caggiano. Sua expressão não registra absolutamente nada. Ondas de náusea a atravessam novamente. Ela deseja que passem. *Eu não vou ficar enjoada*, é o que ordena a si mesma silenciosamente.

"Com certeza eu apresentaria o sêmen de Talley como evidência, e aí o caso ficaria perigoso e incerto. A defesa vai argumentar que Jay Talley, agora um fugitivo, estuprou e assassinou Susan, e a única coisa que posso provar sem dúvida é que Chandonne afundou seus dentes nela. Em suma", ela fala como se estivesse num tribunal, "é de se esperar que o doador do sêmen não seja importante para os jurados, que estarão horrorizados com o fato de que a saliva encontrada nas marcas de mordida por quase toda a parte superior do corpo de Susan provará que Chandonne a torturou. Mas não posso provar que ele a matou ou que ela sequer estivesse viva quando ele começou a mordê-la."

"Que merda", comenta Lucy.

"Talvez ele seja condenado. Talvez os jurados acreditem que ela sofreu extrema dor física, que o assassino foi cruel e desumano. É possível que ele receba a pena de morte, mas isso nunca seria realizado em Nova York. Então, *se condenado*, ele provavelmente receberia prisão perpétua sem possibilidade de condicional, e aí teríamos que viver com ele até que morresse na prisão."

Lucy coloca a mão na maçaneta e se inclina contra a grossa forração acústica de espuma da porta. "Eu sempre quis que ele morresse."

"E eu estou satisfeita que ele tenha ido parar no Texas", responde Berger. "Mas também quero o DNA dele, assim poderemos saber com certeza se ele não está perambulando pelas ruas, de olho na próxima vítima..."

"Que poderia ser uma de nós", diz Lucy.

"Vou dar alguns telefonemas. O primeiro passo para mim é dizer a um juiz que pretendo reabrir o assassinato de Susan Pless e quero uma ordem judicial para uma amostra de DNA de Chandonne. Depois vou contatar o governador do Texas. Sem a sanção dele, Chandonne não vai a parte alguma. Conheço o governador Corley o suficiente para esperar séria obstinação da parte dele, mas pelo menos acho que ele vai me ouvir. O estado dele tem orgulho de livrar a Terra de assassinos. Vou ter que fazer um acordo com ele."

"Nada como a justiça para ajudá-los em época de eleições", diz Lucy com cinismo, abrindo a porta.

68

Por volta das dez horas da manhã, na Polônia, um funcionário de manutenção chamado George Skrzypek é mandado ao quarto 513 do Hotel Radisson para consertar um ralo entupido em uma banheira que está causando um odor desagradável.

Ele bate na porta e diz em voz alta "manutenção" diversas vezes. Quando ninguém responde, ele entra, reparando imediatamente que os hóspedes já foram embora, deixando uma cama cheia de lençóis desarrumados e com manchas de sêmen, e diversas garrafas de vinho vazias e cinzeiros imundos com pontas de cigarro nos criados-mudos.

A porta do armário está aberta, os cabides estão no chão, e quando ele entra no banheiro com sua caixa de ferramentas, descobre a sujeirada de costume, pasta de dente grudada na pia e respingada no espelho, o aparelho sanitário sem dar descarga, a banheira cheia de água espumosa, e grandes moscas se arrastando sobre um prato de chocolates parcialmente comidos largados sobre o gabinete da pia. Moscas zumbem e batem contra a lâmpada acima do espelho e mergulham sobre a cabeça de Skrzypek.

Gente porca.

Tem tanta gente porca.

Ele calça luvas de borracha e mergulha as mãos na água fria e gordurosa da banheira, tateando para achar o ralo. Tufos de cabelo preto comprido tampam o bocal.

Porcos.

A água começa a escoar pelo ralo. Ele joga o cabelo molhado emaranhado dentro do vaso sanitário e afasta as moscas do rosto com a mão, enojado ao vê-las disputando o prato de chocolates. Tirando as luvas de borracha, ele as usa para bater nas pragas gordas, negras e imundas.

É claro que moscas não são insetos estranhos para ele, e ele sempre as vê no trabalho, mas nunca essa quantidade em um quarto e não nessa época do ano, em que o clima está tão fresco. Ele passa pela cama e percebe a janela aberta, uma imagem típica, mesmo no inverno, porque muitos hóspedes fumam. Ao estender a mão para fechá-la, ele percebe outra mosca andando no peitoril da janela. Ela se eleva no ar como um dirigível e passa zumbindo por ele, entrando no quarto. Um odor penetra pela janela com o ar de fora, um cheiro bastante fraco que o faz pensar em leite azedo ou carne podre. Ele coloca a cabeça para fora da janela. O mau cheiro está vindo do quarto imediatamente à direita. Quarto 511.

69

O carro está estacionado diante de um parquímetro na rua 114 no Harlem, a um quarteirão do Rao's.

Na antiga vida de Benton, ele conseguiria uma das cobiçadas mesas do Rao's porque era do FBI e tinha status especial com a família que era proprietária do famoso, se não famigerado, restaurante italiano havia uns cem anos. O lugar era um ponto de encontro da máfia, e nunca se sabe quem se pode encontrar lá agora. Celebridades freqüentam suas poucas mesas cobertas com toalhas xadrez. Policiais adoram o lugar. O prefeito de Nova York fica longe de lá. Ficar estacionado na rua 114 em um Cadillac preto velho que comprou por dois mil e quinhentos dólares em dinheiro é provavelmente o mais perto do Rao's que Benton jamais voltará a estar.

Ele liga um telefone celular no acendedor de cigarros, o motor e o ar-condicionado ligados, as portas trancadas, os olhos constantemente nos espelhos enquanto observa pessoas rudes que não têm nada melhor a fazer do que andar pelas ruas procurando encrenca. O endereço de cobrança daquele telefone é o número da caixa postal de uma mulher em Washington que não existe. A localização por satélite de onde a chamada de Benton é feita não é relevante, e em dois minutos ele ouve o senador Frank Lord falando com um membro de seu gabinete que não tem consciência de que o senador ativou o modo 2 de seu telefone celular internacional e agora vai receber chamadas e na verdade transmitir sua conversa sem nenhum sinal de alerta que possa ser detectado por ninguém que não ele mesmo.

Enquanto o senador estava dando um depoimento ao vivo na TV, ele olhou seu relógio e de repente pediu um intervalo. Sem que ele toque no telefone preso a seu cinto, a pessoa que está chamando — no caso, Benton — pode ouvir tudo o que o senador diz.

Ele ouve passos e vozes abafados.

"... o maior corpo obstrucionista do mundo. Se isso não é verdade", diz o senador, que é sempre reservado, mas é bem durão. "Maldito Stevens."

"Uma coisa é certa, ele elevou a pirataria a uma forma de arte", diz outra voz masculina no fone de ouvido de Benton.

Quando deixou uma mensagem de texto no celular do senador com a hora exata em que iria ligar, era a primeira vez que Benton fazia contato com ele em quase um ano. O senador Lord sabe que Benton está ouvindo, a menos que tenha esquecido ou não tenha visto a mensagem. Dúvidas lutam contra a confiança de Benton. Ele tenta imaginar o senador, vestido como sempre em um terno conservador, sua postura altiva como a de um general de quatro estrelas.

Mas a reunião remota e unilateral deve estar acontecendo. O senador saiu de uma audiência que provavelmente estava sendo transmitida ao vivo pelo canal C-SPAN. Ele não faria isso sem um bom motivo, e seria uma coincidência, para dizer o mínimo, se aconteceu de ele sair no exato momento em que Benton o avisou que telefonaria para o número em modo 2.

Além disso, pensa Benton aliviado, é óbvio que o senador ajustou o telefone em modo 2. Caso contrário, ele não conseguiria ouvi-lo falando. *Não seja estúpido, nem tão nervoso*, diz ele silenciosamente para si mesmo. *Você não é estúpido. O senador Lord não é estúpido. Pense com clareza.*

Ele se lembra de como sente falta de estar com seus velhos amigos e conhecidos pessoalmente. Ouvir a voz do senador Lord, amigo de confiança de Scarpetta, um homem que faria qualquer coisa por ela, causa um aperto na garganta de Benton. Ele cerra os punhos, apertando com tanta força o telefone que suas articulações chegam a branquear.

O homem, provavelmente um assessor, pergunta: "O senhor quer algo para beber?".

"Agora não", responde o senador Lord.

Benton repara em um jovem musculoso sem camisa movendo-se casualmente na direção de seu Cadillac amassado e enferrujado, um trambolho tão remendado com epóxi que o carro parece ter um distúrbio de pigmentação. Benton o encara sério, uma espécie de aviso universal, e o jovem muda de direção.

"Ele não vai ser nomeado, senhor", diz o assessor, totalmente alheio ao fato de que cada palavra que diz está sendo transmitida para um celular Nokia no Harlem.

"Eu sou sempre mais otimista do que você, Jeff. As coisas podem mudar de direção, podem surpreender a gente", diz o senador Lord, presidente do Comitê de Justiça e o mais poderoso político ligado ao judiciário federal, porque controla as verbas, e tudo gira em torno de verbas, mesmo a investigação e solução dos mais horrendos crimes.

"Quero que você saia e entre em contato com Sabat." O senador Lord está se referindo a Don Sabat, diretor do FBI. "Garanta-lhe que vai ter tudo o que precisa para sua nova unidade de cibercrimes."

"Sim, senhor." O assessor parece surpreso. "Puxa, ele vai ficar muito satisfeito."

"Ele fez tudo certo e precisa da minha ajuda."

"Não estou certo se concordo com o senhor, presidente, no sentido de que temos algumas outras questões grandes pendentes, e isso vai provocar muito..."

"Obrigado por cuidar de tudo", interrompe o senador Lord. "Tenho que voltar lá e fazer aqueles idiotas pensarem em pessoas e não nos malditos jogos de poder político."

"E punições. Há aqueles que não gostam muito do senhor."

O senador ri. "Isso significa que estou fazendo alguma coisa certo. Mande meus cumprimentos a Sabat, diga-lhe que as coisas estão andando bem agora, que tudo está funcionando. Tranqüilize-o, sei que ele tem estado inseguro. Mas nós realmente temos que estar atentos agora, mais do que nunca."

A linha fica muda. Dentro de horas, dinheiro será enviado para várias contas do Banco de Nova York na Madison com a 63, e Benton poderá começar a fazer saques com cartões emitidos para outros nomes fictícios.

70

Dentro do escritório de Lucy, uma luz começa a piscar em um computador.

A notícia se espalhou. Ao que parece, o notório advogado Rocco Caggiano cometeu suicídio em um hotel na Polônia, seu corpo tendo sido descoberto por um funcionário da manutenção que percebeu um mau cheiro que vinha de um dos quartos.

"Que diabo...?" Lucy aperta uma tecla para desativar a luz que está piscando. Ela clica o mouse no comando de imprimir.

Mecanismos de busca são a especialidade dela, e um enorme grupo deles foi regulado para encontrar qualquer informação que pudesse estar relacionada a Rocco Caggiano. Há muita coisa. Rocco adorava ler sobre si mesmo, ávido por exposição na imprensa, e todas as vezes que Lucy achou algum artigo sobre ele ou algum cliente que ele representou, sentiu um desconforto que nunca havia experimentado antes. Ela não consegue reunir autocontrole suficiente para parar de ver a cena de Rudy ajudando Rocco a atirar na própria cabeça.

Apontado para cima.

O cano tem que estar apontado para cima.

Uma dica que ela aprendeu com sua tia Kay, cuja reação Lucy não consegue imaginar, caso ela descobrisse o que sua preciosa sobrinha e Rudy fizeram.

"Nem mesmo quarenta e oito horas?" Rudy inclina-se sobre o ombro dela, o hálito dele roçando-lhe o pescoço e cheirando ao chiclete de canela que ele tem o costume de mascar quando não está em público.

"Parece que continuamos dando azar em Szczecin. Graças a um funcionário da manutenção e um ralo entupido." Lucy continua lendo um relato da AP.

Rudy senta-se ao lado dela e coloca o cotovelo sobre a mesa, o queixo apoiado na mão. Ele a faz pensar em um garoto que acabou de perder seu primeiro jogo na liga mirim de beisebol.

"Depois de tanto planejamento. Porra. E agora? Você conseguiu acessar o relatório médico? Porra, não me diga que está em polonês."

"Agüenta aí. Deixa eu sair daqui..." Ela clica o mouse. "E entrar em outro lugar... Eu *adoro* a Interpol..."

A Última Delegacia é um cliente bastante seleto, uma das entidades consideradas parte da enorme rede internacional da Interpol. Pelo privilégio, Lucy precisa obter uma autorização de segurança, é claro, e pagar uma assinatura anual equivalente à de um pequeno país. Ela executa uma busca, e a morte de Rocco Caggiano aparece na tela em segundos. Os relatórios policiais e da autópsia foram traduzidos do polonês para o francês.

"Ah, não", diz Lucy com um suspiro, virando na cadeira para olhar para Rudy. "Como é o seu conhecimento de francês?"

"Você sabe como é o meu conhecimento de francês. Limitado à minha língua."

"Você é tão vulgar. Um computador de uma tarefa só. Vocês, meninos. Só uma coisa na cabeça."

"Eu não penso sempre *apenas em uma coisa.*"

"É mesmo. Desculpe. Você pensa sobre essa coisa, mas faz isso duas, três, um milhão de vezes por dia."

"E você, *Mam-ouzelle* Farinelli?"

"Credo, o seu francês é muito ruim."

Ela olha para o relógio de pulso, um formidável Breitling

de titânio que inclui um transmissor localizador de emergência, ou TLE.

"Pensei que você não deveria usar essa coisa a não ser que estivesse voando", diz Rudy, dando uma pancadinha no relógio.

"Não toque nele. Vai acionar o mecanismo de localização", provoca ela.

Ele segura o braço dela, estudando o relógio, franzindo a testa diante do mostrador azul brilhante, balançando a cabeça para um lado e para o outro, fingindo ser burro. Lucy começa a rir.

"Qualquer dia desses vou desparafusar esse botão aqui" — ele bate no relógio de novo, ainda segurando o braço dela — "e vou puxar a antena todinha para fora. E vou sair correndo..."

O telefone celular de Lucy vibra, e ela o tira do cinto.

"E vou morrer de rir quando a Guarda Costeira aparecer, e os F-15 aparecerem rugindo..."

"O que é?", ela atende ao telefone abruptamente.

"Você tem um jeitinho tão meigo de tratar as pessoas", Rudy sussurra no ouvido dela. "Se eu morrer, você se casa comigo?"

A estática no outro lado da ligação está ruim. "Quem é?", pergunta ela em voz alta. "Não dá para ouvir." A estática piora. Lucy abaixa os ombros e desliga o celular. "Você não reconhece este número, reconhece?"

Ela ergue o aparelho mostrando o número de quem acabou de ligar.

"Não. Nove-três-seis...? Que código de área é esse?"

"Fácil de descobrir."

Não é preciso mecanismos de busca especiais ou a Interpol para digitar um número de telefone e descobrir de quem é. Lucy entra na página do Google. O nome que aparece na tela do computador é o do Departamento de Justiça Criminal do Texas, Unidade Polunsky. Junto aparece um mapa.

"Você não respondeu a minha pergunta", diz Rudy, ainda flertando, mas completamente consciente da importância de uma chamada de Polunsky.

"Por que eu me casaria com você, se você estiver morto?", murmura ela, mal ouvindo o que ele diz.

"Porque você não pode viver sem mim."

"Não acredito nisso." Ela olha fixamente para a tela. "Que porra está acontecendo? Pede para o Zach ligar para a minha tia, para se certificar de que ela está segura. Pede para ele dizer a ela que é possível que Chandonne tenha fugido. Que porra! Ele está brincando com a gente!"

"Por que você mesma não telefona para ela?", pergunta Rudy, perplexo.

"Aquele bosta está brincando com a gente, porra!" Os olhos dela brilham.

"Por que *você* não telefona para Scarpetta?", pergunta Rudy de novo.

Lucy se torna melancólica instantaneamente.

"Eu não vou conseguir falar com ela agora. Simplesmente não vou." Ela olha para ele. "Como você está?"

"Péssimo."

71

Benton não fez a chamada em uma linha comum porque não queria que a conversa inaudível fosse gravada.

Os meios técnicos de que Lucy com certeza dispõe e sem os quais ela não sabe viver não incluiriam um telefone celular que grave automaticamente uma conversa ao vivo, em especial se for levado em consideração que pouquíssimas pessoas têm o número do celular dela, e as que têm não fazem parte do grupo cujas ligações ela gravaria secretamente. Essa manobra foi muito mais simples do que a anterior, e não há o risco de que Lucy possa tentar uma análise de voz para decifrar o que a absurda voz gravada de Jean-Baptiste tinha a dizer, o que significa nada.

Benton simplesmente emendou fragmentos da voz gravada de Jean-Baptiste com estática, para dar a impressão de alguém tentando falar em um celular ruim. Ela já deve ter rastreado a chamada — da mesma forma como fez antes — até Polunsky. O satélite dessa vez será inútil, porque a falsa chamada não existe mais, perdeu-se no espaço — mais uma vez, porque Benton não ligou para nenhuma das linhas do escritório.

Ela vai ficar brava. Quando ficar suficientemente irritada, nada poderá pará-la. Jean-Baptiste Chandonne está brincando com ela. É isso que ela vai pensar, e Benton conhece Lucy bem o suficiente para ter certeza de que ela cometeu o erro de odiar Chandonne. O ódio interfere no pensamento claro. Ela vai se perguntar como Chandonne pode estar telefonando para ela de Polunsky *e* de Nova York, se a tecnologia de satélite que ela usa é confiável.

No fim das contas, Lucy sempre confia em sua tecnologia.

Uma segunda chamada de Polunsky, e ela vai passar a acreditar, acreditar seriamente, que Chandonne deve ter um telefone com um endereço de cobrança do Departamento de Justiça Criminal do Texas. Falta muito pouco para ela acreditar que Jean-Baptiste Chandonne escapou.

Scarpetta vai decidir que tem de encontrá-lo cara-a-cara, atrás do vidro de proteção, dentro da Unidade Polunsky. Chandonne vai se recusar a ver qualquer outra pessoa e tem esse direito.

Sim, Kay, sim. É para você, para você. Por favor. Encare-o antes que seja tarde demais. Deixe-o falar!

Benton está ficando fora de si.

Baton Rouge, Lucy!

Chandonne disse Baton Rouge, *Lucy!*

Está me ouvindo, Lucy?

72

Jean-Baptiste Chandonne não precisa de uma antena bipolar para saber as últimas notícias.

"Ei, Bola de Pêlo!", grita o Animal. "Você ouviu? Acho que não, já que você não tem uma porra de rádio que nem eu tenho. Adivinha o que aconteceu? Adivinha o que acabei de ouvir? O seu advogado enfiou uma azeitona na cabeça lá na Polônia."

Jean-Baptiste move cuidadosamente a caneta com a mão habilidosa de um cirurgião, traçando as letras das palavras *no corredor da morte* e *na linha de frente da vida*. Ele esfrega as pontas dos dedos no papel branco enquanto compõe uma carta para Scarpetta que vai ser enviada a ela por seu advogado, o qual, segundo Jean-Baptiste acabou de descobrir, está supostamente morto. Se Rocco está morto, Jean-Baptiste não tem nenhum tipo de emoção a respeito, mas está curioso para saber se a morte é relevante ou se simplesmente foi uma extravagância suicida aleatória que levou Rocco embora.

A notícia do suicídio cria um rebuliço composto pelas obscenidades de costume, observações cruéis e perguntas.

Informações.

No corredor da morte, informações são preciosas. Qualquer coisa que ninguém tenha ouvido ainda é devorada. Os homens estão famintos por boatos, fofocas, informações, informações. Por isso esse é um grande dia para eles. Nenhum dos prisioneiros jamais encontrou Rocco Caggiano, mas, sempre que o nome de Jean-Baptiste foi mencionado no noticiário, Rocco também foi mencionado, e vice-versa. Uma simples dedução é suficiente para Jean-Baptiste aceitar que a morte de Rocco é do interesse da imprensa apenas porque ele representa o famigerado Jean-Baptiste, aliás, Le Loup-Garou, aliás Bola de Pêlo, Micro-Pinto e Lobisomem e ah... qual era a mais nova designação que o Animal — o sempre inteligente Animal — havia criado naquela manhã, logo cedo?

Inimigo PÚBICO Número Um.

Ele escreveu isso em um bilhete dobrado que foi colocado sob a porta de Jean-Baptiste, e que também continha um pêlo púbico. Um pêlo púbico do Animal. Jean-Baptiste comeu o bilhete, saboreando as palavras, e assoprou o pêlo através da janela com barras. O pêlo flutuou até atingir o chão do lado de fora da cela.

"Se eu fosse o advogado do Lobisomem, eu me mataria também!", grita o Animal.

Risadas, e o som forte dos prisioneiros chutando as portas de suas celas.

"Calem a boca! Que diabo está acontecendo aqui?"

A confusão não dura muito tempo. Os guardas restauram a ordem imediatamente, e um par de olhos castanhos aparece na janela da porta de Jean-Baptiste.

Jean-Baptiste sente a baixa energia do olhar. Ele nunca olha de volta.

73

"Você precisa telefonar, Chandonne?", pergunta a voz ligada aos olhos. "O seu advogado morreu, cometeu suicídio. Encontraram o corpo no quarto de um hotel em uma cidade polonesa com um nome que não consigo pronunciar. Parece que se matou porque era fugitivo. Pelo jeito você ia ser representado por um criminoso. Isso é tudo o que sei."

Jean-Baptiste senta-se na cama, traçando palavras no papel branco. "Quem é você?"

"Guarda Duck."

"Monsieur Canard? *Coin-coin*. Essa é a palavra francesa para quack-quack, Monsieur Duck."

"Você quer telefonar, ou não?"

"Não, *merci*."

O guarda Duck nunca tem certeza sobre como descrever ou definir as sutilezas que o deixam irritado sempre que Jean-Baptiste fala, mas o resultado é depreciação e impotência, como se o assassino mutante fosse superior e indiferente ao corredor da morte e àqueles que têm controle total dele. O Lobisomem consegue fazer o guarda Duck se sentir como se não fosse nada além de uma sombra de uniforme. Ele espera ansiosamente a execução de Jean-Baptiste e deseja que seja dolorosa.

"É isso aí. *Nada de mercê*, é isso o que seu pobre rabo vai ganhar em dez dias", comenta o guarda Duck. "Pena que o seu advogado estourou os miolos e ficou apodrecendo dentro de um quarto de hotel. Percebo que você está se sentindo bem mal a respeito."

"Mentiras", Jean-Baptiste retruca, levantando-se da cama e movendo-se na direção da porta, fechando os dedos cheios de cabelo fino e pálido ao redor das barras de ferro na pequena janela.

Seu rosto de monstro de Halloween preenche todo o espaço e assusta o guarda Duck, que quase entra em pânico diante da proximidade da unha do polegar dele — imunda e muito comprida —, a única unha que, por algum motivo, Jean-Baptiste nunca corta.

"Mentiras", repete Jean-Baptiste.

Nunca é fácil de saber para onde seus olhos assimétricos estão direcionados, nem quanto eles vêem, e o cabelo que lhe cobre a testa e o pescoço, projetando-se em tufos nas orelhas, enche o guarda Duck de pavor.

"Para trás. Porra, você fede pior do que um cachorro que rolou no suco de alguma coisa morta. Nós vamos cortar a porra dessa sua unha do dedão."

"É meu direito legal deixar crescer as unhas e o cabelo", retruca Jean-Baptiste em voz baixa, escancarando um sorriso que faz o guarda pensar em um peixe de boca grande.

Ele imagina aqueles dentes pequenos, pontudos e muito espaçados rasgando a carne de uma mulher, mordendo seios como um tubarão furioso, enquanto punhos peludos esmurram rostos bonitos até reduzi-los a uma massa disforme. Os alvos de Chandonne eram apenas mulheres maravilhosas e bem-sucedidas, com corpos sensuais. Ele tem um fetiche por seios e mamilos grandes, o que, segundo o psicólogo forense que visita o corredor com freqüência, denota uma obsessão com uma parte do corpo que compele Jean-Baptiste a destruí-la.

"Para alguns criminosos, são sapatos e pés", explicou o psicólogo durante o café, alguns meses atrás.

"É, eu sabia dessa coisa com os sapatos. Esses doidos arrombam as casas e roubam sapatos das mulheres."

"Acontece com mais freqüência do que se imagina. O sapato em si é sexualmente excitante para o criminoso. Muitas vezes ele sente a necessidade de matar a mulher usando o fetiche ou a parte do corpo que é o fetiche. Muitos assassinos seriais iniciaram suas carreiras como ladrões de fetiches, entrando nas casas, roubando sapatos, roupas íntimas, ou outros objetos que significam alguma coisa para eles sexualmente."

"Então o Lobisomem provavelmente roubava sutiãs quando era criança."

"Isso pode muito bem ter acontecido. Ele certamente entra nas casas com facilidade, e isso é coerente com um ladrão compulsivo que se torna um assassino serial. O problema com o roubo de fetiches é que com freqüência a vítima não tem a menor idéia de que alguém entrou em sua casa e que alguma coisa foi levada. Quantas mulheres que não conseguem encontrar um sapato ou mesmo vários sapatos, ou lingerie, iriam supor que um ladrão esteve dentro de suas casas?"

O guarda Duck deu de ombros. "Diacho, a minha mulher não consegue encontrar nada do que procura na maioria das vezes. O senhor tinha que ver o armário dela. Se existe alguém que tem fetiche por sapatos, essa pessoa é a Sally. Mas não é como se algum cara pudesse entrar na casa de uma mulher e sair de lá com um peito. Bom, acho que alguns deles gostam de desmembramento."

"É como cor de cabelo, ou cor de olho, ou qualquer outra coisa. Um criminoso tem um fetiche relacionado a qualquer coisa que ative excitação sexual, o que, em alguns casos, dá origem a uma necessidade sádica de destruir esse fetiche. O que, nesse caso, é a mulher com os seios do tamanho e do formato que representam um fetiche para Jean-Baptiste Chandonne."

O guarda Duck entende isso de maneira limitada. Ele também gosta de seios. Ele se excita vergonhosa e perversamente com as imagens, até mesmo com as violentas.

74

O som do guarda andando pela passarela de metal desaparece.

Jean-Baptiste volta a se acomodar em sua cama, uma pilha de papéis em branco no colo. Ele dá uma pancadinha com a caneta no papel e compõe outra frase poética, desfraldando-a de sua mente sem igual como uma bandeira vermelha que ondula ao ritmo de sua caneta. Sua alma está transbordando poesia. Moldar palavras em imagens e profundezas que se acomodam em um compasso perfeito é fácil, muito fácil.

Acomodam em um ritmo perfeito. Ele traça sua graciosa caligrafia diversas vezes, apertando com força a caneta esferográfica no papel.

Incomodam *em um ritmo perfeito.*

Assim é melhor, pensa ele, batendo a caneta no papel novamente, em compasso com seu ritmo interior.

Tap-tap, tap-tap, tap-tap.

Ele pode fazer devagar ou rápido, ou de leve ou com força, dependendo da música de sangue que ele lembra de cada matança.

"*Acomodam*", recomeça ele. "*Mais non.*"

Tudo incomoda em um ritmo perfeito.

"*Mais non.*"

A caneta bate no papel, tap-tap.

"Meu caro Rocco", Jean-Baptiste decide escrever. "Você não ousou mencionar a Polônia para a pessoa errada, disso eu tenho certeza. Você é muito covarde para isso."

Tap, tap, tap.

"Mas quem? Talvez Jean-Paul", escreve ele a seu advogado morto.

Tap tap tap tap tap tap tap...

"Ei, Bola de Pêlo! Eu estou com o meu rádio ligado", grita o Animal. "Aaah, que pena que você não pode ouvir. Adivinha só? Estão falando sobre o seu advogado de novo. Mais uma noticiazinha. Ele deixou um bilhete, sabia? Dizendo que ter você de cliente *era de matar*. Entendeu?"

"Cala a boca, Animal."

"Toma jeito, Animal."

"Cada piada horrível, Animal."

"Eu quero fumar! Porra, por que eles não me deixam fumar?"

"Faz mal pra sua saúde, cara."

"Fumar vai matar você, seu burro de merda. Tá escrito até no maço."

75

A dieta Atkins funciona bem para Lucy porque ela nunca gostou muito de doces e não se importa se não comer massas nem pão.

Para ela, apenas cerveja e vinho representam prazeres perigosos, e ela recusa ambos no apartamento de cobertura de Jaime Berger no Central Park West.

"Não vou forçar você", diz Berger, devolvendo a garrafa de Pinot Grigio à prateleira de cima da geladeira dentro de sua bela cozinha de armários de castanheira e tampos de gabinete em granito. "Eu mesma fico melhor sem beber. Sóbria, eu já não consigo me lembrar de todas as coisas."

"Eu ficaria melhor se você esquecesse algumas coisas de vez em quando", diz Lucy. "E eu ficaria muito melhor se eu esquecesse também."

A última vez em que ela visitou a cobertura de Berger foi há pelo menos três meses. O marido de Berger ficou bêbado, e em pouco tempo ele e Lucy estavam batendo boca, até que Berger pediu a Lucy que, por favor, fosse embora.

"Está esquecido", diz Berger com um sorriso.

"Ele não está em casa, está?", certifica-se Lucy. "Você prometeu que não havia problema em eu vir até aqui."

"E eu mentiria para você?"

"Não sei...", Lucy brinca com ela.

Por um instante, a conversa leve das duas dá uma idéia falsa do horror daquele acontecimento. Nunca Berger testemunhou algo daquele nível no que deveria ser uma reunião social civilizada. Ela ficou realmente preocupada, achando que seu marido e Lucy iriam trocar murros. Lucy ganharia.

"Ele me odeia", diz Lucy, tirando um maço de papel dobrado do bolso de trás do jeans cortado como short.

Berger não responde enquanto serve água com gás em dois copos altos de cerveja e volta à geladeira para buscar uma tigela com limões recém-cortados. Mesmo quando está vestida casualmente com uma roupa leve de algodão branco e de meias, como está agora, ela é tudo menos despreocupada.

Lucy começa a ficar inquieta, coloca o papel de volta no bolso. "Você acha que algum dia vamos poder relaxar quando estivermos perto uma da outra, Jaime? Não é a mesma coisa desde..."

"Ora, não pode ser a mesma coisa, pode?"

Berger ganha muito mal na promotoria. O marido dela é um ladrão no mercado imobiliário, talvez um ponto mais evoluído do que Rocco Caggiano, na opinião de Lucy.

"Falando sério. Quando é que ele vai voltar para casa? Porque, se for logo, eu já vou indo", diz Lucy, encarando-a.

"Você não estaria aqui agora se ele estivesse prestes a voltar para casa. Ele está em uma reunião em Scottsdale. Scottsdale, Arizona. No deserto."

"Com os répteis e cactos. Que é o lugar dele."

"Pára com isso, Lucy", diz Berger. "Meu casamento ruim não tem absolutamente nada a ver com os homens horrorosos que a sua mãe escolhia enquanto você estava crescendo. Nós já conversamos sobre isso antes."

"Eu só não entendo por que..."

"Por favor, não vamos falar sobre isso. O passado é passado." Berger suspira, recolocando a garrafa de San Pellegrino na geladeira. "Quantas vezes preciso te dizer?"

"É, o passado é passado. Então vamos ao que *realmente* interessa."

"Eu nunca disse que não interessava — ou que não interessa." Berger leva os copos para a sala de estar. "Puxa vida. Você está aqui. Estou contente por você estar aqui. Vamos deixar isso de lado, está bem?"

A vista do apartamento é para o rio Hudson, uma face do prédio considerada menos atraente do que a frente, que tem vista para o parque. Mas Berger adora água. Ela adora ficar olhando os barcos de cruzeiro. Se quisesse árvores, como disse a Lucy muitas vezes, ela não teria se dado ao trabalho de morar em Nova York. E Lucy geralmente retruca que se ela quisesse água não deveria ter se dado ao trabalho de morar em Nova York.

"É uma linda vista. Nada mal para o lado barato do prédio."

"Você é impossível."

"Isso eu sei", responde Lucy.

"Como o pobre Rudy te agüenta?"

"Isso eu não sei. Acho que ele adora o emprego que tem."

Lucy se esparrama em um sofá de pele de avestruz, as pernas nuas cruzadas, seus músculos falando sua própria linguagem, respondendo aos movimentos e aos nervos enquanto ela continua vivendo pouco consciente de sua aparência. Os exercícios físicos que pratica são uma forma viciante de se livrar de seus demônios.

76

Jean-Baptiste estica o corpo no fino cobertor de lã que ele encharca de suor todas as noites.

Ele se encosta na parede dura e fria. Decidiu que Rocco não está morto. Jean-Baptiste não vai cair em outra manipulação, embora não esteja certo sobre qual possa ser o propósito dessa manipulação. Ah, é claro, *medo*. Seu pai deve estar espreitando por trás dessa mentira. Ele está alertando Jean-Baptiste de que sofrimento e morte são a recompensa pela traição, mesmo se o traidor for o filho do poderoso Monsieur Chandonne.

Um alerta.

É melhor que Jean-Baptiste não fale nada agora que está prestes a morrer.

Ha!

Todas as horas de todos os dias o inimigo tenta fazer Jean-Baptiste sofrer e morrer.

Não fale.

Eu falo se quiser. Ha! Sou eu, Jean-Baptiste, quem controla a morte.

Ele poderia se matar facilmente. Em minutos poderia torcer um lençol e amarrá-lo ao redor do pescoço e em uma perna da cama de aço. As pessoas são mal informadas sobre enforcamentos. Não é necessário altura, apenas uma posição — como de pernas cruzadas no chão e inclinando-se para a frente com todo o peso, dessa forma colocando pressão sobre os vasos sangüíneos. A inconsciência ocorre em segundos, e em seguida a morte. O medo não o tocaria, e se ele fosse pôr um fim em sua vida biológica, primeiro a transcenderia, e sua alma dirigiria tudo que ele fizesse daquele ponto em diante.

Jean-Baptiste não ia pôr um fim em sua vida biológica dessa maneira. Ele tem muito o que esperar, e alegremente deixa sua pequena cela no corredor da morte e transporta sua alma para o futuro, onde se senta atrás de uma janela de Plexiglas e encara a médica Scarpetta, avidamente ele absorve todo o ser dela, revive seu brilhantismo ao conseguir enganar a todos e entrar no encantador *château* e ao erguer seu martelo para esmagar-lhe a cabeça. Ela negou a si mesma o êxtase. Ela recusou Jean-Baptiste ao privá-lo de seu sangue. Agora ela vai voltar para ele, humilde e amorosa, percebendo o que fez, a tolice de tudo o que fez, a alegria que negou a si mesma quando o mutilou e queimou seus olhos com formalina, o produto químico dos mortos. Scarpetta jogou aquilo no rosto de Jean-Baptiste. O fluido do mal desmagnetizou-o brevemente, e, de maneira também breve, a dor forçou-o a sofrer o inferno de viver apenas em seu corpo.

Madame Scarpetta vai passar a eternidade venerando seu estado superior. Seu ser superior dirigirá sua superioridade sobre outros humanos através de todo o universo, como Poe escreveu sobre o disfarce de "um Cavalheiro de Filadélfia". É claro que o autor anônimo é Poe. O agente invisível que é o transcendente Poe apareceu a Jean-Baptiste em um delírio enquanto ele estava detido no Hospital de Richmond. Poe cresceu em Richmond. A alma dele continua lá.

Poe disse a Jean-Baptiste: "Leia minhas palavras inspiradas e você será independente de um intelecto do qual não mais vai precisar, meu amigo. Você será animado pela força e não mais será distraído pela dor e pelas sensações internas".

Páginas 56 e 57. O fim da *marcha limitada das capacidades de raciocínio* de Jean-Baptiste. Sem doenças e queixas peculiares. A voz interna e a luminosidade gloriosa.

Quem está aí?

A mão peluda de Jean-Baptiste move-se mais rápido sob o cobertor. Um mau cheiro mais forte sobe de sua transpiração intensa, e ele grita sua furiosa frustração.

77

Lucy tira os papéis dobrados do bolso de trás enquanto Berger senta-se ao lado dela no sofá.

"Relatórios da polícia, relatórios de autópsia", diz Lucy.

Berger pega as folhas impressas em computador e as analisa com cuidado mas rapidamente. "Advogado americano rico, constantemente em Szczecin a negócios, hospedava-se com freqüência no Hotel Radisson. Tudo indica que atirou em si mesmo, na têmpora direita com uma arma de pequeno calibre. Estava vestido, havia defecado em si mesmo, uma dosagem alcoólica de ponto-dois-seis." Ela levanta os olhos para Lucy.

"Para um beberrão como ele", diz Lucy, "isso provavelmente era nada."

Berger lê mais um pouco. Os relatórios são detalhados, notando a calças de cashmere, cueca e toalhas manchadas de fezes, a garrafa vazia de champanhe, a garrafa de vodca pela metade.

"Parece que ele passou mal. Vamos ver", continua Berger, "dois mil e quatrocentos dólares em dinheiro dentro de uma meia na última gaveta de uma cômoda. Um relógio de ouro, uma corrente de ouro. Sem evidências de roubo. Ninguém ouviu um tiro, ou pelo menos ninguém relatou ter ouvido um tiro.

"Evidências de uma refeição. Filé, uma batata assada, coquetel de camarões, bolo de chocolate, vodca. Alguém — não sei falar o nome — que trabalha na cozinha parece achar, mas não tem certeza, que Rocco recebeu serviço de quarto por volta das oito horas da noite do dia 26. A origem de uma garrafa de champanhe é desconhecida, mas é de uma marca que o hotel serve. Não há impressões digitais na garrafa a não ser as de Rocco Caggiano... Verificaram o quarto todo atrás de digitais, uma cápsula recuperada — que, junto com a arma, foi checada para digitais. Mais uma vez, acharam as de Rocco. Foram encontrados resíduos do disparo em suas mãos, blablabla. Eles foram minuciosos." Ela olha para Lucy. "E isto não é nem a metade do relatório da polícia."

"E quanto a testemunhas?", pergunta Lucy. "Alguém suspeito?"

"Não." Berger coloca uma página atrás da outra. "Autópsia... ah... coração e fígado comprometidos, o que não me surpreende. Arterioesclerose, et cetera, et cetera. Ferimento de arma de fogo, contato com margens laceradas e chamuscadas, sem basofilia. Instantaneamente fatal — isso iria enlouquecer a sua tia. Você sabe como ela odeia quando alguém diz que uma pessoa morreu instantaneamente. Ninguém morre instantaneamente, certo, Lucy?" Berger olha por cima da armação dos óculos de leitura e encontra os olhos de Lucy. "Você acha que Rocco morreu em segundos, minutos, talvez em uma hora?"

Lucy não responde.

"O corpo dele foi encontrado às nove e quinze da manhã, dia 28 de abril..." Berger olha para ela com uma interrogação no rosto. "Quando encontrado devia estar morto há menos de quarenta horas. Nem mesmo dois dias." Ela franze a testa. "Corpo encontrado por... não sei dizer esse nome, um sujeito que fazia manutenção. Corpo bastante decomposto." Ela faz uma pausa. "Infestado de larvas." Ela ergue os olhos. "Isso representaria um estágio de decomposição bastante avançado para alguém que estava morto havia tão pouco tempo no que me parece um quarto relativamente fresco."

"Fresco? Tem a temperatura do quarto aí?" Lucy estende o pescoço para olhar para um texto que não consegue traduzir.

"Aqui diz que a janela estava ligeiramente aberta, a temperatura no quarto era de vinte graus, embora o termostato estivesse ajustado para vinte e três graus, mas o tempo estava fresco, temperatura durante o dia entre dezesseis e dezoito graus, em torno de doze graus durante a noite. Chuva..." Ela está franzindo a testa. "Meu francês está ficando enferrujado. Hummm. Não há suspeitas de crime. Nada incomum aconteceu no hotel na noite em que Rocco Caggiano pediu serviço de quarto, a *suposta* noite, se o sujeito que cuida do serviço de quarto deu a data certa. Hummm." Ela continua lendo. "Uma prostituta fez uma cena no saguão. Há uma descrição. Que interessante. Adoraria ouvir o depoimento dela."

Berger olha para cima. Seus olhos fixam-se nos de Lucy.

"Bom", diz ela de uma forma que desconcerta Lucy, "todos nós sabemos como essa coisa de tempo da morte pode ser confusa. E parece que a polícia não tem certeza sobre a hora e a data da última refeição de Rocco, por assim dizer. Aparentemente, o hotel não controla os pedidos de serviço de quarto com um computador."

Ela se inclina para a frente, com um olhar no rosto que Lucy nunca viu antes. E que a apavora.

"Devo telefonar para a sua tia para perguntar sobre a hora da morte? Quer que eu telefone para o nosso bom amigo e detetive Marino e pergunte a opinião dele sobre a *prostituta* bagunceira no saguão? A descrição neste relatório se parece um pouco com você. Só que ela era estrangeira. Talvez russa."

Berger levanta-se do sofá e aproxima-se das janelas, olhando para fora. Ela começa a balançar a cabeça e a passar os dedos pelos cabelos. Quando se vira de novo, seus olhos estão cobertos pelo véu de proteção que ela mantém abaixado praticamente em todas as horas do dia.

A entrevista com a promotoria começou.

78

Lucy poderia muito bem estar em uma sala de reuniões no quarto andar do Escritório do Promotor Público de Nova York, olhando através de janelas empoeiradas para prédios da área mais velha do centro da cidade que se espremem por todos os lados, enquanto Berger beberica seu café puro em um copo de papel com um desenho de motivo grego no lábio, como ela fez em todas as entrevistas a que Lucy assistiu.

E ela tem observado várias delas por muitos motivos diferentes. Conhece os sons e a sensação de Berger mudando de marcha. Está intimamente familiarizada com as modulações e revoluções do motor de Berger quando ela persegue, ultrapassa ou bate de frente com um criminoso ou com uma testemunha mentirosa. Agora a poderosa máquina está virada para Lucy, e ela está tão aliviada quanto petrificada.

"Você estava justamente em Berlim, onde alugou um sedan Mercedes preto", diz Berger. "Rudy estava com você no vôo de volta para Nova York — pelo menos, presumo que Frederick Mullins, supostamente seu marido, era Rudy sentado ao seu lado no vôo da Lufthansa e depois no da British Air. Você vai me perguntar como é que eu sei disso, *senhora Mullins*?"

"Um cognome terrível. Um dos piores." Lucy sente que vai desabar. "Bom, em termos de nomes, quero dizer..." Ela ri impropriamente.

"Responda minha pergunta. Fale-me sobre essa senhora Mullins. Por que ela foi a Berlim?" O rosto de Berger é metálico, seus olhos refletindo uma raiva nascida do medo. "Tenho a impressão de que a história que estou prestes a ouvir é tudo, menos engraçada."

Lucy olha fixamente para seu copo suado, para a fatia de limão que afundou dentro dele, para as bolhas.

"Os canhotos das passagens de volta e o recibo do aluguel do carro estavam em sua pasta, e sua pasta — como sempre — estava completamente aberta sobre sua mesa", diz Berger.

O rosto de Lucy mantém-se inexpressivo. Ela sabe muito bem que Berger não deixa passar nada e perambula à vontade em lugares que não lhe dizem respeito.

"Talvez você quisesse que eu visse."

"Não sei. Nunca pensei que eu queria que você visse", respondeu Lucy em voz baixa.

Berger observa um navio de cruzeiro sendo lentamente puxado por um rebocador.

Lucy descruza e cruza as pernas nervosamente.

"Então Rocco Caggiano cometeu suicídio. Será que não aconteceu de você, por coincidência, tê-lo visto enquanto estava na Europa? Não estou dizendo que por coincidência você estaria em Szczecin, mas sei que a maioria das pessoas que viajam para aquela parte do Norte da Polônia provavelmente passaria por Berlim, como você e Rudy fizeram."

"Você daria uma grande promotora", diz Lucy por brincadeira, ainda sem levantar os olhos. "Eu não teria a mínima chance se estivesse em um interrogatório seu."

"Esse é um cenário que não quero imaginar. Meu Deus. O senhor Caggiano — o advogado do senhor Jean-Baptiste Chandonne — ex-advogado. Morto. Uma bala na cabeça. Suponho que isso te agrade."

"Ele ia matar Marino."

"Quem lhe contou isso? Rocco ou Marino?"

"Rocco", Lucy mal consegue dizer.

Ela foi muito fundo. Tarde demais. Precisa desesperadamente se eximir.

"Dentro do quarto de hotel onde ele estava", ela acrescenta.

"Deus", murmura Berger.

"A gente teve que fazer isso, Jaime. Não é muito diferente do que, do que os soldados fizeram no Iraque, entende?"

"Não, não entendo." Berger está balançando a cabeça novamente. "Como diabos você pôde fazer uma coisa dessas?"

"Ele quis morrer."

79

Lucy está em pé sobre um dos mais belos tapetes persas que já viu, no qual ela já esteve em pé muitas e muitas vezes durante melhores momentos com Jaime Berger.

Elas estão afastadas uma da outra na sala de estar.

"É difícil para mim imaginar você vestida de prostituta e arrumando uma discussão com um bêbado", continua Berger. "Isso foi trabalho malfeito da sua parte."

"Eu cometi um erro."

"Não tenho dúvida disso."

"Tive que voltar. Para pegar meu bastão tático", Lucy conta a ela.

"Qual de vocês puxou o gatilho?"

A pergunta choca Lucy. Ela não quer lembrar.

"Rocco estava planejando matar Marino, seu próprio pai", diz Lucy novamente. "Na próxima vez em que Marino saísse para uma de suas pescarias, Rocco pretendia apagá-lo. Rocco quis morrer. Ele se matou, mais ou menos."

Berger olha para a cidade, as mãos fechadas com força. "Ele *mais ou menos* se matou. Você *mais ou menos* o assassinou. *Mais ou menos* morto. *Mais ou menos* grávida. *Mais ou menos* cometendo perjúrio."

"Nós tínhamos que fazer isso."

Berger não quer ouvir aquilo. Mas não tem escolha.

"Eu juro, tínhamos que fazer isso."

Berger permanece em silêncio.

"Tinha um Alerta Vermelho para ele. Ele ia morrer. Os Chandonne teriam apagado Rocco, e não seria com delicadeza."

"Agora a justificativa é eutanásia", Berger diz finalmente.

"E de que maneira é diferente do que os nossos soldados fizeram no Iraque?"

"Agora a justificativa é a paz mundial."

"De qualquer jeito, a vida de Rocco já tinha acabado."

"Agora a justificativa é a de que ele já estava morto."

"Por favor, Jaime, não me ridicularize!"

"E eu devo te dar os parabéns?", continua Berger. "E agora você me ferrou também, porque sei o que aconteceu. *Eu sei o que aconteceu.*" Berger repete cada palavra lentamente. "Que estúpida eu sou! Porra! Sentei bem ali" — ela se vira e aponta o dedo para Lucy — "e traduzi aqueles malditos relatórios para você.

"Você poderia muito bem ter entrado no meu escritório e confessado um assassinato, e eu diria 'Não se preocupe com isso, Lucy. Todos nós cometemos erros'. Ou 'Aconteceu na Polônia, então está fora da minha jurisdição. Não conta'. Ou 'Conte-me tudo a respeito, se isso vai fazer você se sentir melhor'. Veja bem, eu não sou uma promotora pública de verdade quando estou com você. Quando estamos sozinhas, quando estamos dentro do meu apartamento, não é profissional."

80

"O branco fluído como luz e brilhante como fagulhas. Página quarenta e sete! Quem está aí?"

"Puta merda!" Olhos brilham na janela com barras, dessa vez olhos diferentes.

Jean-Baptiste sente o calor que vem dos olhos. Eles não são nada mais do que brasas, pequenas e mortiças.

"Chandonne, cala a boca, porra! Pára de ficar falando essa porra de número de página! Que merda, já estou cheio dessas merdas de número de página. Você tem algum livro escondido aí?" Os olhos percorrem rapidamente a cela como fagulhas espalhadas pelo vento. "E tira a sua mão imunda de dentro das calças, Micro-Pinto!"

A risada odiosa e familiar. "Micro-Pinto, Micro-Pinto! Micro-Pinto, Micro-Pinto...!" A voz do Animal parece vir do inferno.

Jean-Baptiste está a uns seis metros do Animal. Essa é a distância a que a janela com barras na porta de Jean-Baptiste está da área interna de recreação um andar abaixo.

Não há nada a fazer durante aquela uma hora em que se permite que um prisioneiro do corredor da morte passe no assoalho de madeira retangular seguramente fechado por uma tela de arame grosso, como uma jaula em um zoológico. O jogo de argolas é bastante apreciado, ou simplesmente andar uns mil e seiscentos metros, o que, pelos cálculos de Jean-Baptiste, requer aproximadamente setenta voltas que ninguém, a não ser ele, tem motivação para percorrer. Se Jean-

Baptiste corre as setenta voltas, o que é seu hábito durante a única hora por semana que ele tem como recreação, ele não se importa com os outros homens que estão no seu bloco de celas e que olham maliciosos para ele, os olhos deles como pontos luminosos do sol atravessando uma lente de aumento. Eles fazem as observações insolentes de costume. A hora de recreação é a única oportunidade que os prisioneiros têm de conversar uns com os outros e de se verem à distância. Muitas dessas conversas são amigáveis e até mesmo engraçadas. Jean-Baptiste não se importa nem um pouco com o fato de ninguém ser amigável com ele, e com que todas as piadas sejam à sua custa.

Ele está familiarizado com cada detalhe sobre o Animal, que não é considerado um prisioneiro modelo, mas que, diferentemente de Jean-Baptiste, tem privilégios, inclusive recreação diária e, é claro, seu rádio. A primeira vez que Jean-Baptiste experimentou cada detalhe da presença do Animal foi quando dois guardas o escoltaram para a área interna de recreação, de onde ele direcionou sua energia doentia para a porta da cela de Jean-Baptiste.

O rosto peludo de Jean-Baptiste olhava através das barras de sua janela. Era a hora de ver. Um dia, o Animal poderia ser útil.

"Olha só, Capadinho!", grita-lhe o Animal, tirando a camisa e flexionando músculos salientes que, assim como seus grossos antebraços, são quase escuros pela quantidade de tatuagens. Ele se atira de frente no chão e começa a fazer flexões com um braço só. O rosto de Jean-Baptiste desapareceu da janela, mas não antes de ele ter estudado o Animal cuidadosamente. Ele tem a pele lisa com uma mancha de pêlos castanhos que lhe cobre o peito musculoso, desce pela barriga e desaparece na virilha. É bonito, cruelmente bonito, faz o tipo fanfarrão, com um queixo forte, dentes grandes e brilhantes, um nariz reto e olhos amendoados intensamente frios.

Ele usa o cabelo cortado rente à cabeça, e embora pareça bastante capaz de se dedicar a sexo violento e de bater em suas mulheres, dificilmente alguém suspeitaria que sua preferência é abduzir garotinhas, torturá-las até a morte e praticar atos de necrofilia em seus corpos mortos, em alguns casos voltando às covas rasas onde as enterrou e retirando-as de lá para outros atos de perversão até que elas estejam decompostas demais mesmo para ele agüentar.

O Animal é chamado assim não porque se parece com um, mas porque desenterra cadáveres em decomposição como um animal, e correm boatos de que ele também canibalizou algumas de suas vítimas. Necrofilia, canibalismo e pedofilia são transgressões repugnantes para o criminoso violento típico que está no corredor da morte, o qual pode ter estuprado, estrangulado, cortado, desmembrado ou acorrentado suas vítimas em um porão (para mencionar apenas alguns poucos exemplos), mas violar crianças ou cadáveres e comer pessoas são crimes sérios demais, e diversos prisioneiros no bloco de celas do Animal adorariam matá-lo por isso.

Jean-Baptiste não desperdiça seu tempo imaginando maneiras criativas de esmagar os ossos do Animal ou de triturar sua traquéia — fantasias ociosas para aqueles que não podem se aproximar mais do que seis metros do Animal. A necessidade de manter os presos separados é óbvia. Quando as pessoas são sentenciadas à morte, obviamente nada têm a perder, e sem nada a perder, não há nada a ganhar, e a vida não existe. As referências àqueles amaldiçoados ao nascer são descritivas e desumanizadoras, e, no caso de Jean-Baptiste, remontam às suas lembranças mais antigas.

Vejamos.

Ele pensa no assento de metal de seu vaso sanitário magnetizador. Ele se lembra do que passou. Ele se lembra de sua mãe conduzindo-o aos empurrões para o banheiro, de onde ele podia ver o Sena pela janela, e inevitavelmente, desde muito jovem, associando o rio ao ato de tomar banho. Ele se lembra de sua mãe ensaboando seu corpo frágil com sabão perfumado e mandando que ele ficasse sentado e imóvel como uma pedra enquanto ela raspava o cabelo fino como o de um bebê que havia em seu rosto, braços, pescoço, costas, pernas, pés e assim por diante, com a navalha reta de cabo de prata de lei que pertencia a seu pai.

Às vezes ela gritava com Jean-Baptiste se acidentalmente fizesse um corte em um dos dedos dele, ou, de vez em quando, em vários, como se a inabilidade dela fosse culpa dele. Os nós dos dedos, em especial, são muito difíceis. Os tremores e os acessos de raiva pela bebedeira de Madame Chandonne puseram um fim na atividade de barbear o filho feioso quando ela quase cortou fora o mamilo esquerdo de Jean-Baptiste, e seu pai teve que convocar o médico da família, Monsieur Raynaud, que persuadiu Jean-Baptiste a ser *um grand garçon*, enquanto o garotinho gritava a cada vez que a agulha entrava e saía de sua carne ensangüentada, rejuntando o pálido mamilo, que ficara pendurado por um filete de tecido do felpudo peito de Jean-Baptiste.

Sua mãe bêbada chorou e ficou apertando as mãos, e culpou *le petite monstre vilain* por não ter ficado sentado imóvel. Um empregado esfregou e limpou o sangue do pequeno monstro do chão, enquanto o pai do pequeno monstro fumava cigarros franceses e reclamava sobre o fardo de ter um filho que nascera usando *um costume de singe* — uma roupa de macaco.

Monsieur Chandonne podia conversar, fazer piadas e reclamar livremente com Monsieur Raynaud, o único médico que podia ter contato com Jean-Baptiste quando ele, o pequeno monstro, *une espèce d'imbecile*, nascido com uma roupa de macaco, morava no *hôtel particulier* da família, onde seu quarto ficava no porão. Não existem registros médicos nem certidão de nascimento. Monsieur Raynaud garantiu que fosse assim e só tratava de Jean-Baptiste em emergências, o que não incluiu as doenças ou machucados comuns, tais como dores fortes de ouvido, febres altas, queimaduras, tornozelos ou pulsos torcidos, um prego enfiado no pé e outros infortúnios médicos que fazem com que a maioria das crianças visite o médico da família. Agora Monsieur Raynaud é um homem velho. Ele não ousa falar sobre Jean-Baptiste, mesmo se a imprensa lhe pagar grandes somas por segredos de seu famigerado ex-paciente.

81

Vergonha e medo dominam Lucy.

Ela contou a Berger com detalhes o que aconteceu no quarto 511 do Hotel Radisson, mas não quem de fato atirou em Rocco.

"Quem puxou o gatilho, Lucy?", Berger insiste em saber.

"Não importa."

"Uma vez que você não vai responder, vou supor que tenha sido você!"

Lucy não diz nada.

Berger não se move enquanto olha para as deslumbrantes luzes da cidade que cedem espaço à escuridão do Hudson e tornam-se as planícies urbanas brilhantes de New Jersey. O espaço entre ela e Lucy não poderia ser mais impossível, como se Berger estivesse do outro lado da enorme janela de vidro.

Lucy aproxima-se silenciosamente, querendo tocar a curva do ombro de Berger, aterrorizada com a possibilidade de, se fizer isso, Berger sair de seu alcance para sempre, como se ela fosse sustentada por nada além de ar a quarenta e cinco andares acima das ruas.

"Marino não pode saber. Nunca", diz Lucy. "Minha tia não pode saber. Nunca."

"Eu deveria odiar você", diz Berger.

Ela recende a perfume, um aroma forte, aplicado levemente, e Lucy pensa que Berger não usava perfume quando estava com o marido. Ele não está lá naquele momento.

"Chame do que você quiser", Berger continua. "Você e Rudy cometeram um assassinato."

"Palavras", retruca Lucy. "As baixas de guerra. Legítima defesa. Homicídio judicial. Proteção doméstica. Temos palavras, desculpas legais para cometer atos que seriam indesculpáveis, Jaime. Eu juro, não houve nenhuma alegria naquilo tudo, nenhum sabor delicioso de vingança. Ele era um covarde desprezível, debulhando-se em lágrimas e lamentando apenas uma coisa em toda sua vida cruel e inútil: que fosse a sua vez de pagar o preço. Como Marino pôde ter um filho desse jeito? Quais traços no genoma humano puderam se juntar para vomitar alguém como Rocco?"

"Quem mais sabe?"

"Rudy. Agora você..."

"Mais alguém? Você recebeu instruções?" Berger a pressiona.

Lucy pensa no assassinato encenado de Benton, e sobre muitas conversas e eventos que nunca vai poder contar a Berger. Uma tirania de angústia e raiva tem governado Lucy há anos.

"Há outros envolvidos, envolvidos indiretamente. Não posso falar a respeito. De verdade", diz Lucy.

Berger não sabe que Benton não está morto.

"Ah, porra. Que *outros*?"

"Eu disse *indiretamente*. Não posso lhe contar mais nada. E não vou."

"As pessoas que dão ordens secretas tendem a desaparecer à luz da exposição. São desse tipo os seus *outros*? Pessoas que deram ordens secretas?"

"Não diretamente sobre Rocco." Ela pensa no senador Lord, no cartel dos Chandonne. "Só posso dizer que há pessoas que queriam Rocco morto. Eu nunca havia tido informações suficientes para fazer nada a respeito, até agora. Quando Chandonne me escreveu, ele me contou o que eu precisava saber."

"Entendo. E Jean-Baptiste Chandonne é digno de confiança. Claro que sim, todos os psicopatas são. Seja lá quem mais estiver *indiretamente* envolvido já desapareceu. Pode contar com isso."

"Eu não sei. Há instruções a respeito do cartel dos Chandonne. Ah, sim. Tem havido há muito tempo. Anos. Fiz o que pude enquanto era do ATF, lá em Miami. Mas não estava funcionando. Regras."

"Isso mesmo. Você e as regras", diz Berger friamente.

"Até Rocco, eu vinha sendo ineficiente."

"Bom, com certeza você foi eficiente desta vez. Diga-me uma coisa, Lucy. Você acha que vai se safar dessa?"

"Acho que sim."

"Você e Rudy cometeram erros", diz Berger. "Você deixou seu bastão tático e teve que voltar para buscá-lo, e acabou sendo vista por diversas pessoas. E isso nunca é bom, nunca é bom. E você criou toda a cena da morte — de maneira bastante técnica, bastante inteligente. Talvez técnica demais, inteligente demais. Eu ficaria intrigada com um quarto, uma arma, uma garrafa de champanhe, et cetera, tão limpos que só tivessem as impressões digitais de Rocco. Eu ficaria intrigada a respeito do estado avançado de decomposição que parece entrar em conflito com a hora da morte. E as moscas, um monte de malditas moscas. Moscas-varejeiras não gostam muito de frio."

"Na Europa, elas estão mais acostumadas ao tempo mais frio. Agüentam até nove graus. A variedade azul da varejeira. É claro que temperaturas mais quentes são melhores."

"Você deve ter aprendido isso com a sua tia Kay. Ela ficaria orgulhosa de você."

"Você diz que ficaria intrigada." Lucy volta aos erros. "Você fica intrigada com tudo. É por isso que você é quem é."

"Não subestime as autoridades polonesas nem os especialistas forenses de lá, Lucy. Pode ser que você ainda tenha notícias de lá. E se qualquer coisa apontar para você, não vou poder ajudá-la. Tenho que considerar esta conversa confidencial. Neste exato momento sou sua advogada. E não uma promotora. É uma mentira. Mas eu arrumo um jeito de viver com isso.

"Mas seja lá quem lhe deu ordens, não me interessa há quanto tempo, não vai retornar os seus telefonemas secretos agora, não vai sequer saber o seu nome, vai franzir a testa e encolher os ombros em alguma reunião de gabinete ou tomando alguns drinques em um restaurante fino, ou pior, vai estar rindo a valer. Da história de alguma investigadora particular superzelosa."

"Não vai acontecer desse jeito."

Berger se vira lentamente e agarra os pulsos de Lucy. "Será que você é tão segura de si que chega a ser estúpida? Como é que alguém tão inteligente pode ser tão estúpida?"

O sangue sobe para o rosto de Lucy.

"O mundo está cheio de aproveitadores. Eles vão seduzi-la para realizar os atos mais ultrajantes em prol de liberdade e justiça para todos, e então desaparecem como névoa. Mostram que são fantasias. Você começa a se perguntar se eles em algum momento foram reais, e enquanto você apodrece em alguma prisão federal ou, Deus a livre, é extraditada para algum país estrangeiro, vai perceber lenta e seguramente que tudo foi uma ilusão, porque todas as outras pessoas acreditam que você é uma iludida, alguma pirada que cometeu um assassinato porque estava em alguma missão secreta para a CIA, para o FBI, para a porra do Pentágono, para o Serviço Secreto de Sua Majestade, para o Coelho da Páscoa."

"Pára", exclama Lucy. "Não é assim."

As mãos de Berger sobem até os ombros de Lucy. "Pela primeira vez na sua vida, *escute* alguém!"

Lucy pisca, tentando segurar as lágrimas.

"Quem?", Berger exige saber. "Quem mandou você nessa maldita missão horrorosa? É alguém que eu conheça?"

"Por favor, pára! Eu não posso e nunca vou te contar! Há

tanta coisa... Jaime, é melhor para você se não ficar sabendo. Por favor, confie em mim."

"Porra!" O aperto de Berger relaxa um pouco, mas ela não solta Lucy. "Porra, Lucy. Olhe para você. Está tremendo como gelatina."

"Você não pode fazer isso." Lucy se afasta, com raiva. "Eu não sou uma criança. Quando você toca em mim..." Ela se afasta um pouco mais. "Quando você me toca, significa algo diferente. Ainda é assim. Então não faz isso. Não faz isso."

"Eu sei o que significa", diz Berger. "Desculpe."

82

Às dez da noite Scarpetta desce de um táxi na frente do edifício de Jaime Berger.

Ainda sem poder encontrar sua sobrinha, Scarpetta é atormentada por uma ansiedade que piorou a cada telefonema que deu. Uma das pessoas que trabalham no escritório de Lucy disse que não sabe onde ela está. Scarpetta começa a pensar em sua sobrinha afoita e impetuosa e pensa no pior. Sua ambivalência em relação à nova carreira de Lucy não diminuiu. A vida de Lucy é descontrolada, perigosa e muito reservada, o que se encaixa perfeitamente com a personalidade da sobrinha, mas frustra Scarpetta e a assusta. Muitas vezes é impossível falar com ela, e Scarpetta raramente sabe o que Lucy está fazendo.

Dentro do luxuoso saguão de entrada do edifício de Jaime Berger, um porteiro cumprimenta Scarpetta.

"Posso ajudá-la, senhora?"

"Jaime Berger", responde Scarpetta. "Na cobertura."

83

Lucy fica tentada a sair correndo do prédio quando percebe que sua tia está subindo no elevador.

"Calma", diz Berger.

"Ela não sabe que eu estou aqui", diz Lucy, aborrecida. "Eu não quero que ela saiba que estou aqui. Não posso falar com ela agora."

"Em algum momento você vai ter que falar com ela. Pode muito bem ser agora."

"Mas ela não sabe que estou aqui", repete Lucy. "O que vou dizer a ela?"

Berger lança um olhar estranho para ela enquanto andam de um lado para o outro perto da porta, esperando o som do elevador.

"A verdade é tão ruim assim?", replica Berger zangada. "Você poderia fazer isso. De vez em quando, dizer a verdade é muito terapêutico."

"Eu não sou mentirosa", diz Lucy. "Isso é uma coisa que não sou, a menos que seja em prol do trabalho, especialmente o trabalho secreto."

"O problema é quando as fronteiras se misturam", diz Berger quando o elevador chega. "Vai sentar na sala." Como se Lucy fosse uma criança. "Deixe-me falar com ela primeiro."

O vestíbulo do apartamento de Berger é de mármore, com uma mesa centrada na parede e flores frescas em frente à porta de metal impecável do elevador. Faz muitos anos que ela não vê Scarpetta, e se espanta quando ela sai do elevador.

Kay Scarpetta parece exausta, as roupas muito amassadas, os olhos ansiosos.

"Ninguém mais neste planeta atende telefones?", é a primeira coisa que ela diz. "Tentei falar com Marino, com Lucy, com você. No seu caso, a linha estava ocupada e ficou assim durante a última hora. Então pelo menos supus que havia alguém em casa."

"Eu tirei do gancho... não queria ser interrompida."

Isso não faz sentido para Scarpetta. "Lamento por estar entrando aqui sem ser convidada. Estou transtornada, Jaime."

"Percebi. Antes de você entrar, quero que saiba que Lucy está aqui." Ela diz isso de maneira trivial. "Eu não quis chocar você. Mas espero que isso a deixe aliviada."

"Não muito. O escritório dela negou-se completamente a me dar qualquer informação, ou seja, Lucy fez isso."

"Kay, por favor, entre", diz Berger.

Elas caminham para a sala de estar.

"Oi." Lucy abraça a tia.

A reação dela é fria. "Por que você está me tratando desse jeito?", pergunta ela, sem se importar que Berger esteja ouvindo.

"De que jeito?" Lucy volta para a sala de estar e se senta no sofá. "Vamos." Ela faz um gesto para que Scarpetta se junte a ela. "Você também, Jaime."

"Só se você for contar para ela", diz Berger. "Caso contrário, não quero fazer parte da conversa."

"Me contar o quê?" Scarpetta se senta ao lado de Lucy. "Contar o quê, Lucy?"

"Acho que você já ficou sabendo que Rocco Caggiano supostamente cometeu suicídio na Polônia", Berger lhe conta.

"Não ouvi nenhuma notícia hoje", responde Scarpetta. "Eu estive ou falando ao telefone, ou em um avião, ou em um táxi. E agora estou aqui. O que você quer dizer com *supostamente*?"

Lucy abaixa os olhos para os pés e não diz nada. Berger está calada, em pé em um dos cantos da sala.

"Você desapareceu durante dias. Ninguém me dizia onde você estava", começa Scarpetta em voz baixa. "Você foi à Polônia?"

Uma longa pausa, e então Lucy ergue os olhos. "Fui."

"Meu Deus", murmura Scarpetta. "Suposto suicídio", repete ela.

Lucy explica a informação sobre os jornalistas assassinados que Chandonne lhe revelou em uma carta. Explica também outras informações que vieram dele sobre o paradeiro de Rocco. Então conta à tia sobre o Alerta Vermelho.

"Então Rudy e eu o encontramos, encontramos em um hotel em que ele sempre se hospeda quando está fazendo seus negócios sujos em Szczecin. Contamos a ele sobre o Alerta Vermelho, e ele sabia o que aquilo significava. O fim. Porque, preso ou não, os Chandonne iriam garantir que ele não vivesse muito tempo."

"Então ele se matou", diz Scarpetta, olhando diretamente nos olhos de Lucy, perscrutando-os.

Lucy não responde. Berger sai da sala.

"A Interpol disponibilizou a informação", diz Lucy, de maneira um tanto vazia. "A polícia diz que a morte dele foi suicídio."

Isso tranqüiliza Scarpetta momentaneamente, apenas porque ela não tem forças para ir mais a fundo.

Ela abre sua pasta e mostra a Lucy a carta de Chandonne, e então Lucy vai até o escritório de Berger.

"Por favor, venha", Lucy começa a dizer.

"Não", replica Berger, os olhos expressando decepção e julgamento. "Como você pode mentir para ela?"

"Eu não menti."

"Por omissão. Toda a verdade, Lucy."

"Eu vou chegar lá. Quando for a hora. Chandonne escreveu para ela. Você tem que ver a carta. Alguma coisa muito esquisita está acontecendo."

"Com certeza." Berger levanta-se de sua mesa.

Elas voltam para a sala e examinam a carta e os envelopes através dos plásticos protetores.

"Não é como a carta que eu recebi", Lucy diz imediatamente. "Era em letra de fôrma. Não foi postada pelo correio normal. Acho que foi Rocco quem a enviou por ele. Rocco enviava muitas coisas pelo correio para ele. Por que Chandonne escreveria para Marino e para mim em letra de fôrma?"

"Como era o papel?", pergunta Scarpetta.

"Folha de caderno. Pautada."

"O papel da prisão é branco, de tipo barato. A mesma coisa que a maioria de nós usa nas impressoras."

"Se não foi ele quem mandou aquelas cartas para Marino e para mim, então quem foi?" Lucy sente-se lenta, seu sistema sobrecarregado.

Baseada em informações na carta que lhe foi enviada, ela orquestrou a morte de Rocco Caggiano. Quando ela e Rudy o mantiveram como refém no quarto de hotel, Rocco, na verdade, não confessou ter assassinado os jornalistas. Lucy se lembra de ele rolar os olhos para o teto — sua única resposta. Ela não pode saber de fato o que ele realmente quis dizer com aquele gesto. Não pode saber de fato se a informação que mandou para a Interpol é correta. O que ela ofereceu era suficiente para uma prisão, mas não necessariamente para uma condenação, porque, na verdade, Lucy não conhece os fatos. Rocco realmente encontrou os dois jornalistas poucas horas antes de seus assassinatos? Mesmo que tivesse feito isso, foi ele quem atirou neles?

Lucy é a responsável pelo Alerta Vermelho. O Alerta Vermelho é o motivo de Rocco saber que sua vida estava acabada, não importando se ele ia confessar ou não. Ele se tornou um fugitivo, e se Lucy e Rudy não o tivessem conduzido à morte, os Chandonne teriam feito isso. Ele devia morrer. Precisava morrer. Lucy diz a si mesma que o mundo está melhor porque Rocco não está mais nele.

"Quem me escreveu aquela maldita carta?", diz Lucy. "Quem escreveu a carta para Marino e a primeira para você?" Ela olha para Scarpetta. "Aquelas que vieram nos envelopes com porte pago da Academia Nacional de Justiça? Elas *parecem* ter sido escritas por Chandonne."

"Concordo com isso", diz Scarpetta. "E o *coroner* de Baton Rouge recebeu uma também."

"Talvez Chandonne tenha mudado sua caligrafia e o papel quando escreveu esta aqui." Lucy aponta para a carta com a caligrafia bem-feita. "Talvez o desgraçado não esteja na prisão afinal."

"Fiquei sabendo dos telefonemas para o seu escritório. Zach conseguiu falar comigo em meu celular. Acho que não podemos supor de maneira alguma que Chandonne ainda esteja na prisão", responde Scarpetta.

"A mim me parece", diz Berger, "que ele não teria acesso a papel pautado ou a envelopes da Academia Nacional de Justiça se ainda estivesse na prisão. Seria muito difícil criar em um computador fac-símiles desses envelopes com porte pago?"

"Meu Deus, eu sou tão burra", diz Lucy. "Nem dá para dizer direito. É claro que poderia ser feito. É só escanear um envelope, digitar o endereço que se quer, e imprimir tudo no mesmo tipo de envelope. Eu poderia fazer isso em cinco minutos."

Berger olha para ela durante muito tempo. "Foi você, Lucy?"

Ela fica surpresa. "*Eu* que fiz isso? Por que *eu* faria isso?"

"Você acabou de admitir que conseguiria", diz Berger, um tom sombrio na voz. "Parece que você é capaz de fazer muitas coisas, Lucy. E é conveniente que a informação na carta para você tenha resultado em sua ida à Polônia para encontrar Rocco, que agora está morto. Eu vou sair daqui. Meu lado promotora não quer mais ouvir outras mentiras ou confissões. Se você e sua tia quiserem conversar mais um pouco, por favor, fiquem à vontade. Vou recolocar o fone no gancho. Tenho algumas ligações para fazer."

"Eu não menti", diz Lucy.

84

"Senta", diz Scarpetta, como se Lucy não fosse mais adulta.

As luzes estão apagadas na sala, e o horizonte de Nova York rodeia as duas mulheres com suas brilhantes possibilidades e sua enorme energia. Scarpetta poderia ficar olhando para aquilo durante horas, da mesma maneira que faz com o mar. Lucy senta-se ao lado dela no sofá de Berger.

"Este é um bom lugar para estar", diz Scarpetta, o olhar perdido nas milhões de luzes.

Ela procura a lua mas não consegue achá-la atrás dos prédios. Lucy está chorando baixinho.

"Eu sempre me perguntei, Lucy, o que teria acontecido se eu tivesse sido sua mãe de verdade. Você teria adotado esse mundo perigoso e violento de maneira tão atrevida, tão abusiva, tão chocante? Ou você estaria casada e com filhos?"

"Acho que você sabe a resposta para isso", murmura Lucy, enxugando os olhos.

"Talvez você tivesse se tornado uma pesquisadora em Oxford, talvez tivesse se tornado uma poeta famosa."

Lucy olha para ela para ver se a tia está brincando. Não está.

"Uma vida mais moderada", diz a tia em voz baixa. "Eu criei você, ou melhor, eu tomei conta de você da melhor maneira que pude e não consigo me imaginar amando qualquer criança mais do que amei — e amo — você. Mas através dos meus olhos você encontrou a feiúra do mundo."

"Através dos seus olhos eu encontrei decência, humanidade e justiça", replica Lucy. "Eu não mudaria nada."

"Então por que você está chorando?" Ela percebe aviões distantes brilhando como pequenos planetas.

"Não sei."

Scarpetta sorri. "Isso é o que você costumava dizer quando era uma garotinha. Sempre que você estava triste e eu perguntava o motivo, você dizia *eu não sei*. Portanto, meu diagnóstico bastante perspicaz é: você está triste."

Lucy enxuga mais lágrimas do rosto.

"Não sei exatamente o que aconteceu na Polônia", diz sua tia em seguida.

Mudando de posição no sofá, Scarpetta ajeita almofadas atrás das costas, como se preparando para ouvir uma longa história. Ela continua a olhar para além de Lucy, através das janelas e na noite brilhante, porque é mais penoso para as pessoas terem conversas difíceis quando estão olhando umas para as outras.

"Eu não preciso que você me conte. Mas acho que você precisa me contar, Lucy."

A sobrinha fixa o olhar na cidade movimentada que as cerca. Pensa nos mares escuros e agitados, e nos navios acesos. Navios lembram portos, e portos lembram os Chandonne. Portos são as artérias para seu comércio criminoso. Rocco pode ter sido apenas uma das veias, mas sua conexão com Scarpetta, com todos eles, tinha que ser cortada.

Sim. Tinha que ser.

Por favor, perdoe-me, tia Kay. Por favor, diga que está tudo bem. Por favor, não perca o respeito por mim, nem pense que me tornei um deles.

"Desde que Benton morreu, você tem sido uma Fúria, um espírito de punição, e não há poder suficiente em toda esta cidade que possa satisfazer sua fome por ele", Scarpetta continua falando, ainda em voz baixa. "Este é um bom lugar para você estar", diz ela, enquanto as duas olham fixamente as luzes da cidade mais poderosa da Terra. "Porque qualquer dia desses, quando você estiver saciada de poder, talvez você perceba que poder demais torna-se insuportável."

"Você diz isso para explicar a si mesma", comenta Lucy sem nenhum traço de rancor. "Você foi a legista mais poderosa do país, talvez do mundo. Você era a chefe. Talvez o poder e a admiração fossem insuportáveis."

O belo rosto de Lucy não está tão triste agora.

"Tanta coisa tem parecido insuportável", replica Scarpetta. "Tanta coisa. Mas não, eu não achava meu poder insuportável quando eu era a chefe. Descobri que perder meu poder é insuportável. Você e eu temos sentimentos diferentes em relação ao poder. Não estou querendo provar nada. Você está sempre provando alguma coisa quando é tão desnecessário."

"Você não o perdeu", Lucy lhe diz. "Sua remoção do poder foi uma ilusão. O seu verdadeiro poder nunca foi imposto pelo mundo exterior, e portanto o mundo exterior não pode tirá-lo de você."

"O que Benton fez para a gente?"

A pergunta assusta Lucy, como se Scarpetta de alguma maneira soubesse a verdade.

"Desde que ele morreu... ainda tenho dificuldade de dizer a palavra. *Morreu.*" Ela faz uma pausa. "Desde que isso aconteceu parece que o resto de nós se encaminhou para a ruína. Como um país sob cerco. Uma cidade caindo após a outra. Você, Marino, eu. Principalmente você."

"É, eu sou uma Fúria." Lucy se levanta, caminha até a janela e senta-se de pernas cruzadas no esplêndido tapete antigo de Jaime Berger. "Eu sou a vingadora. Admito isso. Acho que o mundo está mais seguro, que você está mais segura, que todos nós estamos mais seguros com Rocco morto."

"Mas você não pode brincar de Deus. Você nem é mais oficialmente uma policial, Lucy. A Última Delegacia é uma agência particular."

"Não exatamente. Somos um satélite das agências internacionais de manutenção da lei, trabalhamos com eles, em geral atrás da cortina da Interpol. Nossa autoridade vem de outras altas autoridades. Não posso ficar falando a respeito."

"Uma alta autoridade que lhe deu o poder para livrar o mundo de Rocco Caggiano?", pergunta Scarpetta. "Você puxou o gatilho, Lucy? Eu preciso saber isso. Pelo menos isso."

Lucy balança a cabeça. Não, ela não puxou o gatilho. Apenas porque Rudy insistiu em disparar aquele tiro e em ter pólvora e minúsculas gotas do sangue de Rocco em suas mãos, e não nas dela. O sangue de Rocco nas mãos de Rudy. Não era justo. Lucy conta para a tia.

"Eu não deveria ter deixado que Rudy passasse por aquilo. Assumo idêntica responsabilidade pela morte de Rocco. Na verdade, assumo toda a responsabilidade, porque foi instigado por mim que Rudy participou na missão da Polônia."

Elas conversam até tarde, e, depois que Lucy contou tudo o que aconteceu em Szczecin, ela espera a condenação de sua tia. A pior punição seria o exílio da vida de Scarpetta, da mesma forma que Benton se exilou dela.

"Estou aliviada que Rocco esteja morto", diz Scarpetta. "O que está feito está feito", acrescenta ela. "Em algum momento Marino vai querer saber o que realmente aconteceu com seu filho."

85

O dr. Lanier parece estar melhorando, mas está tenso como uma catapulta pronta para ser disparada.

"O senhor tem um lugar seguro para eu ficar aí?", pergunta-lhe Scarpetta pelo telefone, dentro de seu quarto no Melrose Hotel, na 63 com Lexington.

Ela optou por não passar a noite com Lucy, resistindo aos insistentes pedidos da sobrinha. Ficar com ela teria impossibilitado que Scarpetta fosse para o aeroporto pela manhã sem que Lucy soubesse.

"O lugar mais seguro da Louisiana. A minha casa de hóspedes. É pequena. Por quê? Agora você sabe que não posso me dar ao luxo de ter consultores..."

"Escute", ela o interrompe. "Tenho que ir a Houston primeiro." Ela evita detalhes. "Vou demorar pelo menos mais um dia para chegar aí."

"Eu vou buscá-la no aeroporto. É só me dizer quando."

"Se o senhor pudesse me arranjar um carro alugado, essa seria a melhor solução. Neste momento, não consigo pensar em absolutamente nada. Estou muito cansada. Mas eu preferiria me virar sozinha e não incomodar o senhor. Só preciso de orientações sobre como chegar à sua casa."

Ela as anota em um bloco. Parecem bastante simples.

"Algum tipo de carro em especial?"

"Um que seja seguro."

"Eu conheço isso muito bem", responde o *coroner*. "Já tirei um monte de gente de carros que não eram seguros. Minha secretária vai cuidar disso imediatamente."

86

Trixie inclina-se contra o balcão, fumando um cigarro mentolado e olhando taciturna enquanto Marino enche uma geladeira de isopor com cerveja, cartelas de presunto e outros frios, um frasco de mostarda e outro de maionese e tudo o que suas mãos enormes conseguem tirar da geladeira.

"Já passou da meia-noite", reclama Trixie, atrapalhando-se com uma garrafa de Corona que ela entupiu com um pedaço de limão grande demais. "Venha para a cama, e mais tarde você vai, que tal? Isso não é melhor do que você sair correndo daqui, quase bêbado e aborrecido, no meio da noite?"

Marino está bêbado desde que voltou de Boston, sentado na frente da TV, recusando-se a atender o telefone, recusando-se a falar com qualquer um, até mesmo com Lucy ou Scarpetta. Há cerca de uma hora, ele levou um chute forte de uma mensagem do escritório de Lucy que apareceu em seu celular. Aquilo o deixou sóbrio o suficiente para tirá-lo de sua poltrona.

Trixie segura a garrafa reta para cima e tenta afastar o limão com a língua. Ela consegue, e a cerveja esguicha-lhe na boca e no queixo. Não muito tempo atrás, Marino teria achado isso hilário. Agora nada vai fazê-lo sorrir. Ele abre com força a porta do freezer, tirando de lá as caixas plásticas de gelo e jogando-os dentro da geladeira de isopor. Trixie, cujo nome verdadeiro é Teresa, tem trinta anos e há menos de um ano mudou-se para a pequena casa de Marino em um bairro de operários, perto da rodovia Midlothian, do lado errado do rio James, em Richmond.

Ele acende um cigarro e olha para ela, para o rosto dela, inchado de bebida, o rímel manchando de tal maneira a região sob os olhos que parece uma tatuagem. Seu cabelo platinado foi maltratado com tantos tratamentos que Marino odeia passar a mão nele, e já disse a ela uma vez quando estava bêbado que o cabelo parecia material de isolamento. Alguns dos sentimentos machucados dela estão permanentemente mutilados, e, quando Marino percebe que eles vão sair mancando da boca ou dos olhos dela, sai da sala, em seus pensamentos ou usando os pés.

"Por favor, não vai." Trixie aspira o cigarro com força e solta a fumaça com o canto da boca, quase sem tragar. "Sei o que você está fazendo. Você não vai voltar, é isso. Vi o que você andou colocando na camionete. Armas, a sua bola de boliche, até os troféus e as suas varas de pescar. Sem falar nas suas roupas de todo dia, nada elegantes, como aqueles ternos que estão pendurados no armário desde o dia em que Jesus escreveu os Dez Mandamentos."

Ela entra na frente dele e agarra-lhe o braço enquanto ele arruma o gelo na caixa, a fumaça entrando-lhe nos olhos.

"Eu te ligo. Tenho que ir para a Louisiana e você sabe disso. A doutora está lá, ou está para ir para lá. Conheço ela. Sei muito bem o que ela vai fazer. Ela nem precisa me dizer. E você não quer que ela morra, Trixie."

"Eu estou cansada pra cacete dessa coisa de *a doutora isso* e *a doutora aquilo*!" O rosto dela fica sombrio, e ela afasta a mão de Marino com força, como se a idéia de contato físico tivesse sido dele, e não dela. "Desde que te conheci, é um tal de *doutora isso* e *doutora aquilo*. Ela é a única mulher da sua vida, se você for honesto o bastante para admitir. Eu sou só a reserva no jogo de basquete da sua vida."

Marino estremece. Ele não suporta as analogias distorcidas de Trixie, que o fazem pensar em um piano desafinado.

"Eu sou só a garota que nunca é tirada para dançar no

baile de formatura que é a sua vida", ela continua o melodrama, e a essa altura é isso que a situação se tornou.

Um melodrama. Como uma novela de televisão ruim.

As brigas entre eles são sem motivo, na maioria das vezes, e embora Marino tenha especial aversão por psicologia, nem mesmo ele pode evitar um *insight* do tamanho de uma montanha. Ele e Trixie brigam por tudo porque não brigam por nada.

Os pés gorduchos e descalços dela com suas unhas pintadas de vermelho e lascadas batem de leve no chão da cozinha enquanto ela anda de um lado para outro, balançando freneticamente os braços gorduchos, as cinzas do cigarro caindo como neve sobre o assoalho manchado. "Bom, então você pode ir para a Louisiana e encontrar a tal da *doutora isso e aquilo*, e quando você voltar — se voltar — talvez uma outra pessoa esteja morando nesta sua espelunca e eu vou ter sumido. Sumido. Sumido. Sumido."

Meia hora atrás, Marino pediu a ela para colocar sua casa à venda. Ela poderia morar nela até que o imóvel fosse vendido.

O robe de tecido acetinado com estampa de flores esvoaça ao redor de seus pés quando ela anda, os seios caindo curvados sobre a faixa que ela repetidamente aperta ao redor da cintura cheia. Marino sente pontadas de raiva e de culpa. Quando Trixie o atormenta com alguma coisa relacionada a Scarpetta, ele fica fora de controle como um pássaro furioso que saiu de um buraco no tronco de uma árvore, sem lugar para ir, sem ter como se defender, sem ter como contra-atacar, de maneira nenhuma.

Seu ego ferido não se acalma pela suposição da existência de relações mais profundas com Scarpetta que infelizmente nunca ocorreram. Assim, as flechas de ciúme das Trixies em sua vida encontram seu alvo e arrancam sangue. Marino não se incomoda por ter perdido todas as mulheres que já teve na vida. Ele se incomoda com a única que nunca teve, e o acesso de raiva de Trixie está crescendo perigosamente em direção ao crescendo necessário que levará à também necessária coda.

"Você é tão louco por ela que dá até raiva", grita Trixie. "Para ela, você não é nada além de um caipira gordo. Isso é o que você sempre vai ser. Um grande caipira, gordo e estúpido!", ela berra. "E eu não dou a mínima se ela virar um cadáver! É só disso que ela entende mesmo, de *cadáver*!"

Marino pega a enorme geladeira de isopor como se ela não pesasse nada, atravessa a sala de estar bagunçada e pára na porta. Os olhos passam pelo ambiente e pousam sobre a TV colorida de 36 polegadas — não é nova, mas é uma Sony e está excelente. Ele fixa o olhar triste na sua poltrona favorita, o lugar onde lhe parece ter passado a maior parte de sua vida, e sente uma dor profunda, como uma cólica forte. Imagina quantas horas passou meio bêbado, assistindo futebol e desperdiçando tempo e esforços com mulheres como Trixie.

Ela não é uma pessoa ruim. Não é má. Nenhuma delas foi. Elas eram apenas lamentáveis, e ele é ainda mais lamentável do que qualquer uma delas, porque nunca insistiu em ter algo mais para si, e isso poderia ter acontecido.

"Eu não vou mesmo ligar para você", diz Marino. "E não dou a mínima para o que vai acontecer com a casa. Vende. Aluga. Pode morar nela."

"Você não está falando sério, benzinho." Trixie começa a chorar. "Eu te amo."

"Você não me conhece", diz Marino ainda na porta, e ele se sente cansado demais para ir embora e deprimido demais para ficar.

"Claro que conheço, benzinho." Ela esmaga um cigarro na pia e remexe dentro da geladeira procurando outra cerveja. "E você vai sentir a minha falta." O rosto se distorce quando ela sorri, chorando ao mesmo tempo. "E eu tenho certeza que você vai voltar. Eu estava louca quando disse que você não ia voltar. Mas você vai." Ela abre a garrafa. "E sabe como sei que você vai voltar?" Ela aponta para ele de uma forma quase recatada. "Você pode adivinhar o que a detetive Trixie percebeu, hein? Você está indo embora sem as suas decorações de Natal.

"Todos aqueles milhões de bonecos de Papai Noel, renas, bonecos de neve, luzinha com formato de pimenta malagueta e todo o resto que você coleciona há séculos? E você vai embora e vai deixar tudo lá no porão? Nããããão. Na-na-ni-na, não mesmo."

Ela fala para se convencer de que está certa. Marino não iria embora para sempre sem levar suas adoradas decorações de Natal.

"Rocco está morto", ele diz.

"Quem?" O rosto de Trixie torna-se inexpressivo.

"Está vendo, é isso o que eu quero dizer. Você não me conhece", diz ele. "Tudo bem. Não é sua culpa."

Ele fecha a porta deixando-a para trás, fecha a porta deixando Richmond para trás, para sempre.

87

O nome da mulher desaparecida é Katherine Bruce.

Ela agora foi considerada abduzida, a última vítima do assassino serial, supostamente morta. Seu marido, um antigo piloto da Força Aérea agora empregado na Continental, estava fora da cidade, e depois de tentar sem sucesso falar com a esposa durante dois dias, ficou preocupado. Pediu a uma amiga que fosse até a casa. Katherine não estava lá, nem o carro dela, que foi descoberto estacionado no Wal-Mart perto da universidade, onde não atraiu atenção, uma vez que o estacionamento abriga carros vinte e quatro horas por dia. As chaves estavam no contato, as portas estavam destrancadas e a bolsa e a carteira dela tinham desaparecido.

A manhã está se constituindo devagar, como se suas moléculas estivessem lentamente se juntando em um céu que promete ser claro e de um azul límpido. Nic não sabia nada sobre a abdução até ontem, ao assistir ao noticiário das seis. Ela ainda não consegue acreditar naquilo. A amiga de Katherine Bruce, segundo o que foi passado para a mídia, telefonou imediatamente para a polícia de Baton Rouge *ontem de manhã*. A informação deveria ter sido transmitida de imediato e em caráter nacional. O que os idiotas da força-tarefa fizeram? Passaram a amiga, cuja identidade não foi revelada, por um maldito polígrafo para garantir que Katherine está realmente desaparecida? Eles cavaram o quintal da casa para terem certeza de que o marido piloto não matou e enterrou sua mulher antes de voar para fora da cidade?

O assassino ganhou umas oito horas a mais. O público perdeu oito horas. Katherine perdeu oito horas. Ela ainda poderia estar viva, supondo que não esteja viva agora. Alguém poderia tê-la visto e ao assassino também. Nunca se sabe. Nic caminha obsessivamente até o estacionamento do Wal-Mart, procurando qualquer detalhe que possa lhe dizer alguma coisa. A enorme cena do crime está silenciosa, o carro de Katherine Bruce já foi retirado há muito tempo, apreendido e levado para algum lugar. Não há nada além de um pouco de lixo espalhado, goma de mascar e milhões de pontas de cigarro ali fora.

São sete e dezesseis da manhã quando ela finalmente faz sua única descoberta até agora, que a teria fascinado quando criança: duas moedas de vinte e cinco centavos. *E as duas com a cara para cima.* Isso é sempre um sinal de sorte maior do que se fossem as coroas, e neste exato momento ela vai alimentar qualquer fantasia sobre sorte que possa ter. Depois de ter ouvido as notícias na noite passada, Nic correu para o local imediatamente. Se as moedas estavam sobre o asfalto naquele momento, sua lanterna não as achou. E ela não viu as moedas logo que chegou nesta manhã, quando voltou à cena e ainda estava escuro. Ela tira fotografias com câmeras de trinta e cinco milímetros e Polaroid e memoriza o lugar onde estavam as moedas, tomando notas, exatamente como lhe ensinaram na academia forense. Calça luvas cirúrgicas e guarda as moedas em um envelope de papel para evidências, em seguida entra com passos rápidos na loja.

"Preciso falar com o gerente", diz para uma das moças nas caixas registradoras, que está ocupada lançando os diversos itens de um carrinho cheio de roupas de crianças, enquanto uma mulher jovem de aparência cansada — talvez a mãe — tira da bolsa um MasterCard.

Nic pensa no macacão de Buddy e se sente muito mal.

"É ali." A caixa aponta para um escritório atrás de uma porta de madeira com molas.

Graças a Deus ele está na loja.

Nic mostra-lhe o distintivo e diz: "Preciso ver o local exato em que o carro de Katherine Bruce foi encontrado".

O gerente é jovem e amigável. Está nitidamente preocupado.

"Com prazer. Tenho certeza de que sei o lugar. A polícia ficou por aqui durante horas, escarafunchando por aí, e então eles o guincharam. Isso tudo é terrível."

"É terrível mesmo", concorda Nic enquanto os dois saem da loja e o sol começa a mostrar seu rosto brilhante no leste.

O Maxima preto ano 1999 de Katherine Bruce estava a uns seis metros de onde Nic encontrou as moedas.

"Tem certeza de que estava aqui?"

"Ah, tenho certeza, sim, senhora. Estacionado bem aqui, a cinco filas de distância. Muitas mulheres que fazem compras depois que escurece estacionam relativamente próximo à porta de entrada."

No caso dela, isso não ajudou. Mas ela deve ter tido, pelo menos, alguma consciência sobre sua segurança. Bom, talvez não. A maioria das pessoas quer estacionar o mais perto possível da entrada da loja, a menos que tenham um carro caro e não queiram que ninguém lhes raspe as portas. Geralmente são os homens que se preocupam com isso. Nic nunca entendeu por que tantas mulheres parecem não ter muito interesse em carros ou em sua manutenção. Se ela tivesse uma filha, iria garantir que a garotinha soubesse o nome de cada carro exótico, e iria lhe dizer que, se ela trabalhasse bastante, talvez algum dia ela viesse a dirigir um Lamborghini — a mesma coisa que diz a Buddy, que tem diversas réplicas de carros esportivos que ele adora fazer andar nas paredes.

"Alguém reparou em alguma atividade incomum na noite em que ela entrou de carro neste estacionamento? Alguém viu Katherine Bruce? Alguém viu alguma coisa, qualquer coisa?", pergunta Nic ao gerente, ambos em pé no mesmo lugar e olhando ao redor.

"Não. Acho que ela nem chegou a entrar na loja", diz ele.

88

O helicóptero Bell 407 tem a pintura mais bonita que Lucy já viu.

E não poderia ser de outro jeito. É o helicóptero dela, e ela projetou cada detalhe, excluindo as partes que vinham em verde, ou as determinações da fábrica. Suas quatro pás, a estabilidade, a velocidade máxima de duzentos e sessenta quilômetros por hora (excelente para uma aeronave não militar) e o controle computadorizado de combustível são apenas alguns dos componentes básicos. Além disso, o aparelho tem bancos de couro, bóias auto-infláveis para o caso de alguma falha no motor sobre a água, o que é muito improvável de ocorrer, um sensor metálico para evitar trombadas contra fios de alta-tensão (Lucy é cautelosa demais para deixar isso acontecer), um tanque de combustível auxiliar, detetores de atividade meteorológica e de tráfego e GPS — todos instrumentos da melhor qualidade, é claro.

O heliponto da rua 34 fica perto do Hudson, a meio caminho entre a Estátua da Liberdade e o local onde fica o porta-aviões Intrepid.

Na plataforma 2, Lucy dá uma volta ao redor de seu pássaro pela quarta vez, tendo já verificado o motor e todos os mostradores que indicam nível de óleo, vazamentos de óleo, filtros ou vazamentos hidráulicos que sempre a fazem pensar em sangue vermelho-escuro. Um dos motivos pelos quais é fanática por levantamento de pesos na academia é que, se algum dia ela perder a hidráulica em vôo, terá que controlar o aparelho com força física. Uma mulher fraca teria muita dificuldade.

Ela passa a mão afetuosamente sobre a cauda, agachando-se de novo para verificar as antenas da parte de baixo. Então assume o banco do piloto e deseja que Rudy já estivesse lá. Seu desejo é atendido quando a porta para o heliponto se abre e Rudy aparece com uma mochila e anda a passos rápidos em direção ao helicóptero, uma expressão de desapontamento no rosto quando vê a poltrona esquerda vazia e, como de costume, ele se vê na condição de co-piloto. Vestido com calça tipo cargo e uma camisa pólo, ele é o típico gostosão.

"Sabe de uma coisa?", diz ele, fechando o cinto de quatro pontas, enquanto Lucy faz uma rápida mas minuciosa revisão de tudo, começando pelos interruptores e chaves, passando por todos os instrumentos e pela alavanca de potência. "Você é fominha", diz ele. "Louca por um helicóptero."

"Isso porque é o meu helicóptero, garotão." Ela liga o aparelho. "Vinte e seis amperes. Energia de sobra. Não se esqueça, eu tenho mais horas do que você — e mais certificados também."

"Cala essa boca", diz ele de brincadeira, sempre de ótimo humor quando os dois voam juntos. "Livre à esquerda."

"Livre à direita."

89

Voar é o mais próximo que ele vai chegar de experimentar euforia ao lado dela.

Lucy nunca termina aquilo que raramente começa. Rudy poderia ter se sentido usado depois que eles se afastaram do Radisson em Szczecin, não fosse por seu entendimento do que aconteceu. As experiências de morte iminente ou qualquer coisa que seja terrivelmente traumática causam uma reação simples na maioria das pessoas. Elas desejam intensamente o calor de um corpo humano. Sexo é a recuperação da certeza de que se está vivo. Ele se pergunta se é por isso que ele constantemente pensa em sexo.

Ele não está apaixonado por Lucy. Nunca permitiria que isso acontecesse. A primeira vez em que a viu, sabe Deus há quanto tempo, ele não tinha a intenção de se interessar por ela. Ela estava descendo de um monstruoso Bell 412, depois de passar pelas manobras de costume que o FBI prevê quando alguma personalidade importante, especialmente um político, está visitando a academia. Rudy supôs, tendo em vista que Lucy era a única mulher da Equipe de Resgate de Reféns, que era politicamente correto que o secretário de Justiça, ou seja lá quem ele fosse, visse uma mulher jovem e de boa aparência no comando da aeronave.

Rudy olhou para ela quando ela desligou a formidável máquina de dois motores e desceu da cabine, usando um uniforme azul-escuro de batalha e botas pretas macias que lhe chegavam aos tornozelos. Ele ficou surpreso com sua beleza agressiva, ao observar a maneira como ela andava com confiança e graça e sem nenhum traço de masculinidade. Ele começou a considerar a possibilidade de aquilo que tinha ouvido sobre ela não ser verdade. O corpo dela o deixava intrigado quando ela se movia. Parecia ondular como um animal exótico, um tigre, pensou ele enquanto ela andava direto para o secretário de Justiça dos Estados Unidos, ou seja lá quem fosse naquele dia de visita, e educadamente apertou-lhe a mão.

Lucy é atlética, mas definitivamente feminina e muito agradável ao toque. Rudy aprendeu a não amá-la demais. Ele sabe quando recuar.

Em minutos o motor do helicóptero está rodando a toda força, sistemas eletrônicos e de comunicações ligados, o ritmo alto e rápido das pás formando a música que ela e Rudy adoram dançar. Ele sente o espírito de Lucy elevar-se alegremente junto com o helicóptero.

"Estamos saindo", diz ela no microfone. "Tráfego de Hudson, helicóptero quatro-zero-sete, Alfa, Uniforme, Delta está indo para o sul na trinta e quatro."

Pairar é a coisa que ela mais gosta de fazer, e ela pode manter o helicóptero perfeitamente parado, mesmo com um vento de cauda forte. Apontando o nariz para a água, ela aumenta a força do motor e decola.

90

Scarpetta pegou o primeiro vôo para o Aeroporto Intercontinental George Bush em Houston e, descontando a diferença de horário, chegou às dez e quinze da manhã.

Dali, o trajeto até Livingston foi um período tenso que durou uma hora e quarenta minutos. Ela não estava interessada em alugar um carro e ficar encontrando o caminho da prisão. Essa foi uma sábia decisão. Embora não as tenha contado, o trajeto fazia diversas curvas, o trecho mais longo da US-59, que nunca acaba. Os pensamentos de Scarpetta são reduzidos, como se ela fosse uma nova recruta recebendo ordens.

Está em seu estado de espírito mais impassível, uma *persona* que ela incorpora quando testemunha no tribunal, enquanto os advogados de defesa posicionam-se como carnívoros, esperando pelo primeiro odor de seu sangue. Raramente sai ferida. Nunca é fatal. Lá no fundo do refúgio de sua mente analítica ela permaneceu em silêncio durante toda a viagem. Não falou com a motorista, a não ser para dar-lhe instruções. A motorista é do tipo que quer conversar, e Scarpetta lhe disse, ao entrar no Lincoln preto no começo da viagem, que não queria conversar. Tinha trabalho a fazer.

"Pode deixar", disse a mulher, que estava vestida com um terno preto que incluía gravata e um quepe.

"Pode tirar o quepe", disse-lhe Scarpetta.

"Puxa, obrigado", disse a motorista, aliviada, tirando-o imediatamente. "A senhora não tem idéia de quanto odeio esta coisa, mas a maioria dos meus passageiros quer que eu pareça um chofer."

"Eu preferiria que não", disse Scarpetta.

A prisão vai aparecendo gradualmente, uma fortaleza moderna que se parece com um monstruoso navio de carga construído de concreto com janelas alinhadas sob um telhado plano, onde dois trabalhadores estão ocupados conversando, gesticulando e olhando ao redor. Cercando as extensas áreas de gramado há concertinas grossas de arame laminado que brilham como prata fina ao sol. Guardas em torres altas esquadrinham o terreno com binóculos.

"Puuuuuuxa", murmura a motorista. "Tenho que confessar que isso me deixa um pouco nervosa."

"Você vai ficar bem", garante-lhe Scarpetta. "Eles vão lhe mostrar onde estacionar e você vai ficar no carro. Não recomendo que saia andando por aí."

"E se eu tiver que ir ao banheiro?", preocupa-se ela, diminuindo a velocidade até parar na frente de uma cabine de guarda que sinaliza o começo da área de segurança máxima e talvez da mais terrível tarefa jamais empreendida por Scarpetta.

"Então acho que você vai ter que perguntar a alguém", responde ela distraída, enquanto abaixa o vidro e passa para o guarda uniformizado sua carteira de motorista e suas credenciais de legista, um brasão de metal brilhante e cartão de identificação dentro de uma carteira preta.

Quando deixou seu cargo em Richmond, ela era tão durona quanto Marino. Nunca entregava seu distintivo. Ninguém pensava em lhe pedir. Ou talvez ninguém ousasse fazer isso. Ela pode não ser mais chefe de fato, mas o que Lucy disse na noite passada está certo. Ninguém pode arrancar de Scarpetta quem ela é e a maneira como desempenha o trabalho que ainda ama. Scarpetta sabe o quanto é boa naquilo, mesmo que nunca diga isso.

"Quem a senhora vai ver?", pergunta o guarda, devolvendo-lhe a carteira e as credenciais.

"Jean-Baptiste Chandonne." O nome dele quase a sufoca.

O guarda é bastante despreocupado, considerando o ambiente que o cerca e a responsabilidade associada a ele. A julgar por sua postura e sua idade, ele provavelmente trabalha no sistema penitenciário há muito tempo e mal repara no mundo cheio de maus agouros em que entra no começo de cada turno. Ele volta para dentro da cabine e verifica uma lista.

"Senhora", diz ele, saindo de novo e apontando para a frente envidraçada da prisão, "pode ir até ali e alguém vai lhe dizer onde estacionar. A funcionária de relações públicas vai receber a senhora na porta."

Uma bandeira do Texas parece acenar para Scarpetta dizendo-lhe para seguir em frente. O céu está azul, a temperatura a faz lembrar do outono. Os pássaros estão envolvidos em uma conversa, o curso da natureza seguindo normalmente, impenetrável ao mal.

91

A vida no Bloco A não muda.

Os prisioneiros condenados vêm e vão, e velhos nomes pertencem ao silêncio. Depois de dias, ou talvez semanas — Jean-Baptiste geralmente perde a noção do tempo —, os novos que chegam para aguardar suas mortes são os nomes que acabam se associando às celas anteriormente ocupadas pelos velhos nomes dos outros que aguardaram suas mortes. No Bloco A, Cela 25, está o Animal, que será mudado para uma cela de contenção diferente dali a muitas horas. No Bloco A, Cela 30, está Jean-Baptiste. No Bloco A, Cela 31, imediatamente ao lado da cela de Jean-Baptiste, fica o Mariposa — assim chamado porque o assassino necrófilo, que fica agitado depois que as luzes se apagam, tem mãos que tremem sem controle, e sua pele é quase cinzenta. Ele gosta de dormir no chão, e sua roupa de prisioneiro está sempre coberta de pó cinzento — como o pó nas asas de uma mariposa.

Jean-Baptiste raspa os cabelos da parte de cima das mãos, longos tufos enrolados de cabelos caindo dentro da pia de aço inoxidável.

"Muito bem, Bola de Pêlo." Olhos espiam através da janelinha de sua porta. "Seus quinze minutos estão quase acabando. Mais dois minutos e eu recolho a navalha."

"*Certainement.*" Ele cobre de espuma a outra mão e continua a raspar, tomando cuidado com os nós dos dedos.

Os tufos nas orelhas são difíceis, mas ele consegue.

"Acabou o tempo."

Jean-Baptiste enxágua cuidadosamente a navalha.

"Você se barbeou." O Mariposa fala com voz baixa, tão baixa que os outros prisioneiros raramente ouvem qualquer coisa que ele diga.

"*Oui, mon ami.* Eu estou muito bonito."

A chave que se assemelha a uma alavanca entra em uma fenda na parte inferior da porta, e a gaveta desliza para fora. O guarda se afasta, ficando fora do alcance dos dedos pálidos e glabros que depositam na gaveta a navalha de plástico azul.

92

O Mariposa está sentado e rola uma bola de basquete contra a parede de maneira precisa, de forma que ela sempre role de volta para ele em linha reta.

Ele é um imprestável, tão medíocre que seu único prazer em matar era fazer sexo com a carne morta. Carne morta não possui energia, o sangue não é mais magnético. Jean-Baptiste tinha um método muito eficiente quando liberava suas escolhidas para desfrutarem do êxtase. Uma pessoa com diversos ferimentos na cabeça ainda pode viver um pouco, o suficiente para que Jean-Baptiste morda e chupe carne e sangue vivos, recarregando assim o seu magnetismo.

"Está um lindo dia, não?" O comentário em voz baixa do Mariposa penetra na cela de Jean-Baptiste, porque ele consegue escutar a voz quase inaudível. "Sem nuvens, mas mais tarde vão aparecer algumas bem altas que vão se mover em direção ao sul no final da tarde."

O Mariposa tem um rádio e escuta obsessivamente a estação de meteorologia.

"A senhorita Gittleman está de carro novo, um lindo BMW Roadster prateado."

Por uma pequena janela que é um mero rasgo na parede de cada cela, um prisioneiro do corredor da morte pode ver o estacionamento atrás da prisão, e por falta de qualquer outra coisa para ver de suas solitárias no segundo andar, os homens ficam olhando através dela na maior parte do dia. Em certo sentido, isso é um ato de intimidação. O fato de o Mariposa ter mencionado o BMW da senhorita Gittleman é a melhor ameaça que ele pode apresentar. Os guardas muito provavelmente irão passar para outros funcionários, que passarão para a senhorita Gittleman, a jovem e linda funcionária assistente de informações ao público, que os prisioneiros gostaram de seu novo carro. Nenhum funcionário de uma prisão está ansioso para que os detalhes de sua vida pessoal sejam do conhecimento de criminosos tão desprezíveis que merecem morrer.

Jean-Baptiste talvez seja o único prisioneiro que raras vezes olha pela fenda que supostamente é uma janela. Depois de memorizar cada veículo, suas cores, marcas, modelos e até mesmo o número de algumas placas e a aparência exata de alguns de seus motoristas, ele não encontrou mais propósito em ficar olhando para um céu azul vazio ou tempestuoso. Levantando-se do vaso sanitário sem se incomodar em puxar a calça para cima, ele espia através de sua janela, curioso com o comentário feito pelo Mariposa. Vê o BMW e volta a sentar no vaso, pensando.

Ele pensa na carta que enviou à bela Scarpetta. Acredita que essa carta mudou tudo e elabora uma fantasia na qual ela está lendo a carta e sucumbindo à vontade dele.

Hoje, o Animal vai ganhar quatro horas para visitar a família e o clero. Vai sair para um passeio curto até Huntsville, na Casa da Morte. Às seis da tarde ele vai morrer.

Isso também muda as coisas.

Um pedaço de papel dobrado desliza por baixo do canto direito da porta de Jean-Baptiste. Ele rasga uma folha de papel higiênico e, mais uma vez sem se importar em levantar a calça, pega o bilhete e volta para o vaso.

A cela do Animal fica a cinco portas da cela de Jean-Baptiste, à esquerda, e ele sempre sabe dizer quando um bilhete que passou de cela em cela é do Animal. O papel dobrado ganha certa textura acinzentada, e o interior é sujo e borrado, as dobras do papel gastas de tanto abrir e fechar, pois cada prisioneiro no caminho lê o bilhete, e alguns deles acrescentam seus próprios comentários.

Jean-Baptiste se curva em seu vaso sanitário de aço inoxidável, o cabelo comprido em suas costas emaranhado com suor que fez sua camisa branca ficar translúcida. Ele sempre fica com calor quando está magnetizado, e se encontra em um estado crônico de magnetismo quando sua eletricidade circula através do metal presente em seu confinamento e corre para o ferro em seu sangue, e flui para fora de novo para completar um outro ciclo, interminavelmente, interminavelmente, interminavelmente.

"Hoje", escreveu o semi-analfabeto Animal com lápis, "você num vai ficar feliz quando eles me levarem embora? Vai sentir a minha falta? Talvez não."

Dessa vez, o Animal não escreveu insultos, embora o bilhete seja lido como escárnio pelos outros prisioneiros, disso Jean-Baptiste tem certeza.

Ele escreve de volta: "Você não tem que sentir a minha falta, *mon ami*".

O Animal vai entender o que Jean-Baptiste quis dizer, embora ele não vá saber mais nada sobre o que Jean-Baptiste vai fazer para salvar o Animal de seu encontro marcado com a morte. Passos dos guardas ecoam no metal. Ele rasga o bilhete do Animal em pequenos pedaços e os coloca na boca.

93

Ela deve ter estacionado e sido abordada pelo assassino antes de sequer ter tirado as chaves do contato.

Nic supõe que a bolsa e a carteira podem ter sido jogadas no estacionamento, e, depois de dois dias, alguém certamente deve tê-las pegado. Infelizmente a postura do "achado não é roubado" prevaleceu. Com tanta cobertura que a imprensa está dando à abdução de Katherine Bruce, seja lá quem tenha encontrado a bolsa e a carteira com certeza sabe que tem uma evidência nas mãos. Algum verme hipócrita que vive segundo uma ética situacional não vai telefonar para a polícia agora e confessar que ele ou ela pretendia ficar com a bolsa ou a carteira, ou com as duas coisas, até descobrir que pertenciam a uma mulher que foi assassinada, supondo-se que Katherine tenha sido assassinada.

Se ainda não foi, ela vai ser em breve.

Então ocorre a Nic com um sobressalto que se a bolsa e a carteira foram entregues, seja lá quem ficou com elas teria telefonado para a poderosa força-tarefa de Baton Rouge, que, é claro, encontraria alguma razão imbecil para não liberar a informação para a imprensa, e certamente não liberar para os outros irmãos e irmãs de distintivo. Nic não consegue parar de pensar no Wal-Mart e que ela mesma estava no local talvez poucas horas antes do momento em que Katherine Bruce foi abduzida, levada, provavelmente para o mesmo local secreto onde o assassino tem levado todas as suas vítimas.

Nic está assombrada com a possibilidade, um pouco

remota, de que Katherine Bruce pudesse estar dentro do Wal-Mart enquanto ela própria zanzava por lá, como tem feito em todas as horas desde que voltou de Knoxville.

Fotografias da bela vítima loira aparecem constantemente nos noticiários de TV e estão em todos os jornais que Nic viu. Ela não tem lembrança de ter notado ninguém que tivesse a mínima semelhança com ela, enquanto examinava uma tela para bordado, e ela não sabe bordar, ou demonstrando interesse em lingerie espalhafatosa que ela nunca usaria.

Por algum motivo, a mulher estranha que caiu no estacionamento devido ao joelho machucado volta de vez em quando à mente de Nic. Alguma coisa naquela mulher a incomoda.

94

Na maré alta, barcos pequenos podem entrar nos córregos e em pequenas baías pantanosas onde geralmente não é possível entrar e onde quase nunca pessoas racionais se aventuram.

Darren Citron é conhecido por aumentar a velocidade do motor de seu velho barco Bay Runner e deslizar sobre a água rasa, conseguindo passar por cima dos bancos de lama, chegando na embocadura de qualquer curso d'água que ele queira desafiar em qualquer dia. Agora a maré está um pouco mais baixa do que ele gostaria, mas ele acelera com toda a potência do motor e quase fica preso no lodo, que pode ter quase dois metros de profundidade. O lodo pode tirar o sapato de uma pessoa, e embora Darren geralmente consiga empurrar seu barco para fora, ele não gosta de andar naquela água sempre cheia de cobras venenosas.

Habitante daquela região, ele tem dezoito anos de idade, perpetuamente bronzeado com a cor de um amendoim queimado, vive da pesca e de encontrar novos locais para caçar jacarés. Devido a essa segunda atividade, Darren não é especialmente admirado. Se ele vai atrás dos grandes que podem render um bom preço pela carne e pela cabeça, o processo requer uma corda forte, um enorme anzol de aço e, é claro, isca. Quanto mais alto a isca fica balançando sobre a água, maior tem que ser o jacaré para alcançá-la. As melhores iscas são os cachorros. Darren consegue os animais nos abrigos de cães de toda a região, enganando as pessoas com seu comportamento amável e gentil. Ele faz o que tem que fazer, racionalizando para si mesmo que os animais serão sacrificados mais cedo ou mais tarde. Quando está caçando jacarés, ele pensa nos jacarés, e não na isca ou em como a conseguiu. Os jacarés são apanhados à noite, especialmente se Darren fica sentado bem quieto em seu barco e toca uma fita com sons de cães ganindo. Ele é perito em se desligar da isca, pensando apenas no enorme jacaré que vai sair da água, fechar as mandíbulas com força e ficar preso no anzol. Então ele se aproxima rápido e misericordiosamente atira na cabeça do réptil com um rifle calibre 22.

Ele atravessa um curso d'água com margens cheias de nenúfares flutuantes e vegetação aquática, salpicadas pelas sombras dos ciprestes cobertos de barbas-de-velho, de raízes pegajosas. Jacarés entram e saem da água, especialmente se a fêmea botou ovos. Suas caudas longas deixam trilhas, e quando Darren vê algum lugar especial com diversas trilhas, faz uma anotação em seu mapa mental e volta ao lugar depois de escurecer, se o tempo e as marés estiverem bons.

A água está forrada de flores de lentilha-d'água, e uma garça azulada sai voando um pouco mais à frente, infeliz com a intrusão do homem e seu motor. Darren procura trilhas. É seguido por libélulas iridescentes. Olhos de jacaré fazem-no pensar em pequenos túneis lado a lado, pouco acima da superfície da água, antes que eles o peguem olhando de volta. Depois de uma curva ele localiza uma miríade de trilhas e uma corda de náilon amarela pendurada em uma árvore. A isca no enorme anzol de aço é um braço humano.

95

Hoje, pela primeira vez em mais de cinco anos, Benton fala com o senador Frank Lord, ambos usando telefones públicos.

Para Benton, a situação é quase cômica, e ele imagina o senador Lord, sempre imaculada e impecavelmente vestido e arrumado, dirigindo de sua casa no norte da Virgínia, a caminho do Capitólio, e parando em um posto de gasolina para usar um telefone público. Benton orquestrou a conversa depois de receber um e-mail bastante inesperado do senador bem tarde na noite passada.

O texto dizia *Encrenca. Amanhã 7:15. Deixe um número.*

Benton respondeu à mensagem enviando o número do telefone público que ele está usando agora, depois de tê-lo escolhido na noite passada. Sempre procure o plano mais simples, o mais óbvio, se possível. Sem dúvida, está começando a parecer que seus planos estão dando errado em todos os sentidos.

Ele se encosta numa parede, observando seu Cadillac malconservado, certificando-se de que ninguém chegue perto dele, nem demonstre interesse por ele. Todos os alarmes dentro de sua cabeça estão ativados. O senador Lord está lhe contando sobre a carta de Chandonne para Scarpetta, aquela com caligrafia.

"Como você descobriu isso?", pergunta Benton.

"Jaime Berger me telefonou na noite passada. Em casa. Muito preocupada que Chandonne tivesse preparado uma armadilha para Scarpetta, que estaria indo direto para ela. Berger quer minha ajuda, minha intervenção. As pessoas se esquecem de que tenho minhas limitações. Bom, os meus inimigos não se esquecem disso."

O senador quer mandar legiões de agentes federais para Baton Rouge, mas nem mesmo ele pode alterar a lei. A força-tarefa de Baton Rouge tem que convidar o FBI para a investigação e, para todos os fins práticos, assumir o controle. Nessas abduções em série — ou assassinatos, porque é isso que são — cria-se um problema jurisdicional insuperável caso os federais resolvam entrar na coisa por conta própria. Nenhuma lei federal foi transgredida.

"Maldita incompetência", diz o senador Lord. "Aqueles malditos ignorantes lá de baixo."

"Está perto", diz Benton ao telefone. "A carta significa que a situação está perto de uma possível conclusão. Não da forma como eu queria. Isso é ruim, muito ruim. Não estou preocupado comigo."

"Pode-se lidar com isso?"

"Eu sou o único que sabe como. Vai exigir exposição."

Uma longa pausa, e então o senador concorda. "É, acho que vai, sim. Mas depois que acontecer, não há como voltar atrás. Não podemos passar por isso de novo. Você realmente acha que..."

"Eu tenho que fazer isso. A carta muda dramaticamente a situação, e você sabe como ela é. Ele a está atraindo para lá."

"Ela está lá agora."

"Baton Rouge?", assusta-se Benton.

"Texas. Eu quis dizer no Texas."

"Diacho. Também não é bom. Não, não, não. A carta. Essa é real. O Texas não é mais seguro para ela."

Por um momento ele visualiza Scarpetta visitando Chandonne. Na verdade ele tinha razões táticas e pessoais para querer que ela fizesse isso. Mas se for honesto consigo mesmo, ele nunca realmente pensaria que ela fosse até lá. Nunca mesmo, apesar de seus melhores esforços. Ela não deveria estar lá agora. *Diacho.*

"Ela está lá neste exato momento", lembra-lhe o senador Lord.

"Frank, ele vai tentar se aproveitar disso e fugir."

"Não sei como. Não daquele lugar. Não importa quão inteligente ele seja. Vou alertá-los imediatamente."

"Ele é muito mais do que inteligente. A questão é: se ele a está atraindo para Baton Rouge, então ele planeja estar lá. *Eu conheço o Chandone. Eu conheço Kay.* Ela vai rumar para Baton Rouge assim que sair do Texas. A menos que ele a intercepte primeiro, no Texas, se conseguir agir bem rápido. Vamos esperar que ele não consiga. Mas de qualquer jeito ela corre enorme perigo. Não só por causa dele, mas também pelos aliados. Eles devem estar em Baton Rouge. O irmão dele deve estar lá. Os assassinatos agora fazem sentido. É ele quem está matando as mulheres. Ela provavelmente está ajudando. Uma vez que ela ainda não foi apanhada, meu palpite é que ele e Bev Kiffin estão juntos, escondidos."

"Abduzir mulheres não seria um tremendo risco para fugitivos com a reputação que eles têm?"

"Ele está entediado", diz Benton simplesmente.

96

Os guardas da Unidade Polunsky usam uniformes cinza e bonés pretos de beisebol.

Algemas pendem dos cintos dos dois guardas que acompanham Jean-Baptiste através de uma série de pesadas portas que se fecham com um barulho tão alto que parece tiros de uma arma de calibre grosso dentro de uma sala de aço. Cada explosão dá mais poder a Jean-Baptiste, que anda livremente, só com os pulsos algemados. Ao seu redor, toneladas de aço magnetizam-no com fulgores solares. A cada passo, o poder torna-se mais forte.

"Não consigo entender por que alguém iria querer visitar você", diz um dos oficiais para ele. "É a primeira vez, né?"

O nome dele é Phillip Wilson. Ele tem um Mustang vermelho com uma placa personalizada onde se lê KRCRE.

CÁRCERE. Jean-Baptiste percebeu o jogo de letras em seu primeiro dia na prisão.

Ele não diz nada aos guardas enquanto atravessa mais uma porta em uma onda de calor intenso.

"Nem um único visitante?", responde o segundo guarda, Ron Abrams, branco, magro, com cabelo castanho fino. "Que lamentável, não é, Monsieur Chandonne?", diz ele em tom de zombaria.

A rotatividade dos guardas na prisão é bastante elevada. O guarda Abrams é novo, e Jean-Baptiste percebe que ele quer acompanhar o notório Lobisomem até a área de visitação. Guardas novos estão sempre curiosos a respeito de Jean-Baptiste. Então eles se acostumam com ele e começam a ficar enojados. O Mariposa diz que o guarda Abrams dirige uma perua Toyota preta. O Mariposa conhece todos os carros do estacionamento, da mesma forma que sempre sabe o último boletim meteorológico.

A parte de trás da minúscula cabine de visitas é feita de uma grade de metal pesado pintada de branco. O guarda Wilson a destranca, tira as algemas de Jean-Baptiste e o coloca dentro da cabine, que tem uma cadeira, uma prateleira e um telefone preto preso a um cabo de metal.

"Eu queria uma Pepsi e forminhas de chocolate, por favor", diz Jean-Baptiste através da grade.

"Você tem dinheiro?"

"Eu não tenho dinheiro", responde Jean-Baptiste em voz baixa.

"Ok. Desta vez vou te fazer um favor, já que você nunca teve uma visita antes, e a mulher que está vindo aí seria imbecil de comprar qualquer coisa para você, seu babaca." É o guarda Abrams que fala de maneira tão rude.

Através do vidro, Jean-Baptiste perscruta a sala espaçosa e absolutamente limpa, acreditando que não precisa de olhos para ver as máquinas de vender e tudo o que há nelas, e os três visitantes falando nos telefones com três outros prisioneiros do corredor da morte.

Ela não está aqui.

A corrente elétrica de Jean-Baptiste pulsa com raiva.

97

Como sempre acontece quando uma situação é urgente, os melhores esforços são frustrados por acontecimentos rotineiros.

O senador Lord nunca foi do tipo de hesitar para, ele mesmo, dar telefonemas. Ele não tem inseguranças egotistas e acha que é mais rápido lidar diretamente com a questão do que explicá-la a uma outra pessoa. No instante em que desliga o telefone público, volta para seu carro e dirige em direção ao norte, falando em seu sistema viva voz com seu assessor-chefe.

"Jeff, preciso do número do administrador da Unidade Polunsky. Agora."

Fazer anotações enquanto dirige na hora do rush pela I-95 é uma habilidade especial que o senador foi forçado a aprender anos atrás.

Ele entra em uma área de sinal fraco e não consegue ouvir o assessor.

Chamando-o repetidas vezes, o senador fica sem sinal. Quando consegue retomar a ligação, é saudado por uma mensagem gravada, porque Jeff está tentando ligar para ele também.

"Sai do telefone!", exclama o senador para ninguém que possa ouvi-lo.

Vinte minutos depois, uma secretária ainda está tentando localizar o administrador.

O senador Lord percebe — e isso já aconteceu antes — que ela não tem certeza se deve acreditar que a pessoa do outro lado da linha é realmente o senador Frank Lord, um dos políticos mais poderosos e com maior visibilidade do país. De maneira geral, as pessoas mais importantes deixam as menos importantes marcar reuniões e fazer telefonemas.

O senador Lord se concentra no tráfego arrastado e nos motoristas bravos, e está à espera há um bom tempo. Ninguém com inteligência, ou, melhor ainda, com certeza sobre a pessoa com quem está falando ousaria colocá-lo na espera. Isso é a recompensa por humildade e por cuidar de si mesmo de maneira eficiente, o que inclui pegar suas roupas na lavanderia, parar ocasionalmente na mercearia e até mesmo fazer suas próprias reservas em restaurantes, apesar dos problemas recorrentes com maîtres que não anotam nada, certos de que o telefonema é um trote ou alguém tentando enganá-los para conseguir a melhor mesa.

"Desculpe pela espera." A secretária finalmente volta. "Não estou conseguindo localizá-lo. Ele está muito ocupado esta manhã porque vai haver uma execução hoje à noite. O senhor quer deixar um recado comigo?"

"Qual é o seu nome?"

"Jodi."

"Não, Jodi, eu não quero deixar um recado com você. É uma emergência."

"Bem", ela hesita, "o identificador de chamadas não está mostrando que o telefonema é de Washington. Eu simplesmente não posso tirá-lo de uma reunião importante ou de qualquer outra coisa que ele esteja fazendo para depois descobrirmos que não é realmente o senador quem está falando."

"Eu não tenho tempo para essas coisas. Encontre-o. Ou então, que diabo, será que ele não tem um assistente?"

Mais uma vez ele entra em uma área de sinal fraco e leva quinze minutos antes que consiga voltar para a secretária. Ela já não está mais lá. Uma outra jovem atende o telefone, e ele a perde também.

98

"Estou cansada disso", Nic conta ao pai.

Ela dirigiu até o velho prédio de tijolos do Departamento de Polícia de Baton Rouge, mas não chegou a passar do saguão do primeiro andar. Quando disse que tinha uma possível evidência sobre os casos, um investigador à paisana acabou aparecendo e só deu uma olhada nas moedas dentro do envelope. Olhou também as fotografias Polaroid das moedas no estacionamento do Wal-Mart e ouviu com indiferença a interpretação e a teoria de Nic enquanto olhava repetidas vezes para o relógio. Ela pegou um recibo ao entregar as moedas para ele, e teve a certeza de que quando ele voltasse para a chamada Sala de Guerra ela teria virado a piada do dia.

"Todos estamos trabalhando nos mesmos casos, e aqueles escrotos não querem falar comigo. Que droga." Às vezes Nic se esquece da aversão que seu pai tem por linguagem chula. "Talvez eles saibam de alguma coisa que possa ajudar nos nossos casos em Zachary. Mas, ah, não. Eu sou bem-vinda para passar para eles tudo o que sei, mas não é recíproco."

"Você me parece bem cansada, Nic", diz ele, enquanto comem ovos mexidos com queijo e bifinhos de carne temperada.

Buddy está desligado, na terra da fantasia, entretido com seus brinquedos e a televisão.

"Que tal um milho cozido?", pergunta o pai.

"Não agüento. Mas você faz o melhor milho que já comi."

"Você sempre diz isso."

"E é sempre verdade."

"Toma cuidado. Aqueles rapazes de Baton Rouge não gostam de gente como você. Especialmente de mulheres como você."

"Eles nem me conhecem."

"Eles não precisam te conhecer para te odiar. Eles querem crédito. Agora, quando eu estava crescendo, crédito significava que você podia comprar sua comida no armazém e pagar mais tarde quando pudesse. Ninguém ficava com fome. Hoje em dia, crédito significa puro egoísmo. Aqueles rapazes lá de Baton Rouge querem crédito, crédito e mais crédito."

"Nem me diga." Nic passa manteiga em mais um biscoito. "Sempre que você cozinha, eu como demais."

"As pessoas que querem crédito vão mentir, enganar e roubar", lembra-lhe o pai.

"Enquanto mulheres continuam morrendo." Nic perde o apetite e recoloca o biscoito no prato. "Quem é pior? O homem que está fazendo isso ou esses que querem crédito e não se importam com as vítimas nem com qualquer outra coisa?"

"Um erro não justifica o outro, Nic", diz ele. "Fico feliz por você não trabalhar lá. Eu ficaria muito mais preocupado com a sua segurança do que fico agora. E não é por causa desse louco à solta, não, mas por quem seriam os seus colegas lá."

Ela olha ao seu redor, a cozinha simples de sua infância. Nada na casa foi atualizado ou reformado desde que sua mãe morreu. O fogão é elétrico, branco com quatro bocas. A geladeira é branca; os armários e o gabinete da pia também. Sua mãe tinha pensado em um estilo rústico francês, ia procurar mobília antiga e cortinas azuis e brancas, talvez alguns azulejos interessantes para as paredes. Mas não teve essa chance. Então a cozinha ficou branca, toda branca. Se qualquer um dos utensílios domésticos deixasse de funcionar para sempre, ela tem certeza de que seu pai não se livraria dele. Ele comeria comida comprada fora todos os dias, se preciso. É torturante para Nic que seu pai não consiga se desprender do passado. Ele é um refém de um sentimento silencioso de angústia e raiva.

Nic empurra a cadeira para trás. Beija o topo da cabeça do pai, e os olhos dela se enchem de lágrimas.

"Eu te amo, paizinho. Tome conta do Buddy. Prometo que qualquer dia desses serei uma boa mãe."

"Você já é uma boa mãe." Ele olha para ela de seu lugar à mesa, remexendo os ovos mexidos no prato. "Não é a quantidade de tempo, mas a qualidade do tempo que conta."

Nic pensa em sua mãe. O tempo dela foi curto, mas cada minuto foi bom. É assim que parece agora.

"Ora, você está chorando", diz o pai. "Você vai me contar o que está acontecendo com você, Nic?"

"Eu não sei, não sei. Estou cuidando das minhas coisas, e de repente começo a chorar. Acho que tem a ver com a mamãe, como eu já te disse. Tudo o que está acontecendo por aqui me fez lembrar, ou então abriu a porta de algum alçapão na minha cabeça. Uma porta que eu nem sequer sabia que estava lá e que leva para um lugar escuro do qual morro de medo, paizinho. Por favor, acende a luz para mim. Por favor."

Ele se levanta lentamente da mesa, entendendo o que ela quer dizer. E suspira.

"Não faça isso a você mesma, Nic", diz ele com severidade. "Eu já sei o que isso fez comigo. Eu parei minha vida. Você sabe que parei. Quando voltei para casa no começo daquela noite e vi..." Ele pigarreia, lutando para conter as lágrimas. "Senti alguma coisa se mexer dentro de mim, como se eu tivesse torcido um músculo do meu coração. Por que você iria querer essas imagens?"

"Porque elas são a verdade. E talvez as imagens que eu tenho sejam piores porque não consigo ver as verdadeiras."

Ele balança a cabeça e suspira de novo. "Vá lá no sótão. Debaixo de todos aqueles tapetes empilhados no canto, tem uma pequena mala azul. Era dela. Ela ganhou em um concurso."

"Eu me lembro", sussurra Nic, revendo mentalmente a

imagem da mãe saindo de casa com a mala, quando foi para Nashville para visitar uma tia que fizera uma cirurgia no olho.

"O segredo para abrir a mala nunca foi colocado, porque ela dizia que nunca conseguiria se lembrar. Está zero-zero-zero, como se a mala fosse novinha." Ele limpa a garganta de novo, olhando para o vazio. "O que você quer está lá dentro. Algumas coisas que eu não deveria ter, mas eu era como você. Eu tinha que saber. E eu era professor da filha do chefe de polícia, então consegui alguns favores, e tenho vergonha de admitir isso. Porque prometi ao chefe que daria a ela uma nota melhor do que ela merecia e uma recomendação para a faculdade que era uma enorme mentira.

"Minha punição foi receber o que eu havia pedido", continua ele. "Só não traga aquelas coisas aqui para baixo. Eu não quero nunca mais ver aquilo de novo."

99

A assistente de relações públicas Jayne Gittleman pede muitas desculpas por ter feito Scarpetta esperar.

Durante quinze minutos, Scarpetta ficou em pé em frente à porta de entrada, bem embaixo da placa onde está escrito *Unidade Allan B. Polunsky*, o sol forte fazendo-a transpirar. Ela se sente suja e desgrenhada por causa da viagem. Sua paciência está no limite, apesar de sua determinação de conter completamente as emoções. Mais do que qualquer coisa nesse exato momento, ela quer finalmente acabar logo com isso.

"O pessoal da mídia está ligando sem parar porque temos uma execução hoje à noite", explica a srta. Gittleman.

Scarpetta recebe da assistente um crachá de visitante, que prende à lapela do mesmo terno que usou em aviões diferentes desde que saiu da Flórida. A calça é preta, e pelo menos Scarpetta conseguiu passá-la em seu quarto no Melrose Hotel em Nova York na noite passada, depois de se despedir da sobrinha. Lucy não sabe onde Scarpetta está agora. Se Scarpetta tivesse falado a respeito, Lucy teria tentado impedi-la de ir ou insistiria para ir com ela. Arriscando-se, Scarpetta foi para o oeste sem marcar uma hora, e sem nenhuma opção a não ser telefonar para a Unidade Polunsky quando aterrissou em Houston. Sua confiança de que Chandonne iria vê-la foi recompensada pelo desagradável incômodo extra de saber que ela estava na lista de visitantes dele. Pelo menos, a piada doentia dele mostrou-se útil. Ela chegou. E talvez quanto menos tempo ele tiver para pensar sobre uma visita dela, melhor.

Guardas checam a identidade de Scarpetta, e a srta. Gittleman a conduz por uma série de barulhentas portas de aço, em seguida através de um jardim com mesas de piquenique sob guarda-sóis, obviamente usadas pelos funcionários. Scarpetta passa por cinco portas com trancas eletrônicas, a caminhada curta demais para lhe servir, porque ela chega à desanimadora conclusão de que não deveria ter ido até lá. Chandonne está manipulando-a, e ela vai lamentar essa visita porque lhe dá o que ele quer e faz dela uma idiota.

Dentro do saguão de visitantes, os sapatos dela parecem fazer muito barulho, e ela se incomoda com sua aparência enquanto atravessa o chão de piso brilhante. Por acreditar totalmente na psicologia do vestuário e da atitude, Scarpetta sabe que sua entrada é inadequada e embaraçosa. Ela preferiria estar vestida com um terno de grife, provavelmente risca de giz, e talvez uma camisa branca com abotoaduras. Ela reflete que, possivelmente, esse tipo de roupa não teria enviado a melhor mensagem ao desgraçado que tentou matá-la, mas teria feito com que ela se sentisse menos vulnerável em relação a ele.

Seus joelhos fraquejam diante da visão de Jean-Baptiste Chandonne sentado na Cabine 2. Depilado, inclusive nas mãos e na cabeça, ele está à vontade atrás do vidro, tomando uma Pepsi e comendo uma forminha de chocolate, fingindo não perceber a presença dela.

Ela o encara abertamente, recusando-se a jogar o jogo que ele já começou, e se surpreende por vê-lo barbeado e vestido de branco. Ele é feio, mas quase parece normal sem os longos cachos de cabelo fino como os de um bebê que caíam dele em uma espécie de franja comprida e imunda, na última vez em que ela o viu. Ele beberica sua Pepsi e lambe os dedos quando Scarpetta se senta na frente dele e pega o telefone preto.

Seus olhos assimétricos movem-se a esmo, e ele dá a ela seu sorriso de barracuda, sua pele pálida como um pergaminho. Ela repara em seus braços musculosos e bastante definidos e que ele cortou fora as mangas de sua camisa branca, e então ela vê o horrível cabelo comprido. Ele escapa das axilas e da abertura da camisa na altura do pescoço. Está claro que ele raspou apenas as áreas de seu corpo que estão descobertas.

"Que ótimo", diz ela friamente ao telefone. "Você se limpou para mim."

"Mas é claro. Que amável da sua parte ter vindo. Eu sabia que você viria." Seus olhos embaçados não parecem estar focados quando se voltam brevemente na direção dela.

"Você se barbeou?"

"Sim. Hoje. Para você."

"Deve ser bem difícil fazer isso quando não se pode ver", observa ela com a voz firme e forte.

"Eu não preciso dos meus olhos para ver." Ele toca um dente pequeno e afiado com a língua e estende a mão para pegar a Pepsi. "O que você achou da minha carta?"

"O que você queria que eu achasse?"

"Que eu sou artista, é claro."

"Você aprendeu caligrafia aqui na prisão?"

"Eu sempre tive uma linda caligrafia. Quando os meus pais me mantinham preso no porão, quando eu era um menino inocente, tive todo o tempo do mundo para desenvolver muitos talentos."

"Quem colocou a sua carta no correio?" As perguntas de Scarpetta prevalecem.

"Foi o meu querido e hoje morto advogado." Ele dá um estalo com a língua. "Eu sinceramente não sei por que ele cometeu suicídio. Mas talvez tenha sido bom. Ele era um imprestável, sabe? É uma característica de sua linhagem."

Scarpetta se curva e tira um bloco e uma caneta da bolsa. "Você me disse que tem informações para mim. É por isso que estou aqui. Se você quer apenas conversar, vou embora já. Não tenho interesse em *visitar* você."

"A outra parte do acordo, Madame Scarpetta", diz ele, os olhos tortos vagando, "é a minha execução. A senhora vai cumprir a sua parte?"

"Para mim, não há problema nenhum."

Ele sorri e parece deliciado.

"Conte-me uma coisa." Ele apóia o queixo em uma das mãos. "O que acontece?"

"É indolor. Uma intravenosa de tiopental sódico, que é o sedativo. E brometo de pancurônio, um relaxante muscular. Cloreto de potássio pára o coração." Ela descreve clinicamente enquanto ele ouve, enlevado. "São drogas bastante baratas, o que é irônico e adequado, considerando-se sua finalidade. A morte ocorre em alguns minutos."

"E eu não vou sofrer quando você fizer isso comigo?"

"Você nunca vai sofrer da mesma maneira que fez os outros sofrerem. Você vai dormir instantaneamente."

"Então você promete que vai ser minha médica no fim?" Ele começa a acariciar a lata de Pepsi, a horrenda unha comprida de seu polegar direito coberta com o que parece ser chocolate, provavelmente de suas forminhas.

"Eu farei como você deseja, desde que você esteja disposto a ajudar a polícia. Quais são as informações?"

Ele dá a ela nomes e lugares, nenhum dos quais significa absolutamente nada para ela. Ela enche vinte páginas de seu bloco, ficando cada vez mais desconfiada de que ele está brincando com ela. As informações não significam nada. Possivelmente.

Em uma pausa, quando ele decide comer uma de suas forminhas com calma, ela diz: "Onde estão o seu irmão e Bev Kiffin?".

Ele limpa as mãos e a boca na camisa, músculos vigorosos aparecendo a cada um de seus movimentos. Chandonne é forte e assustadoramente rápido. Reprimir imagens torna-se cada vez mais difícil. Ela tenta bloquear as lembranças daquela noite em sua casa, quando esse mesmo homem que está separado dela apenas por vidro tentou bater nela até a morte. Então o rosto de Jay Talley aparece, quando ele a enganou, e mais tarde veio atrás dela também. É incompreensível o fato de os dois irmãos gêmeos partilharem da mesma obsessão assassina por ela. Ela quase não acredita nisso, e fica surpresa por estar olhando para Jean-Baptiste Chandonne e sentir apenas uma determinação para esquecer os horrores do passado. Ele é inofensivo neste lugar. Daqui a alguns dias, vai morrer.

Ela não vai voltar para administrar a injeção letal. Mentir para ele não a incomoda nem um pouco.

Ele não diz nada sobre Jay Talley e Bev Kiffin.

Em vez disso, ele diz a ela: "Rocco tem um pequeno château em Baton Rouge. É um lugar esquisito, em uma vizinhança restaurada onde moram muitos homossexuais. Perto do centro. Fiquei lá muitas vezes".

"Você já ouviu falar de uma mulher em Baton Rouge chamada Charlotte Dard?"

"Claro. Não era bonita o bastante para o meu irmão."

"Foi Rocco Caggiano quem a matou?"

"Não." Chandonne suspira como se estivesse ficando entediado. "Eu disse, e você precisa me ouvir com mais atenção. Ela não era bonita o bastante para o meu irmão. O Bastão Vermelho." Ele a sujeita a seu medonho sorriso com a boca aberta, os olhos vagando sem direção. "Sabia que tudo o que você é pode ser visto nas suas mãos?"

As mãos dela estão no colo, segurando o bloco e a caneta. Ele fala sobre as mãos dela como se as pudesse ver, mas seus olhos flutuam como se fosse cego.

Fingido.

"Nas mãos de todos os filhos dos homens, Deus coloca marcas, para que todos os filhos dos homens conheçam suas próprias obras. Cada operação mental deixa marcas na mão, constitui a forma da mão, que é a medida de inteligência e criatividade."

Ela escuta, intrigada para saber se ele vai chegar a algum ponto importante.

"Na França, você encontra principalmente mãos artísticas. Como as minhas." Ele ergue uma das mãos com os pêlos raspados, seus dedos compridos e afilados abertos. "E como as suas, Madame Scarpetta. Você tem as mãos elegantes de uma artista. E agora você sabe por que eu não toco em mãos. *A psiconomia da mão*, ou *A mão: um indicador de desenvolvimento mental*. Monsieur Richard Beamish. Um livro muito bom, com diversos traçados de mãos vivas, se puder encontrá-lo, ah, que pena!, foi escrito em 1865 e não consta do acervo da biblioteca perto da sua casa. Há dois traçados que são você. A mão quadrada, elegante mas forte. E a mão do artista, elástica e flexível, também elegante. Porém mais associada com personalidade impulsiva."

Ela não comenta aquilo.

"Impulsiva. Aqui está você sem avisar. De repente, aparece aqui. De um tipo bastante nervoso. Mas sangüínea."

Ele saboreia a palavra sangüínea, que na medicina medieval significava que o sangue era o mais dominante dos humores corporais. As pessoas sangüíneas supostamente eram otimistas e alegres. Nesse momento, ela não é nem uma coisa, nem outra.

"Você diz que não toca em mãos. Isso é uma explicação para o fato de não ter mordido as mãos das mulheres que você massacrou", diz ela imperturbável.

"As mãos são a mente e a alma. Eu não machucaria uma manifestação daquilo que estou liberando com as minhas escolhidas. Eu só lambo as mãos."

Agora ele está se posicionando para causar nojo e para aviltá-la, mas ela ainda não terminou com ele.

"Você não mordeu os pés delas também", lembra ela.

Ele dá de ombros, passando o dedo na lata de Pepsi, que

parecia vazia na última vez em que ele a colocou sobre a prateleira. “Pés não me interessam.”

“Onde estão Jay Talley e Bev Kiffin?”, pergunta ela de novo.

“Estou ficando cansado.”

“Por que você protegeria o seu irmão depois da maneira como ele o tratou durante toda a sua vida?”

“Eu sou o meu irmão”, diz ele de maneira estranha. “Por isso, você ter me encontrado torna desnecessário para você encontrar o meu irmão. Agora eu estou muito cansado.”

Jean-Baptiste Chandonne começa a esfregar o estômago e a estremecer enquanto seus olhos vagueiam pelo espaço. “Acho que estou ficando enjoado.”

“Você não tem mais nada para me contar? Se não tiver, vou embora.”

“Estou cego.”

“Você é um fingido”, retruca Scarpetta.

“Você tirou a minha visão física, mas não antes que eu *visse* você.” Ele toca o dente pontudo com a língua. “Sabe a sua casa encantadora com um chuveiro na garagem? Quando você voltou de uma cena de crime no porto de Richmond, você foi até a garagem para trocar de roupa e se desinfetar, e tomou uma ducha lá.”

Raiva e humilhação tomam conta do corpo dela. Ela estava examinando um corpo pútrido, em decomposição, dentro de um contêiner, e, sim, ela manteve a rotina: tirou o macacão e as botas de proteção e colocou-os dentro de um saco plástico grosso amarrado que foi para dentro do porta-malas; em seguida ela foi para casa. Dentro da garagem, que certamente não era uma garagem comum, ela atirou o saco plástico dentro de uma pia industrial de aço inoxidável. Tirou o restante das roupas e entrou no chuveiro, porque não queria levar a morte para dentro de casa.

“As janelas pequenas na porta da sua garagem. Muito parecidas com a janelinha da minha cela”, continua ele. “Eu vi você.”

Os olhos fora de foco e o sorriso de peixe novamente.

A língua dele está sangrando.

As mãos de Scarpetta estão frias e os pés estão ficando dormentes. Os cabelos dos braços e da nuca estão arrepiados.

"*Nua.*" Ele saboreia a palavra, chupando a língua. "*Eu vi você tirando a roupa. Vi você nua.* Que alegria, como um vinho fino. Você era um Burgundy naquele momento, redondo e encorpado, complexo e para ser bebido de uma vez , e não saboreado aos poucos. Agora você é um Bordeaux, porque quando fala é mais pesada, percebe. Não fisicamente, acho que não. Eu teria que vê-la nua de novo para determinar isso." Ele aperta a mão contra o vidro, uma mão que martelou seres humanos, fazendo-os em pedaços e transformando-os em mingau. "Um vinho tinto, é claro. Você sempre..."

"Chega!" Scarpetta grita quando a raiva arrebenta sua camuflagem como se fosse um porco selvagem. "Cala essa boca, seu merda imprestável." Ela se aproxima do vidro. "Eu não vou ficar aqui ouvindo essa sua conversa masturbatória. Ela não me incomoda. Eu não dou a mínima se você me viu nua. Você acha que me intimida ficar ouvindo você tagarelar sobre o seu voyeurismo e sobre o que você acha do meu corpo? Você acha que me importo de ter cegado você quando você estava me ameaçando com aquela porra de martelo?

"Sabe qual é a melhor parte disso tudo, Jean-Baptiste Chandonne? Você está aqui por minha causa. Então quem ganhou? E não, eu não vou voltar aqui para participar da sua execução. Um estranho vai fazer isso. Da mesma forma que você era um estranho para as pessoas que matou."

Jean-Baptiste de repente se vira para a grade atrás de si.

"Quem está aí?", ele murmura.

Scarpetta desliga o telefone preto e vai embora.

"*Quem está aí?*", ele grita.

100

Jean-Baptiste gosta muito das algemas.

Os braceletes de aço grosso ao redor de seus pulsos são anéis de força magnética. Energia circula através de seu corpo. Ele está calmo agora, até mesmo sociável, enquanto os guardas Abrams e Wilson o acompanham pelos corredores, parando a cada porta de aço, erguendo seus crachás de identidade e mostrando os rostos pelas janelas de vidro. O guarda do outro lado libera a tranca eletrônica e a jornada prossegue.

"Ela me chateou muito", diz ele com a voz mansa. "Eu lamento meu acesso de raiva. Ela me cegou, vocês sabem, e não quer pedir desculpas."

"Eu nem sei por que ela veio ver um escroto como você", comenta o guarda Abrams. "Se tem alguém que deveria estar chateado, esse alguém é ela, depois do que você tentou fazer. Eu li tudo a respeito, sei tudo sobre a sua vida inútil."

O guarda Abrams está cometendo um grande erro ao dar espaço para suas emoções. Ele odeia Jean-Baptiste. Gostaria de machucar Jean-Baptiste.

"O meu interior está tranqüilo agora", diz Jean-Baptiste mansamente. "Mas estou me sentindo mal."

Os guardas param em outra porta, e Abrams mostra sua identidade na janela de vidro. Eles atravessam. Jean-Baptiste evita encará-lo, olhando para o chão e desviando os olhos de cada guarda que lhes libera a passagem rumo ao interior da prisão.

"Eu como papel", confessa Jean-Baptiste. "É um tique nervoso que tenho, e comi um monte de papel hoje."

"Você está escrevendo cartas para você mesmo?", continua Abrams maliciosamente.

"Isso é verdade", concorda Jean-Baptiste. "Mas desta vez é pior. Eu me sinto fraco, e meu estômago dói."

"Digamos que logo vai passar."

"Não se preocupe. Se não passar, nós te levamos para a enfermaria." Dessa vez é o guarda Wilson quem fala. "Eles vão te dar um enema. Você provavelmente vai gostar."

Dentro do Bloco A, as vozes dos prisioneiros ecoam no concreto e no aço. O barulho é ensurdecedor, e a única maneira de Jean-Baptiste conseguir agüentá-lo durante todos esses meses foi decidir quando ouvir e quando não ouvir. Se isso não é suficiente, ele vai embora, geralmente para a França. Mas hoje ele vai começar sua viagem para Baton Rouge e vai se reunir ao seu irmão. Ele é seu irmão. Essa questão o deixa confuso.

Quando está com o irmão, Jean-Baptiste vive a existência do irmão, que é separada da existência de Jean-Baptiste.

Quando os dois estão separados, Jean-Baptiste é o irmão, e seus papéis em suas conquistas unem-se em um ato delicioso. Jean-Baptiste escolhe a mulher bonita, e ela o deseja, possivelmente de maneira desesperada. Eles fazem sexo. Então ele a liberta para o êxtase, e quando acaba e ela está livre, Jean-Baptiste está escorregadio com o sangue dela, sua língua tensa pela mistura de doce e sal que veio dela, e o toque metálico do ferro de que ele tanto precisa. Mais tarde, seus dentes às vezes doem, e ele fica inclinado a massagear suas gengivas e a lavar-se obsessivamente.

A cela de Jean-Baptiste aparece no campo de visão, e ele olha dentro da cabine de controle para a mulher que está lá hoje. Ela é uma dificuldade, mas não impossível de ser superada. Ninguém pode observar todas as atividades o tempo todo, e à medida que Jean-Baptiste caminha lentamente, muito lentamente, e segura a barriga, ela mal olha para ele. O começo da tarde pertence ao Animal. Agora ele tem visitantes em uma cela de contenção especial do outro lado do bloco, um lugar muito mais civilizado para as visitas de parentes e do clero. Pelo fato de os visitantes estarem entrando e saindo durante as últimas três ou quatro horas, a mulher no console deve estar prestando atenção especial para o caso de o Animal fazer alguma coisa. E por que não? Ele não tem nada a perder.

A porta da cela de contenção é de barras, o que permite aos guardas perceberem cada movimento de Animal lá dentro, garantindo que ele não vá machucar as tristes e gentis pessoas que vieram vê-lo. O Animal olha para Jean-Baptiste através das barras, no instante em que a mulher na cabina destranca a porta de Jean-Baptiste e os guardas Abrams e Wilson retiram as algemas de Jean-Baptiste.

O Animal grita e agarra as barras da cela de contenção, berrando, xingando e pulando de um lado para outro. Todas as atenções se voltam em sua direção, e Jean-Baptiste agarra os guardas Wilson e Abrams pelos grossos cintos de couro e os puxa com tanta força que os ergue do chão. Os gritos horrorizados dos dois misturam-se com a barulheira ensurdecedora e dissonante no bloco, enquanto Jean-Baptiste os atira com força contra a parede de concreto à esquerda da porta maciça, que ele fecha o suficiente para que ela não se tranque sozinha. Ele cega os dois com sua unha comprida e imunda do polegar, e suas mãos magnetizadas esmagam-lhes as traquéias. À medida que seus rostos ficam azulados, os dois param de se debater rapidamente. Jean-Baptiste os matou sem derramamento de sangue, apenas alguns fiozinhos escorrendo dos olhos deles e um corte na cabeça do guarda Wilson.

Jean-Baptiste retira o uniforme do guarda Abrams e o veste. Parece que ele faz isso em segundos, abaixando a frente do boné sobre o rosto e colocando os óculos do morto. Ele sai da cela e então fecha a porta, mais um clangor metálico enquanto o Animal luta com os guardas lá longe e leva um monte de spray de pimenta no rosto, o que só faz com que ele grite e resista ainda mais, dessa vez sem fingimento.

Jean-Baptiste atravessa uma porta atrás da outra, erguendo o crachá de identificação do guarda Abrams. Ele tem tanta certeza do sucesso que está completamente à vontade, até parece um pouco preocupado, quando os guardas vão abrindo as portas para ele. Os pés de Jean-Baptiste não estão no chão, mas no ar, enquanto ele sai caminhando facilmente da prisão, um homem livre. Do bolso ele tira as chaves do carro do guarda Abrams.

101

Dentro do Aeroporto Intercontinental George Bush, Scarpetta está em pé perto de uma parede, fora do tráfego de passantes.

Está tomando café puro, sabendo que é a última coisa de que precisa. Seu apetite a abandonou, e quando ela comprou um hambúrguer há menos de uma hora, não conseguiu engolir nem o primeiro pedaço. A cafeína faz suas mãos tremerem. Um gole de scotch iria acalmá-la, mas ela não ousaria, e o alívio seria apenas temporário. Tudo de que ela precisa agora é pensar com clareza, arrumar alguma maneira de lidar com o estresse sem ajuda de componentes autodestrutivos.

Por favor, atenda o telefone, implora ela silenciosamente.

Três toques e "O que é?".

Marino está dirigindo sua camionete barulhenta.

"Graças a Deus!", exclama ela, voltando as costas para os passageiros que andam com determinação ou correm para seus portões de embarque. "Por onde, em nome de Deus, você andou? Estou tentando encontrá-lo há dias. Eu lamento muito sobre Rocco..."

Ela lamenta por Marino, mas não por Rocco.

"Não quero falar sobre isso", replica ele, em voz baixa e mais infeliz do que de costume. "Eu estive no inferno, se você quer saber. Talvez tenha quebrado meu recorde de todos os tempos de beber bourbon e cerveja e de não atender a porra do telefone."

"Ah, não. Mais uma briga com Trixie. Eu já te falei o que acho de..."

"Não quero falar sobre isso", diz ele mais uma vez. "Sem ofensa, doutora."

"Estou em Houston", diz ela.

"Ah, merda."

"Eu consegui. Tomei notas. Talvez nada daquilo seja verdade. Mas ele disse que Rocco tem um lugar em algum bairro gay perto do centro. Em Baton Rouge. Há boas chances de que a casa não esteja no nome dele. Mas os vizinhos devem saber alguma coisa. Pode haver um monte de evidências naquela casa."

"Mudando de assunto, caso você não tenha ouvido o noticiário, um braço de mulher apareceu em um dos riachos de lá", comenta ele. "Estão fazendo teste de DNA. Pode ser a última mulher, Katherine Bruce. Se for, ele está ficando alucinado. O lugar onde o braço foi encontrado fica perto do rio Cego, que corre para o lago Maurepas. Esse sujeito deve estar familiarizado com as áreas pantanosas e com toda aquela região.

"O que estão falando é que o riacho onde o braço estava não é acessível. A pessoa teria que saber onde ele fica exatamente, e quase ninguém vai lá. Ele estava usando o braço como isca para jacaré em um gancho suspenso por uma corda."

"Ou estava exibindo-o para obter um efeito perturbador."

"Acho que não é isso", diz ele.

"Seja lá o que for, você está certo, ele está cada vez mais ativo."

"Provavelmente procurando mais uma neste exato momento", diz ele.

"Estou indo para Baton Rouge", diz Scarpetta.

"É, imaginei que você faria isso." A voz de Marino é quase inaudível em meio ao barulho do motor V-8. "Só para ajudar em um estúpido caso de overdose que aconteceu oito anos atrás."

"Não tem a ver só com overdose, Marino. E você sabe disso."

"Seja lá sobre o que for, você não vai estar segura lá, e é por isso que estou indo naquela direção. Estou dirigindo desde a meia-noite e tenho que parar de vez em quando para um café ou para ir ao banheiro."

Com relutância, ela lhe conta sobre a conexão de Rocco com o caso Charlotte Dard, que ele representou um farmacêutico, um possível suspeito.

É como se Marino não a ouvisse.

"Eu ainda tenho dez horas de estrada. E em algum momento vou ter que dormir. Então provavelmente só vou vê-la amanhã", diz ele.

102

Jay ouve sobre seu irmão mutante no rádio.

Ele não tem certeza de como se sente a esse respeito, suando dentro de sua cabana de pesca, a cabeça pesada, sua beleza não mais o que era uma semana atrás. Ele culpa Bev por isso, por tudo. Quanto mais ela vai para a terra firme, mais o estoque de cerveja é reabastecido. Jay costumava ficar semanas, meses, sem cerveja. Nos últimos tempos, a geladeira nunca está vazia.

Resistir ao álcool sempre foi um desafio para ele, desde que começou a experimentar vinhos finos quando era garoto na França, vinhos que eram para os deuses, seu pai diria. Na condição de um homem livre com completo domínio de sua vida, Jay experimentava, bebia e apreciava com moderação. Agora ele é refém de cerveja barata. Desde a última expedição de compras de Bev, ele tem bebido uma caixa por dia.

"Acho que vou ter que fazer mais compras", diz Bev, os olhos fixos no pomo-de-adão dele, que se agita enquanto ele entorna uma lata e a esvazia.

"É, faz isso." Cerveja escorre por seu peito nu.

"Como você quiser."

"Vai se foder. Isso tem a ver com o que você quer." Ele se aproxima dela, o rosto ameaçador. "Eu estou me acabando!", ele grita para ela, amassando a lata de cerveja e atirando-a no outro lado do quarto. "A culpa é sua, porra! Como é que alguém poderia ficar entocado aqui com uma vaca idiota como você e não beber até o cu fazer bico?"

Ele pega outra cerveja na geladeira e fecha a porta com o pé descalço. Bev não reage. Ela resiste a manifestar o sorriso que se forma em seu íntimo. Nada lhe dá mais satisfação do que ver Jay descontrolado, confuso e a caminho de se machucar. Finalmente ela encontrou uma maneira de tê-lo de volta, e, agora que seu irmão monstro está solto, Jay vai ficar pior e fazer alguma coisa; então ela precisa ficar com a guarda levantada. Sua forma de autodefesa é mantê-lo bêbado. Ela não sabe por que não pensou nisso muito tempo atrás, mas a cerveja estava em falta quando ela ia para a terra firme uma vez a cada quatro ou seis semanas.

De repente, as exigências dele passaram para uma vez por mês, duas vezes por mês, e cada vez que voltava com as caixas de cerveja ela se surpreendia com o fato de ele estar bebendo sempre mais. Até há pouco tempo, ela nunca o vira bêbado. Quando está bêbado, ele não resiste aos avanços dela, e ela passa uma toalha molhada no corpo dele depois que Jay mergulha na inconsciência. Na manhã seguinte, ele não se lembra do que ela fez, de como ela satisfez seu próprio prazer de maneiras criativas, uma vez que ele não conseguiria fazer nada, e não faria, se estivesse sóbrio.

Ela fica olhando ele mexer no rádio, procurando através da estática as últimas notícias, bem perto de estar bêbado novamente. Desde que ela o conhece, ele nunca teve gordura no corpo, seu tórax perfeitamente definido era uma constante fonte de inveja e humilhação para ela. Isso vai mudar rapidamente. É inevitável. Ele vai ganhar gordura ao redor da cintura, e seu orgulho vai sufocar sob gordura e flacidez, não importando quantas flexões, abdominais e agachamentos ele faça. Talvez seu rosto perfeito também mude para pior. Não seria o máximo se ele ficasse tão feio — tanto quanto ele pensa que ela é — que ela não o quisesse mais?

Como era aquela história da Bíblia? Sansão, o poderoso e belo Sansão, amoleceu por causa daquela fulana — qual era o nome dela mesmo? — e ela lhe cortou o cabelo mágico, ou algo assim. Ele perdeu toda a sua força.

"Sua vaca estúpida!", grita Jay. "Por que você está parada aí, olhando? Meu irmão está vindo para cá, se é que já não está por aqui. Ele descobriria onde eu estou. Ele sempre descobre."

"Ouvi dizer que os gêmeos pensam desse jeito, eles são realmente ligados um no outro." A palavra *gêmeos* é como uma picada de escorpião proposital. "Ele não vai te machucar. Ele não vai me machucar. Você se esquece que eu já encontrei ele antes. Puxa, eu acho que ele gosta de mim porque não ligo para a aparência dele."

"Ele não gosta de ninguém." Jay desiste do rádio e o desliga com raiva. "Você não vive no mundo real. Eu tenho que encontrá-lo antes que ele faça alguma coisa estúpida, antes que veja alguma mulher e a mate, deixando suas malditas marcas de mordida e esmagando a cabeça dela."

"Você alguma vez viu ele fazer isso?", pergunta ela casualmente.

"Vai aprontar o barco, Bev."

Ela não consegue se lembrar da última vez em que ele disse o nome dela. É algo delicioso, como manteiga derretida.

E aí ele estraga o momento, acrescentando: "A culpa da porra daquele braço é toda sua. Não teria acontecido se você tivesse me trazido uns filhotes".

Desde que ela voltou de seus afazeres na terra firme, a única coisa que ele tem feito é reclamar por ela não ter trazido iscas para os jacarés, nem um pouco grato pelas coisas que ela trouxe para ele.

Ela olha para o colchão vazio ao lado da parede.

"Você tem um monte de isca para jacaré", disse ela outro dia. "Mais do que consegue usar hoje em dia."

Ela o convenceu de que usar carne humana como isca para os jacarés serviria do mesmo jeito, talvez até melhor. Jay poderia se divertir com um réptil que era maior do que ele.

Ele fica olhando o animal se mover violentamente até que, entediado, dá-lhe um tiro na cabeça. Sendo um caçador ilegal, ele nunca fica com o que pega. Corta a corda de náilon e deixa o animal afundar na água. Então volta para a cabana.

Daquela vez não funcionou assim. Tudo de que ele se lembra vagamente é de ter colocado a isca em um gancho e amarrado em volta do galho grosso de um cipreste, e em seguida ter ouvido um outro barco, não muito longe, uma outra pessoa caçando jacarés, ou talvez fisgando rãs. Jay saiu rapidamente de lá, o gancho ainda com a isca e pendurado pela corda amarela de náilon. Ele devia tê-la cortado. Cometeu um enorme erro, mas não vai admitir isso. Ela desconfia que não havia outro caçador por lá. Jay estava ouvindo coisas e não pensou direito. Se tivesse pensado direito, teria lhe ocorrido que quando outro caçador descobrisse o jacaré preso, a isca estaria ou pendurada para fora de sua mandíbula, ou seria descoberta no estômago do animal quando ele fosse aberto.

"Faz o que eu digo, porra. Apronta o barco", ordena ele. "Para eu poder cuidar dele."

"E como você acha que vai fazer isso?", pergunta Bev calmamente, apaziguada e satisfeita com a loucura à sua frente.

"Eu já te disse. Ele vai me encontrar", diz Jay, a cabeça começando a latejar. "Ele não consegue viver sem mim. Ele não consegue nem morrer sem mim."

103

No final da tarde, Scarpetta está sentada na décima quinta fileira em direção ao fundo, as pernas com cãibras.

À sua esquerda, um garoto, loiro e bonito, com aparelho nos dentes, retira com desânimo cards de Yu-Gi-Oh! de um monte em cima de sua bandeja. À sua direita, um homem obeso, provavelmente na casa dos cinqüenta anos de idade, bebe vodca com suco de laranja ao lado da janela. Ele está sempre empurrando para cima seus óculos com aros de metal, a armação curva e desproporcional fazendo Scarpetta pensar em Elvis. O homem obeso folheia barulhentamente uma edição do *Wall Street Journal* e de vez em quando lança um olhar para Scarpetta, com a intenção óbvia de começar uma conversa. Scarpetta continua a ignorá-lo.

O garoto tira outro card de Yu-Gi-Oh! e o coloca virado para cima sobre a bandeja.

"Quem está ganhando?", pergunta-lhe Scarpetta com um sorriso.

"Eu não tenho ninguém com quem duelar", responde o garoto sem levantar os olhos.

Ele provavelmente tem dez anos de idade e usa um jeans, uma camiseta desbotada do Homem-Aranha e tênis. "Você precisa ter pelo menos quarenta cards para jogar", acrescenta ele.

"Então acho que não estou habilitada."

Ele pega um card, bastante colorido com a imagem de um machado ameaçador. "Está vendo", diz ele, "este é o meu favorito. O Machado do Desespero. É uma boa arma para um monstro, vale mil pontos." Ele pega outro card, chamado Atacante com Machado. "Um monstro muito forte com o machado", explica ele.

Ela estuda os cards e balança a cabeça. "Desculpe. É complicado demais para mim."

"Quer aprender a jogar?"

"Eu não conseguiria aprender", responde ela. "Qual é o seu nome?"

"Albert." Ele tira mais cartas do monte. "Não é Al", ele a informa. "Todo mundo pensa que pode me chamar de Al. Mas o nome é Albert."

"Prazer em conhecê-lo, Albert." Ela não diz como se chama.

O companheiro de assento de Scarpetta do lado da janela vira o corpo para encará-la, o ombro pressionando a parte de cima do braço dela. "O seu sotaque não é de alguém de Louisiana", diz ele.

"E não sou", responde ela, inclinando-se para o lado contrário para se afastar dele, suas narinas atacadas pelo cheiro excessivamente forte da colônia que ele deve ter esguichado sobre o corpo quando a expulsou de sua poltrona para ir ao banheiro.

"Nem precisa me dizer isso. Uma ou duas palavras eu percebo." Ele toma mais um gole de sua bebida. "Deixe-me adivinhar. Também não é do Texas. E você não se parece muito com uma mexicana." Ele dá um sorriso afetado.

Ela retoma a leitura de um artigo sobre biologia estrutural na revista *Science* e se pergunta quando é que o homem vai entender a mensagem não tão sutil para deixá-la em paz.

Raras vezes Scarpetta é sociável com estranhos. Quando acontece de ela ser, geralmente em dois minutos eles perguntam aonde ela está indo e o porquê e penetram no espaço aéreo restrito de sua profissão. Contar-lhes que ela é médica não interrompe o interrogatório, muito menos dizer que é advogada, e se ela disser que é as duas coisas as conseqüências são as piores possíveis. Mas continuar a falar e dizer que é patologista forense significará a ruína de sua viagem.

Em seguida, JonBenet Ramsey e O. J. Simpson e outros casos misteriosos e malogros da justiça vão surgir na conversa, e Scarpetta não tem escapatória, presa em uma poltrona a uma altitude de uns nove mil metros. E existem aqueles estranhos que não se interessam pelo trabalho dela, mas gostariam de vê-la mais tarde, talvez para jantar, ou preferencialmente para um drinque no bar do hotel, que poderia levar a um quarto de hotel. Esses, como o bobalhão levemente embriagado que está à sua direita, preferem olhar para seu corpo do que ouvir seu currículo.

"Parece bem complicado esse artigo que você está lendo", diz ele. "Estou achando que você é professora."

Ela não responde.

"Está vendo, eu sou bom nisso." Ele aperta os olhos e estala os dedos, apontando para o rosto dela. "Professora de biologia. Os moleques hoje em dia não valem nada." Ele ergue o copo plástico da bandeja e remexe o gelo. "Para falar a verdade, não sei como você consegue suportá-los", continua ele, tendo nitidamente decidido que ela é professora. "Além do mais, eles não pensam duas vezes antes de levar armas para a escola."

Ela sente os olhos gorduchos dele sobre si enquanto continua a ler.

"Você tem filhos? Eu tenho três. Todos adolescentes. É óbvio que me casei com doze anos." Ele ri, e gotículas de saliva enchem o ar. "Que tal você me dar o seu cartão — caso eu precise de umas aulinhas enquanto nós dois estivermos em Baton Rouge? Você vai pegar outro vôo ou vai ficar lá? Eu moro no centro, meu nome é Weldon Winn — com dois enes. Bom nome para um político, hein? Acho que você pode imaginar os slogans de campanha se algum dia eu me candidatar."

"Quando vamos chegar?", Albert pergunta a ela.

Scarpetta olha para seu relógio e força um sorriso diante do choque de ouvir o nome de Weldon Winn. "Não falta muito", diz ela ao garoto.

"Sim, senhora. Posso imaginar as placas por toda a Louisiana: *A vitória será Winnacreditável.* Entendeu? E *Vote no Winnvencível.* Talvez eu tenha sorte e arrume um oponente cujo sobrenome seja *Milagres.* Aí ficaria *Winn Não Precisa de Milagres.* Que tal essa? E quando o *Senhor Milagres* estiver caindo desesperadamente nas pesquisas, ele vai ser chamado de *Nem com Milagres.*" Ele pisca novamente.

"Suponho que não haja chance de o senhor concorrer com uma *ela*", comenta Scarpetta sem levantar os olhos da revista, fingindo que não faz a menor idéia de que Weldon Winn é o procurador-geral da Louisiana de quem Nic Robillard se queixou.

"Diacho. Nenhuma mulher iria me encarar."

"Entendo. E que tipo de político o senhor é?", Scarpetta finalmente pergunta.

"No momento, apenas em espírito, bela moça. Eu sou o procurador-geral de Baton Rouge."

Ele faz uma pausa para deixar a importância de seu cargo a impressionar, terminando sua bebida e virando o pescoço para um lado e para o outro à procura de uma aeromoça. Ao localizar uma, ergue o braço e estala os dedos para ela.

Não pode ser por acaso que Weldon Winn está sentado ao seu lado em um avião exatamente quando ela está a caminho para auxiliar em uma morte suspeita que, segundo o dr. Lanier, acabou de captar o interesse de Weldon Winn, depois de ela ter acabado de deixar Jean-Baptiste Chandonne.

Ela tenta imaginar de que maneira Winn teria tido tempo de interceptá-la em Houston. Talvez ele já estivesse lá. Não tem a menor dúvida de que ele sabe quem ela é e o motivo de ela estar naquele vôo.

"Eu tenho um refúgio em New Orleans, um palácio pequeno e aconchegante no Bairro Francês. Talvez você possa visitá-lo enquanto estiver na região. Vou ficar por lá apenas algumas noites, tenho negócios a tratar com o governador e com alguns dos rapazes. Seria um grande prazer para mim guiá-la em um passeio pela capital, mostrar-lhe o buraco de bala em um pilar onde Huey Long foi baleado."

Scarpetta sabe tudo sobre o infame assassinato de Huey Long. Quando o caso foi reaberto no começo dos anos 90, os resultados da nova investigação foram discutidos em diversos congressos de ciência forense. Ela já está cheia do pomposo Weldon Winn.

"Para sua instrução", ela diz a ele, "o chamado buraco de bala no pilar de mármore não foi causado por uma bala dirigida a Huey Long ou a qualquer outra pessoa, mas provavelmente é uma imperfeição na pedra ou uma imitação esculpida de buraco de bala para atrair o turismo. Na verdade", ela acrescenta, enquanto os olhos de Winn se estreitam e seu sorriso se congela, "desde o assassinato, o Capitólio foi reformado, e o mármore daquele pilar específico foi removido e nunca voltou ao seu lugar original. Estou surpresa que o senhor tenha passado tanto tempo na capital do estado e não saiba tudo isso", conclui ela.

"Minha tia deveria me pegar, e se eu atrasar e ela não estiver lá?", pergunta Albert a Scarpetta, como se os dois estivessem viajando juntos.

Ele perdeu o interesse por seus cards, que estão cuidadosamente empilhados ao lado de um telefone celular azul. "Você sabe que horas são?", pergunta ele.

"Quase seis", responde Scarpetta. "Se você estiver com sono, pode tirar uma soneca e eu o chamo quando formos aterrissar."

"Não estou com sono."

Ela se lembra de tê-lo visto no portão de embarque em Houston, brincando com seus cards. Pelo fato de ele estar sentado ao lado de outros adultos, ela supôs que estivesse acompanhado e que alguém de sua família, ou seja lá quem viajasse com ele, estivesse sentado em outro lugar do avião. Nunca lhe ocorreu que algum pai ou parente deixasse uma criança viajar sozinha, especialmente hoje em dia.

"Mas, ora, vejam só. Não há muitas pessoas especialistas em buracos de balas", comenta o procurador-geral, enquanto a aeromoça serve-lhe outra bebida.

"Não, acho que não há muitas." A atenção de Scarpetta está focada no garotinho a seu lado. "Você não está sozinho, está?", ela pergunta a ele. "E por que não está na escola?"

"Férias da primavera. O tio Walt me deixou no aeroporto e uma mulher me pegou lá. Eu não estou cansado. Às vezes eu fico acordado até muito tarde, assistindo filmes. Nós temos uns mil canais." Ele faz uma pausa e dá de ombros. "Bom, talvez nem tantos, mas um monte. Você tem algum animal de estimação? Eu tinha um cachorro que se chamava Nestlé porque era marrom como chocolate."

"Vamos ver", diz Scarpetta. "Eu não tenho um cachorro da cor de chocolate, mas tenho um buldogue inglês que é branco e marrom, com dentes de baixo muito grandes. O nome dele é Billy. Você sabe o que é um buldogue inglês?"

"Como um pitbull?"

"Nem um pouco parecido com um pitbull."

Weldon Winn intromete-se na conversa. "Posso perguntar onde ficará hospedada enquanto estiver na cidade?"

"Nestlé costumava sentir a minha falta quando eu não estava em casa", diz Albert tristonho.

"Tenho certeza de que ele sentia, sim", responde Scarpetta. "Acho que Billy também sente a minha falta. Mas minha secretária toma conta dele."

"Nestlé era menina."

"O que aconteceu com ela?"

"Eu não sei."

"Ora, ora, se você não é uma mocinha misteriosa", diz o procurador-geral, olhando fixamente para ela.

Scarpetta vira-se para ele, pegando um brilho frio em seus olhos.

Ela se aproxima dele e sussurra em seu ouvido: "Estou de saco cheio das suas bobagens".

104

O Learjet 35 pertence à Homeland Security, e Benton é seu único passageiro.

Aterrisando no Louisiana Air em Baton Rouge, ele desce correndo as escadas, carregando uma bolsa esportiva, de maneira alguma parecendo-se com o Benton que seu pessoal conhecia: barbudo, um boné preto do Super Bowl e óculos espelhados. Seu paletó preto saiu dos cabides da Saks, onde ele passou como um relâmpago pela seção masculina ontem. Os sapatos são Prada, pretos, solas de borracha. O cinto também é Prada, e ele está com uma camiseta preta. Nenhuma das peças, com exceção dos sapatos e da camiseta, combina perfeitamente. Mas há anos ele não tem um paletó, e passou-lhe pela cabeça no provador que ele sentia falta das roupas de lã, caxemira e algodão do passado, quando os alfaiates faziam marcas com giz nas mangas e bainhas que precisavam ser ajustadas.

Ele se pergunta para quem Scarpetta teria dado suas roupas caras, depois de sua suposta morte. Conhecendo-a bem como conhece, ciente de sua grande capacidade de negação, ele desconfia que ou ela não tirou nada dos armários e pediu para outra pessoa fazê-lo, ou foi ajudada, possivelmente por Lucy, que teria tido mais facilidade em se livrar dos objetos pessoais dele, uma vez que sabia que Benton não estava morto. Ainda assim, tudo depende de como Lucy achou que poderia ou deveria representar o papel na ocasião. A dor esmaga-lhe o peito por um instante em que ele sente a dor de

Scarpetta, imaginando o inimaginável, seu pesar e como ela deve ter lidado mal com a situação.

Pára! Desperdício de tempo e de energia mental ficar especulando. Pensamentos inúteis. Foco.

Enquanto caminha rapidamente pelo chão alcatroado, ele repara em um helicóptero Bell 407, azul-escuro ou preto com bóias auto-infláveis, sensor para fios de alta-tensão e faixas largas e brilhantes. Ele repara no número que aparece na cauda: 407AUD.

A Última Delegacia.

A rota aérea de Nova York para Baton Rouge deve ter uns mil e seiscentos quilômetros. Dependendo dos ventos e das paradas para combustível, ela pode ter percorrido a distância em dez horas se não teve sorte com o vento de frente, e muito menos tempo que isso se teve um bom vento de cauda. Em qualquer desses cenários, se ela saiu no começo da manhã, deve ter chegado aqui no final da tarde. Ele reflete sobre o que ela tem feito nesse tempo todo e se pergunta se Marino está com ela.

O carro de Benton é um Jaguar vermelho-escuro, alugado em New Orleans e entregue ali no estacionamento, um dos privilégios de quem viaja em vôos particulares. No balcão do FBO, ou operador de base fixa, como são chamados os pequenos aeroportos com apenas um canal de freqüência livre, ele fala com uma moça. Atrás dela há um monitor mostrando a situação de outros vôos prestes a chegar. Não há muitos, e o dele acabou de ser atualizado como "pousado". O helicóptero de Lucy não está na tela, o que indica que ela chegou já há algum tempo.

"Aluguei um carro que já deveria estar aqui." Benton sabe que o carro está lá.

O senador deve ter garantido que tenham cuidado de todos os detalhes.

A funcionária examina as pastas de aluguel de carros. Benton ouve o noticiário e se vira para observar pilotos assistindo à CNN em um pequeno salão no canto. Na tela está uma foto antiga de Jean-Baptiste Chandonne. Benton não está surpreso. Chandonne escapou no começo daquela tarde depois de se disfarçar em um dos guardas que matou.

"Puxa, esse desgraçado é bem feio", comenta um dos pilotos.

"Não pode ser! Nenhum ser humano se parece com isso."

A foto de identificação foi tirada pela polícia em Richmond, Virgínia, quando Chandonne foi preso há três anos. Ele não estava barbeado naquela ocasião, e seu rosto, até mesmo sua testa, estavam horripilantemente cobertos de cabelos finos. Mostrar uma foto antiga é uma vergonha. Chandonne não pode ter escapado da prisão a menos que esteja depilado. Quando seus pêlos estão compridos, ele é uma notável aberração. Não ajuda nada ao público ver essa foto antiga, especialmente se ele estiver com um boné ou óculos escuros, ou se usar outros meios para disfarçar seu rosto grotescamente deformado.

A funcionária está paralisada atrás do balcão, olhando com a boca aberta para a TV do outro lado da sala.

"Se eu o visse, morreria de ataque cardíaco!", exclama ela. "Esse cara é real, ou todo aquele cabelo esquisito é falso e tudo mais?"

Benton olha para o relógio, o executivo bem-sucedido com pressa. No entanto, é impossível suprimir seus instintos protetores de agente da lei.

"Acho que é bem real", diz ele à moça. "Eu me lembro de ter ouvido sobre os assassinatos que ele cometeu uns anos atrás. Acho bom ficarmos atentos com um cara desses solto."

"Pode crer!" Ela lhe passa o envelope da locadora. "Eu vou precisar passar o seu cartão."

Ele tira um American Express platinum da carteira, que também contém dois mil dólares, a maior parte em notas de cem dólares. Mais dinheiro está guardado em diversos bolsos. Sem saber por quanto tempo vai ficar ali, veio preparado. Ele rubrica o formulário de locação e o assina.

"Obrigada, senhor Andrews. Dirija com cuidado", diz a funcionária com um sorriso que faz parte de suas funções. "E espero que aprecie sua estada em Baton Rouge."

105

A tensão de Scarpetta aumenta enquanto ela e Albert observam bagagens passando pela esteira giratória no terminal principal do aeroporto de Baton Rouge.

São quase sete horas da noite, e ela está começando a pensar que ninguém vai vir encontrá-lo. Ele recolhe uma mala e fica ao lado de Scarpetta enquanto ela pega sua própria bagagem.

"Parece que você encontrou um novo amigo." Weldon Winn de repente está atrás dela.

"Vamos", diz ela a Albert. Eles atravessam portas de vidro automáticas. "Tenho certeza de que sua tia vai chegar a qualquer minuto. Ela provavelmente está dando a volta com o carro porque é proibido estacionar na entrada."

Soldados em uniformes camuflados e armados patrulham a área de bagagem e a calçada do lado de fora. Albert parece alheio à carrancuda presença militar, aos dedos dos soldados descansando no guarda-mato dos fuzis de assalto. O rosto dele está vermelho.

"Você e eu vamos conversar, doutora Scarpetta", o procurador Winn finalmente diz o nome dela e ousa passar um dos braços ao redor do seu ombro.

"Acho que seria uma idéia muito boa se o senhor tirasse a mão de mim", ela o adverte em voz baixa.

Ele retira o braço. "E eu acho que seria uma boa idéia para você aprender como as coisas são feitas aqui embaixo." Ele observa carros encostando no meio-fio. "Nós vamos nos encontrar, sem dúvida. Qualquer informação sobre investigações em andamento é importante. E se alguém é informante..."

"Eu não sou informante", ela interrompe a ultrajante insinuação dele de que, se ela não cooperar totalmente, ele irá intimá-la a depor. "Quem lhe contou que eu estava vindo para Baton Rouge?"

Albert começa a chorar.

"Deixa eu te contar um segredinho, bela moça. Pouca coisa acontece por aqui que eu não saiba."

"Senhor Winn", diz ela, "se o senhor tem uma necessidade legítima de conversar comigo em algum momento, eu farei isso sem problemas. Mas em um local apropriado — o que uma calçada do lado de fora do aeroporto sem dúvida não é."

"E eu sem dúvida vou esperar por esse momento." Ele estende o braço e estala os dedos, fazendo sinal para seu motorista.

Ela coloca a mala a tiracolo e segura a mão de Albert. "Não se preocupe. Vai dar tudo certo", ela diz ao garoto. "Tenho certeza de que sua tia está a caminho. Mas se ela se atrasou por algum motivo, não vou deixar você sozinho, ok?"

"Mas eu não conheço você. Não devo ir a lugar nenhum com estranhos", choraminga ele.

"Nós sentamos juntos no avião, não é?", ela responde, e a limusine branca de Weldon Winn pára no meio-fio. "Então você me conhece um pouquinho, e eu prometo que você está seguro, totalmente seguro."

Winn entra no banco de trás e fecha a porta, desaparecendo atrás do vidro escuro. Carros e táxis param para pegar pessoas, porta-malas se abrem. Pessoas se abraçam. Os olhos úmidos e arregalados de Albert dardejam por toda parte, seus temores rapidamente se transformando em histeria. Scarpetta percebe Winn olhando para ela quando a limusine vai embora, e seus pensamentos estão dispersos como bolinhas de gude jogadas ao chão. É difícil decidir o que fazer em seguida, mas ela começa discando o número do auxílio à lista em seu celular e descobre em pouco tempo que não há um número para Weldon Winn ou qualquer pessoa com sobrenome Winn em New Orleans, onde ele afirma ter um lugar no Bairro Francês. Não consta nenhum número em seu nome em Baton Rouge.

"Por que isso não me surpreende?", murmura ela, e a única coisa que pode supor é que alguém contou ao procurador-geral que ela estava chegando ali no começo da noite, e ele voou para Houston e garantiu sua presença no vôo de conexão e sentado ao lado dela.

Além dessa ocorrência perturbadora e enigmática, há a responsabilidade dela por uma criança que não conhece e cuja família parece tê-la abandonado.

"Você tem o número do telefone da sua tia, não tem?", pergunta ela a Albert. "Vamos, vamos telefonar para ela. E a propósito", ocorre-lhe perguntar, "você ainda não me disse o seu sobrenome."

"Dard", diz Albert. "Eu tenho meu próprio celular, mas a bateria acabou."

"Desculpe. Qual é o seu sobrenome mesmo?"

"Dard." Ele abaixa um dos ombros para enxugar o rosto.

106

Albert Dard olha fixamente para a calçada, especificamente para um chiclete seco, cinzento e no formato de um biscoito.

"Por que você estava em Houston?", pergunta-lhe Scarpetta.

"Para mudar de avião." Ele começa a soluçar.

"Mas onde você estava primeiro, de onde você partiu?"

"Miami", responde ele, cada vez mais perturbado. "Eu ia passar as férias da primavera com o meu tio, e então minha tia me disse que eu tinha que ir embora imediatamente."

"Quando ela disse isso?" Tendo desistido de esperar a tia, Scarpetta pega a mão de Albert e eles entram de novo na área de bagagens e se dirigem a um balcão da locadora de carros Hertz.

"Hoje de manhã", responde ele. "Acho que fiz alguma coisa ruim. O tio Walt entrou no meu quarto e me acordou. Disse que eu ia para casa. Eu devia ficar com ele mais uns três dias."

Scarpetta se agacha e olha nos olhos dele, segurando gentilmente seus ombros. "Albert, onde está a sua mãe?"

Ele morde o lábio inferior. "Com os anjos", diz ele. "Minha tia diz que eles estão ao nosso redor o tempo todo. Eu nunca vi nenhum."

"E seu pai?"

"Viajando. Ele é muito importante."

"Diga qual é o número de telefone da sua casa e vamos

descobrir o que está acontecendo", diz ela. "Ou talvez você tenha o número do celular da sua tia. E qual é o nome dela?"

Albert lhe diz o nome da tia e o número de sua casa. Scarpetta telefona. Depois de diversos toques, uma mulher responde.

"A senhora Guidon está, por favor?", pergunta Scarpetta, com Albert segurando-lhe a mão com força.

"Quem está falando, por favor?" A mulher é educada, com sotaque francês.

"Ela não me conhece, mas estou com o sobrinho dela, Albert. No aeroporto. Parece que ninguém veio buscá-lo." Ela passa o telefone para Albert. "Fale", diz ela.

"Quem é?", pergunta ele, de uma maneira esquisita. Depois de uma pausa, ele diz: "Porque você não está aqui, é por isso. Eu não sei o nome dela". Ele faz uma cara de zangado, o tom de voz é ríspido.

Scarpetta não diz o nome para ele. Albert solta a mão dela e fecha o punho. Começa a batê-lo contra a coxa, esmurrando a si mesmo.

A mulher fala rápido, sua voz audível mas incompreensível. Ela e Albert estão falando francês, e Scarpetta olha para Albert com espanto renovado quando ele furiosamente encerra a ligação e devolve o telefone celular para ela.

"Onde você aprendeu francês?", ela pergunta.

"Minha mãe", diz ele tristonho. "A tia Eveline faz eu falar bastante." Lágrimas enchem seus olhos novamente.

"Vou lhe dizer uma coisa: vamos pegar o meu carro alugado e eu te levo para casa. Você sabe me mostrar onde mora, não sabe?"

Ele enxuga os olhos e balança a cabeça afirmativamente.

107

A silhueta de Baton Rouge é composta por chaminés negras de diferentes alturas, e um *smog* perolado se estende como uma faixa sobre o horizonte escuro.

Ao longe, a noite é iluminada pelas luzes fulgurantes das indústrias petroquímicas.

O humor de Albert Dard vai melhorando à medida que sua nova amiga dirige pela River Road, não muito longe do estádio de futebol da universidade. Junto a uma graciosa curva no Mississippi, ele aponta para portões de ferro e antigos pilares de tijolo à frente.

"Lá", diz ele. "É lá."

O local onde ele mora é uma propriedade que fica a pelo menos quatrocentos metros da rua, tem um enorme telhado de ardósia e diversas chaminés erguendo-se acima de árvores densas. Scarpetta pára o carro, e Albert sai para digitar um código em um painel com teclas numéricas, e os portões se abrem lentamente. Eles dirigem devagar até a requintada e elegante casa em estilo neoclássico, com suas pequenas janelas de vidro e varanda da frente de alvenaria. Carvalhos muito antigos curvam-se sobre a propriedade, como se a protegê-la. O único carro visível é um velho Volvo branco estacionado na frente de um caminho de pedras redondas.

"Seu pai está em casa?", pergunta Scarpetta, o Lincoln cor de prata alugado sacudindo sobre paralelepípedos.

"Não", responde Albert, carrancudo, quando eles param.

Eles saem do carro e sobem degraus altos de alvenaria.

Albert destranca a porta e desativa o alarme contra ladrões, e eles entram em uma casa restaurada do período anterior à Guerra Civil com impostas talhadas à mão, mogno escuro, painéis pintados e tapetes orientais antigos, tristes e gastos. Uma luz pálida infiltra-se através das janelas ladeadas por pesadas cortinas de damasco com cordões com borlas, e uma escadaria curva que termina em um segundo andar, de onde os passos rápidos de alguém soam contra o assoalho de madeira.

"Essa é a minha tia", diz Albert quando uma mulher de aspecto frágil e olhos escuros sérios desce a escada, a mão deslizando sobre o corredor de madeira brilhante e liso.

"Eu sou a senhora Guidon." Ela caminha com passos rápidos e leves para o hall de entrada.

Com uma boca sensual e nariz delicado, a sra. Guidon seria bonita se seu rosto não fosse tão sisudo e suas roupas tão austeras: um colarinho alto fechado por um broche de ouro, uma saia longa preta e sapatos pretos mal amarrados, o cabelo preso em um coque. Parece ter uns quarenta anos, mas é difícil determinar sua idade. Sua pele é lisa e tão pálida que é quase translúcida, como se ela nunca tivesse tomado sol.

"Posso lhe oferecer uma xícara de chá?" O sorriso da sra. Guidon é tão frio quanto o ar viciado e parado do lugar.

"Isso!" Albert agarra a mão de Scarpetta. "Por favor, venha tomar chá. E biscoitos também. Você é a minha nova amiga."

"Para você nada de chá", a sra. Guidon diz ao garoto. "Vá para o seu quarto agora mesmo. Leve a sua mala. Eu digo quando você vai poder descer."

"Não vá embora", Albert implora a Scarpetta. "Eu te odeio", diz ele à sra. Guidon.

Ela o ignora, obviamente por já ter ouvido isso antes. "Que gracinha de garoto que está muito cansado e irritado porque já é muito tarde. Agora despeça-se dela. Receio que você não vá ver essa boa senhora de novo."

Scarpetta despede-se dele gentilmente.

Ele sobe a escada com raiva, olhando para trás, para ela,

muitas vezes, o rosto dele tocando dolorosamente o coração dela. Quando ouve os passos dele no assoalho de madeira no andar de cima, ela olha duro para sua anfitriã incomum e desagradável.

"Senhora Guidon, a senhora foi extremamente fria com um garotinho", diz Scarpetta. "Que tipo de pessoas são a senhora e o pai dele, que confiam em um estranho para trazê-lo para casa."

"Estou decepcionada." A postura soberba dela não se abala. "Pensei que uma cientista com a sua reputação iria investigar antes de fazer suposições."

108

Lucy e Marino estabelecem contato pelo telefone celular.

"Onde ela vai ficar hospedada?", pergunta Lucy de dentro de seu utilitário Lincoln Navigator preto.

Ela e Rudy acharam que a melhor maneira de parecerem discretos era entrar no estacionamento do Hotel Radisson e ficar lá com o motor desligado e as luzes apagadas.

"Com o *coroner*. Gostei que ela não ficasse sozinha em um hotel."

"É bom que nenhum de nós fique em um hotel", diz Lucy. "Droga, não dá para arrumar uma camionete mais barulhenta?"

"Vou tentar."

"E como ele é? Qual é o nome?"

"Sam Lanier. A ficha dele é absolutamente limpa. Quando ele ligou pedindo informações sobre a doutora, tive a impressão de que é um sujeito legal."

"Bom, se ele não for, ela vai ficar bem. Porque ele está para receber mais três hóspedes", diz Lucy.

109

Uma frágil xícara de faiança Wedgwood produz um som agudo contra um pires.

A sra. Guidon e Scarpetta estão sentadas a uma mesa de cozinha feita de um cepo de açougueiro com séculos de idade, que Scarpetta considera repulsiva. Ela não consegue evitar pensar em quantas galinhas e outros animais foram massacrados e cortados sobre a madeira enviesada e velha com suas marcas de talhe, rachos e descoramento. É um desagradável subproduto de sua profissão sobre o qual ela sabe muita coisa, e é quase impossível matar bactérias em materiais porosos como madeira.

"Quantas vezes terei que perguntar por que estou aqui e como a senhora conseguiu fazer com que eu viesse até aqui?" Os olhos de Scarpetta fixam-na intensamente.

"Acho encantador que Albert pareça ter decidido que você é amiga dele", observa a sra. Guidon. "Eu me empenho em incentivá-lo. Ele não quer saber dos esportes escolares ou quaisquer outras atividades que possam expô-lo a crianças de sua idade. Acha que seu lugar é bem aqui, nesta mesa" — ela bate no cepo com os pequenos e pálidos nós dos dedos — "conversando com você e comigo como se fosse um igual."

Depois de anos lidando com pessoas que se recusam a responder perguntas, ou não podem respondê-las, ou que estão em processo de negação, Scarpetta tem a capacidade de perceber as verdades quando aparecem de maneira sutil. "E por que ele não se liga a crianças de sua idade?", pergunta ela.

"Quem sabe? É um mistério. Na verdade, ele sempre foi esquisito, preferindo ficar em casa para fazer as tarefas, entretendo-se com aqueles jogos esquisitos que as crianças de hoje em dia adoram. Cards com aquelas criaturas horrorosas estampadas. Cards e computadores, cards e mais cards." Seus gestos são teatrais, seu sotaque francês é forte, sua maneira de falar é empolada e vacilante. "Isso tem se acentuado à medida que ele fica mais velho. Isolado e jogando com esses cards. Com freqüência, se ele está em casa, fica no quarto com a porta fechada e não sai." De repente, ela amolece e parece afetiva.

Cada detalhe que Scarpetta observa é conflitante e perturbador, a cozinha sendo um debate entre anacronismos que parecem uma metáfora para aquela casa e para as pessoas que nela vivem. Atrás dela há uma lareira cavernosa, com formidáveis suportes forjados à mão e capazes de acomodar uma carga de lenha grande o suficiente para aquecer uma sala com o triplo do tamanho daquela. Uma porta leva para fora, e a seu lado há um complicado controle do sistema de alarme e um interfone com uma tela de vídeo para as câmeras que sem dúvida guardam cada uma das entradas. Um outro painel numérico, este muito maior, indica que a velha mansão é uma casa inteligente com múltiplos modems que permitem aos ocupantes regular com controle remoto o aquecimento, o ar-condicionado, as luzes, centros de entretenimento e lareiras a gás, e até mesmo ligar e desligar quaisquer outros aparelhos elétricos. No entanto, os aparelhos e termostatos que Scarpetta viu até agora não são atualizados, segundo sua estimativa, há pelo menos uns trinta anos.

Um porta-facas sobre o tampo de granito do balcão da cozinha está vazio, e não há facas na pia de porcelana, não há nenhuma faca à vista em lugar nenhum. Ainda assim, pendurado sobre a lareira há um quadro com espadas do século XIX, e sobre a pesada cornija da lareira está um revólver de cabo de borracha, provavelmente um 38 em um coldre de couro preto.

A sra. Guidon segue os olhos de Scarpetta e, por um instante, seu rosto demonstra raiva. Ela teve um descuido, um erro revelador. Deixar o revólver bem visível não foi algo intencional. "Tenho certeza de que não escapou ao seu escrutínio que o senhor Dard é bastante preocupado com segurança." Ela suspira, dando de ombros, como se estivesse confidenciando para sua convidada que o senhor Dard é ridiculamente cuidadoso e paranóico. "Baton Rouge tem muitos crimes. Tenho certeza de que você sabe disso. Morar em uma casa como esta e ter riquezas é motivo de preocupações, embora eu não seja o tipo de pessoa que fica olhando por cima do ombro o tempo todo."

Scarpetta oculta o quanto não gosta da sra. Guidon e fica furiosa pensando no que deve ser a vida de Albert. Ela se pergunta até onde pode ir para descobrir os segredos que assombram aquela antiga propriedade.

"Albert parece estar bastante infeliz e sente falta da cachorra", diz ela. "Talvez vocês devessem arrumar outra para ele. Especialmente se ele está sozinho e não tem amigos."

"Acredito que no caso dele a questão é genética. A mãe dele — minha irmã — não era muito certa." A sra. Guidon faz uma pausa e acrescenta: "Mas é claro que você sabe disso".

"Por que você não me diz o que eu devo saber? Você parece saber tanto a meu respeito."

"Ora, você é perceptiva", retruca a sra. Guidon com um toque de condescendência. "Mas não tão cuidadosa quanto pensei que fosse. Albert ligou para mim no seu telefone celular, lembra-se? Isso foi um descuido para alguém com a sua reputação."

"O que você sabe sobre a minha reputação?"

"O identificador de chamadas apresentou o seu nome, e sei que você não chegou de repente em Baton Rouge para passar as férias. O caso de Charlotte é complicado. Ninguém parece ter nenhuma idéia sobre o que aconteceu a ela ou sobre o motivo que a levou àquele motel horrível freqüentado por motoristas de caminhão e pela escória da sociedade. Assim, o doutor Lanier requisitou sua ajuda, não? Mas eu, pelo menos, estou aliviada e grata, e digamos apenas que foi planejado que você sentaria ao lado de Albert e o traria para casa, e aqui está você." Ela levanta a xícara. "Todas as coisas têm uma razão, como você deve saber."

"Como a senhora orquestrou tudo isso?", Scarpetta pressiona-a, adverte-a, deixando claro que chegou a seu limite. "Acho que o procurador Weldon Winn não está envolvido em seu esquema também, uma vez que ele também estava sentado ao meu lado."

"Há tantas coisas que você não sabe. O senhor Winn é um amigo íntimo da família."

"Que família? O pai de Albert não apareceu no aeroporto. Albert não parece sequer saber onde o pai está. O que vocês achavam que iria acontecer a um garoto viajando sozinho?"

"Ele não estava sozinho. Estava com você. E agora você está aqui. Eu queria me encontrar com você. Perfeito."

"*Amigo da família?*", repete Scarpetta. "Então como é que Albert não conhecia Weldon Winn, se ele é tão amigo da família assim?"

"Albert nunca o encontrou."

"Isso não faz sentido."

"Não é você quem tem que dizer isso."

"Eu digo o que quiser, já que aparentemente a senhora atribuiu Albert a mim e estava certa de que ele estaria a salvo comigo — uma perfeita estranha — e que eu o traria para casa. Como pode ter tanta certeza de que eu me encarregaria de cuidar dele ou de que sou de confiança?" Scarpetta se levanta e empurra a cadeira para trás, arrastando-a ruidosamente sobre o assoalho de pinho. "Ele perdeu a mãe, ninguém sabe coisa alguma sobre seu pai, e ele perdeu sua cachorra, e em seguida é abandonado e está completamente aterrorizado. No meu ramo, isso se chama negligência e abuso contra a criança." A raiva dela lampeja.

"Eu sou a irmã de Charlotte." A sra. Guidon também se levanta.

"A única coisa que você fez foi me manipular. Ou tentar me manipular. Vou embora agora."

"Por favor, deixe-me mostrar a casa antes", diz a sra. Guidon. "Especialmente *la cave*."

"Como vocês podem ter uma adega de vinhos em uma área em que o nível do lençol de água é tão alto que as casas têm que ser construídas em pilares?", pergunta Scarpetta.

"Então você não é tão observadora assim. Esta casa está em uma elevação e foi construída em 1793. O proprietário original encontrou a localização perfeita para o que tinha em mente. Era um francês, um conhecedor de vinhos que viajava para a França com freqüência. Escravos construíram uma adega, como aquelas que ele conhecia na França, e duvido que haja outra igual neste país." Ela caminha até a porta que leva para fora, abrindo-a. "Você realmente precisa vê-la. O mais bem guardado segredo de Baton Rouge."

Scarpetta não sai do lugar. "Não."

A sra. Guidon abaixa a voz e é quase gentil ao explicar. "Você está errada a respeito de Albert. Eu estava circulando perto do aeroporto. Eu vi vocês dois na calçada. Se você o tivesse deixado lá, eu o teria pegado, mas, com base no que sei a seu respeito, você nunca o teria abandonado. Você é muito atenciosa, muito decente. E tem consciência dos males deste mundo." Ela afirma isso não por intuição, mas como um fato.

"Como é que a senhora poderia estar circulando perto do aeroporto? Eu telefonei para o número daqui..."

"Que estava programado para transferir as ligações para o meu celular. Na verdade eu estava olhando para você quando me telefonou." Isso a diverte. "Eu cheguei aqui menos de quinze minutos antes de vocês, doutora Scarpetta. Não a culpo por estar brava e confusa, mas eu queria conversar com você quando Jason não estivesse aqui. O pai de Albert. Pode acreditar, é muita sorte sua ele não estar aqui." Ela hesita, segurando a porta da cozinha bem aberta. "Quando ele está por perto, não há nenhum tipo de privacidade. Por favor, venha." Ela acena para Scarpetta.

Scarpetta olha os controles numéricos ao lado da porta da cozinha. Do lado de fora, sombras caem como uma cortina negra das árvores viçosas com folhas novas. O bosque parece úmido e cheira a terra sob uma lua pálida.

"Pode sair por aqui então. Seu carro está bem aí ao lado. Mas precisa prometer que vai voltar para ver a adega", diz ela.

"Vou sair pela porta da frente." Scarpetta sai andando naquela direção.

110

Benton dirigiu a esmo por um tempo e depois parou no Radisson e conseguiu uma suíte usando o nome Tony Wilson.

Dentro da suíte, ele se senta na cama, a porta fechada com a tranca e com o pega-ladrão. Solicitou o bloqueio de seu telefone, não por achar que alguém iria ligar. Os funcionários da recepção pareceram entender. É um homem rico de Los Angeles e quer privacidade. O hotel é o melhor de Baton Rouge, os funcionários estão acostumados a receber muitas pessoas de todas as partes que não usam os serviços de valete e preferem ir e vir discretamente. Elas não querem ser incomodadas e raramente ficam por muito tempo.

Benton conecta seu laptop à linha de modem em seu quarto. Ele digita o código para liberar o fecho de sua nova mala preta que ele propositalmente desgastou, arranhando-a contra a mobília e deslizando-a pelo chão. Tira seu coldre de tornozelo e coloca sua Magnum .357 Smith & Wesson 340PD sobre a cama. A arma, de ação dupla, está carregada com cinco cartuchos Speer Gold Dot de 8 gramas.

Da maleta ele retira duas pistolas: uma Glock 27 calibre .40, de bom tamanho para caber no bolso, com capacidade para dez tiros, incluindo um na câmara. A munição é Hydra-Shock: 8,7 gramas, centrada, de ponta oca com jaqueta entalhada, velocidade de trezentos e sessenta e dois metros por segundo, de alta energia e com eficiente poder de contenção, que entra no inimigo e se abre como uma flor de navalhas afiadas.

Sua segunda pistola, e a mais importante, é a P 226 SL Sig Sauer nove milímetros, capacidade de dezesseis tiros, incluindo um na câmara. A munição também é Hydra-Shock: 8 gramas, centrada, de ponta oca com jaqueta entalhada, velocidade de trezentos e quarenta e um metros por segundo, profunda penetração e poder de contenção.

É concebível que ele possa carregar as três armas ao mesmo tempo. Já fez isso antes, a .357 Smith & Wesson no coldre de tornozelo, a Glock calibre .40 em um coldre de ombro e a Sig Sauer nove milímetros presa na cintura, nas costas.

Carregadores extras para as pistolas e cartuchos extras para a 357 Magnum estão em uma pochete grande de couro. Benton está vestido com uma jaqueta folgada, marca London Fog, e jeans folgado ligeiramente comprido demais, um boné, óculos de lentes escuras e sapatos Prada de sola de borracha. Ele poderia ser um turista. Poderia trabalhar em Baton Rouge e mal ser notado nessa cidade de visitantes transitórios, onde há centenas de professores universitários, alguns bem excêntricos, e milhares de estudantes distraídos e pesquisadores visitantes preocupados de todas as idades. Ele poderia ser heterossexual. Poderia ser homossexual. Poderia ser as duas coisas.

111

Na manhã seguinte, águas lamacentas e vagarosas carregam o olhar de Scarpetta até um cassino fluvial, passando pelo couraçado USS *Kidd*, seguindo até a Old Mississippi Bridge, e voltando a pousar sobre o dr. Lanier.

Nos poucos minutos que esteve com ele na noite passada, quando finalmente chegou à sua casa e ele rapidamente a acompanhou até a casa de hóspedes no fundo, sem levá-la para visitar a casa principal porque não queria acordar a esposa, Scarpetta decidiu que gostava dele. Ela se preocupa, achando que deveria evitar o sentimento.

"No caso de Charlotte Dard", diz ela, "quanto o senhor e seu pessoal se envolveram com a família no que diz respeito a aconselhamento ou interrogatório?"

"Não tanto quanto eu gostaria de ter feito. Eu tentei." O brilho em seus olhos diminui e a boca se contrai. "Cheguei a falar com a irmã, a senhora Guidon. Rapidamente. Ela é esquisita. De toda forma, é hora de orientações. Deixe-me mostrar-lhe onde você está."

Para Scarpetta, a mudança abrupta de assunto parece um pouco paranóica, como se ele estivesse preocupado com a possibilidade de alguém estar ouvindo. Girando em sua cadeira, ele aponta para oeste na janela.

"As pessoas estão sempre pulando da Old Mississippi Bridge. Nem sei lhe dizer quantas vezes tiro corpos do rio porque alguma pobre alma resolve saltar — e também resolve demorar para fazê-lo, enquanto a polícia tenta convencê-la a descer e as pessoas em seus carros começam a gritar 'Pula logo!', porque a pessoa está atrapalhando o trânsito. Dá para acreditar nisso?

"Bem ali em frente eu já tive um sujeito vestido com uma cortina de chuveiro e com um AK-47, que tentou entrar no USS *Kidd* para matar todos os russos. Foi interceptado", acrescenta ele em tom de zombaria. "Morte e saúde mental fazem parte do mesmo departamento, e nós cuidamos de todos os casos — em torno de três mil por ano."

"E como isso funciona exatamente?", pergunta Scarpetta. "Um membro da família faz uma solicitação de custódia?"

"Quase sempre. Mas a polícia também pode solicitar. E se o *coroner* — eu, no caso — acredita que a pessoa está completamente incapacitada e que pode ser perigosa para si mesma ou para os outros, e não quer ou não consegue buscar cuidados médicos, os policiais interferem."

"O *coroner* é eleito. Ajuda se ele tiver um bom relacionamento com o prefeito, com a polícia, com o xerife, com a Louisiana State University, com a Southern University, com o promotor, com os juízes, o procurador-geral, para não falar nos membros influentes da comunidade." Ela faz uma pausa. "As pessoas que estão no poder podem certamente influenciar o público sobre como votar. Então a polícia recomenda que alguém seja removido para um hospital psiquiátrico e o *coroner* local concorda. No meu mundo, isso é chamado de conflito de interesses."

"É pior do que isso. O *coroner* também determina a competência legal da pessoa para submeter-se a julgamento."

"Então o senhor supervisiona a autópsia de uma vítima de assassinato, determina causa e forma da morte, e então, se o suposto assassino é capturado, o senhor decide se ele pode ou não ser submetido a julgamento."

"Recolho o material para teste de DNA na sala de exames. Aí sento bem aqui na minha sala, um policial de cada lado, o promotor presente. E eu entrevisto a pessoa, ele ou ela."

"Doutor Lanier, o senhor tem o mais bizarro sistema de medicina legal que eu conheço, e não me parece que tenha qualquer proteção, caso os poderes instituídos decidam que não conseguem controlá-lo."

"Bem-vinda à Louisiana. E se os poderes instituídos tentarem me dizer como fazer o meu trabalho, eu lhes digo que podem ir todos à merda."

"E sua taxa de criminalidade? Sei que é ruim."

"Pior do que ruim. Terrível", responde ele. "De longe, Baton Rouge tem a mais alta taxa de homicídios não resolvidos de todo o país."

"Por quê?"

"Sem dúvida, Baton Rouge é uma cidade muito violenta. Eu não tenho bem certeza do porquê."

"E a polícia?"

"Veja bem, tenho muito respeito pelos policiais que estão nas ruas. A maioria deles é muito esforçada. Mas aí tem os encarregados que esmagam os bons sujeitos e encorajam os imbecis. Política." A cadeira range quando ele se inclina para trás. "Nós temos um assassino serial andando por aqui. Provavelmente tivemos mais de um andando por aqui nas últimas décadas." Ele dá de ombros de uma maneira que é qualquer coisa, menos despreocupada ou resignada. "Política. Quantas vezes eu vou ter que dizer essa palavra?"

"Crime organizado?"

"Quinto maior porto do país, segundo maior pólo petroquímico, e o estado produz uns dezesseis por cento do petróleo do país. Vamos." Ele se levanta. "Almoço. Todo mundo tem que comer, e tenho a impressão de que você não tem feito muito isso ultimamente. Você parece bem cansada, e a sua roupa está um pouco folgada na cintura."

Scarpetta nem vai lhe dizer o quanto passou a odiar seu terno preto.

Três funcionários levantam os olhos quando Scarpetta e o dr. Lanier saem da sala dele.

"O senhor vai voltar?", pergunta a seu chefe uma mulher obesa de cabelo grisalho, um tom de aço frio na voz.

Scarpetta tem quase certeza de que essa é a funcionária sobre quem o dr. Lanier reclamou.

"Quem sabe?", responde ele, no que Scarpetta chamaria de postura insípida de uma testemunha experiente depondo em um tribunal.

Ela percebe que ele não gosta dela. Espectros feios e antigos pairam entre os dois. Ele parece aliviado quando a porta da repartição se abre e entra um homem alto, de boa aparência, com calça azul-escura e uma jaqueta azul-escura de *coroner*. Sua presença parece irradiar um alto teor de energia que se adianta muitos passos à sua frente, e a funcionária obesa crava os olhos no rosto dele como se fossem vespas escuras e raivosas.

Eric Murphy, o principal investigador de mortes, dá as boas-vindas a Scarpetta. "Onde vamos almoçar?", pergunta ele.

"Não importa o que aconteça, você tem que comer", diz o dr. Lanier no elevador. "Eu insisto, e aqui é o melhor lugar para fazer isso. Como eu ia dizendo, não consigo me livrar dela."

Ele distraidamente aperta o botão para a garagem.

"Diacho, ela trabalha nessa repartição há mais tempo do que eu. É um tipo de tralha herdada, que passa de um *coroner* para o outro."

As portas do elevador abrem-se para uma enorme garagem de estacionamento. Portas de carro se fecham em um contraponto surdo marcado pelas pessoas que saem para o almoço, e o dr. Lanier aponta sua chave para o que chama de sua *unidade*, um Chevrolet Caprice preto com uma luz giroscópica no painel, um rádio transmissor-receptor, um scanner da polícia e um motor V-8 turbo especial que é "necessário para todas as perseguições em alta velocidade", orgulha-se ele, enquanto Scarpetta abre a porta de trás e desliza para o banco.

"A senhora não pode sentar atrás. Isso não é certo", reclama Eric, abrindo a porta da frente. "A senhora é nossa convidada."

"Ah, por favor, não me chame de *senhora*. Meu nome é Kay. E as minhas pernas são mais curtas, o que significa que eu sento atrás."

"Pode me chamar do jeito que você quiser", responde Eric alegremente. "Todo mundo faz isso."

"Pois de agora em diante, eu sou Sam. Chega dessa merda de doutor."

"Não precisa me chamar de doutor também", diz Eric. "Mesmo porque não sou médico."

Ele entra no carro, desistindo de dizer a Scarpetta onde sentar.

"Diacho, quando foi a única vez em que você foi médico?" O dr. Lanier dá a partida. "Dez, talvez doze anos, quando molestava todas as garotinhas da sua vizinhança? Merda, odeio estacionar entre esses malditos pilares de concreto."

"É, eles têm essa coisa de se aproximar de você, não é, Sam?" Eric se vira e pisca para Scarpetta. "Eles agarram o carro dele com certa regularidade. Olha ali." Ele aponta para um suporte de concreto escavado e manchado de tinta preta. "Se você estivesse trabalhando naquela cena do crime, o que iria concluir?" Ele tira o celofane de uma goma de mascar Dentyne. "Vou lhe dar uma pista. Aquela costumava ser a vaga do *coroner*, mas há não muito tempo o *coroner* — advinha qual, e só existe um — reclamou que era estreita demais, e que ele seria um mico de circo se continuasse estacionando ali."

"Ora, não conte a ela todos os meus segredos." O dr. Lanier lentamente sai de sua vaga. "Além disso, foi a minha mulher que causou aquele dano. Só para constar, ela dirige pior do que eu."

"Ela é investigadora também." Eric se vira novamente. "Trabalha por nada, que é mais ou menos o que faz o resto de nós."

"Merda." O dr. Lanier acelera sua unidade de perseguição em alta velocidade mais do que o necessário dentro de um estacionamento. "Você ganha muito mais do que merece."

"Podemos conversar agora?", pergunta Scarpetta.

"Tenho certeza que sim. As pessoas podem entrar na minha sala, e eu nem fico sabendo. Mas ninguém toca no meu carro, nem na minha Harley", responde o dr. Lanier.

Com uma voz firme e invariável, Scarpetta o aborda. "Aconteceu de eu vir para cá em um vôo onde de um lado sentou-se o filho dos Dard, e do outro, o seu procurador, Weldon Winn. Na verdade, acabei tendo que levar Albert Dard para casa de carro. Quer me dizer o que significa isso?"

"Isso me assusta muito."

"Acontece que o garoto estava em Miami, foi levado de repente para o aeroporto ontem de manhã e encaminhado para cá via Houston e estava no meu vôo para Baton Rouge. Assim como Winn também estava. E a propósito, você não me parece o tipo de pessoa que se assusta."

"Duas coisas: a primeira, você não me conhece. A segunda, você não conhece as coisas por aqui."

"Onde estava Albert oito anos atrás quando sua mãe morreu naquele quarto de hotel?", pergunta Scarpetta. "Onde estava seu pai, e por que esse pai misterioso '*tá fora o tempo todo*', como disse o garoto?"

"Isso eu não sei. O que posso lhe dizer é que estou familiarizado com Albert. No ano passado, tive que examinar o moleque na Emergência; foi classificado como mentalmente incapaz, especialmente tendo em vista sua rica família e a morte misteriosa da mãe. Foi enviado para um hospital psiquiátrico particular em New Orleans."

"Por que motivo?", pergunta Scarpetta, acrescentando: "Um histórico psiquiátrico e a família o deixa viajar sozinho?".

"Mas ele não estava sozinho, segundo o que você me

contou. O tio dele o colocou nas mãos dos funcionários da companhia aérea, que, sem dúvida, também cuidaram para que ele chegasse ao portão de embarque certo em Houston. Aí então, o melhor de tudo, você tomou conta dele o resto do tempo. Ele não é psicótico.

"A história é a seguinte: em outubro passado fez três anos que a tia dele ligou para a Emergência e disse que o sobrinho — acho que ele estava com sete anos de idade na época — estava sangrando muito e que afirmava ter sido atacado quando estava andando de bicicleta. Disseram que ele estava histérico, terrivelmente assustado. Bom, ninguém atacou o pobre garotinho, Kay. Você disse que eu podia chamá-la assim. Não havia nenhuma evidência disso. Na verdade, ele é que gosta de se cortar. Automutilação. Aparentemente, ele começou de novo com isso pouco antes de eu examiná-lo na Emergência. O que foi uma experiência danada de terrível."

Scarpetta pensa na ausência de facas na cozinha dos Dard.

"Você está absolutamente certo de que os ferimentos foram auto-infligidos?", ela pergunta.

"Eu tento não estar absolutamente certo de nada. Não sei se existe alguma certeza absoluta além da morte", replica o dr. Lanier. "Mas encontrei muitos cortes inespecíficos. Na verdade, apenas arranhões. Isso é significativo para alguém se iniciando no desventurado padrão de autodestruição. Seus cortes eram menores, todos em lugares em que ele podia alcançar, mas não prontamente visíveis para os outros. Barriga. Coxas. Nádegas."

"Isso explica por que não vi cicatrizes quando estava sentada ao lado dele no avião", observa Scarpetta. "Eu teria reparado."

"O que realmente me perturba é o óbvio", diz ele. "Alguém quer você aqui em Baton Rouge. Por quê?"

"Você é quem vai me dizer isso. Você é quem vai me dizer quem vazou meus planos de viagem, porque parece que o suspeito mais provável é você — ou qualquer outra pessoa na sua divisão que sabia que eu estava vindo."

"Consigo entender por que você pensa isso. Não há dúvida a esse respeito. Eu teria plenas condições de armar todo o cenário, supondo-se que tivesse uma relação de amizade com Weldon Winn. E eu não tenho, não suporto aquele filho-da-puta. Ele é mais sujo do que um aterro sanitário e tem um monte de dinheiro. A explicação é que ele já cresceu com dinheiro. Bom, veja só, ele é de Myrtle Beach, Carolina do Sul. O pai era gerente de um campo de golfe, e a mãe dele era assistente de enfermagem, trabalhava como uma cachorra. O filho-da-puta não é de merda nenhuma."

"Como você sabe tudo isso?"

"Pergunte ao Eric."

O investigador vira para trás e sorri. "Eu comecei no FBI. De vez em quando, sei me virar e achar algumas coisas."

"A questão é: Weldon Winn está envolvido, profundamente envolvido, com atividades ilegais", continua o dr. Lanier. "Agora, como é que alguém vai conseguir provar isso já é outra questão. O que é fato é que diversas pessoas presas aqui nos últimos anos conseguiram, de alguma forma, escapar do Project Exile, ou seja, não ganharam automaticamente os cinco anos em uma prisão federal acrescentados a suas sentenças por posse de arma de fogo no momento em que cometiam um crime. Weldon Winn deu um jeito de negligenciar esses casos, e o mesmo fez a comissão que deveria tê-los localizado.

"Uma das razões pelas quais tenho tido tanto desgosto em minha adorável cidade é que não me ajoelho para os políticos. Sou candidato à reeleição no ano que vem e tenho uma arca de Noé cheia de imbecis que adorariam que eu não fosse mais o *coroner*. Nenhum dos bandidos gosta de mim, eu não faço social com eles. E considero isso um elogio a minha pessoa."

"Nós conversamos ao telefone. A sua divisão arranjou o meu carro alugado", diz Scarpetta

"Um erro. Tremendamente idiota da minha parte. Deveria ter feito eu mesmo, longe do meu escritório. Minha secretária é de confiança. Aquela funcionária que você acabou de conhecer pode ter ouvido alguma coisa, xeretado, não sei."

Eles passam por uma área pouco notável de Baton Rouge, em uma das extremidades da universidade, que se espalha pela cidade. O restaurante Swamp's Mama fica na rua 3 e é um ponto de encontro popular entre os estudantes. O dr. Lanier pára em uma zona de estacionamento proibido e joga sobre o painel uma placa metálica vermelha onde se lê *Funcionário do Coroner*, como se o almoço de repente tivesse se tornado uma cena de crime.

112

Marino entra no estacionamento da Louisiana Air e pára ao lado do utilitário de Lucy em estilo policial, janela com janela.

"Você é um bom sujeito. Livrou-se daquela tranqueira", elogia Lucy sem cumprimentá-lo. "Ninguém precisa de um caminhão-monstro daqueles com placas da Virgínia por aqui."

"Ei! Eu não sou burro. Ainda que isto aqui seja um monte de bosta."

Sua camionete alugada é uma Toyota de seis cilindros. Não tem nem pára-lamas.

"Onde você deixou a outra?", pergunta Lucy.

"No estacionamento do aeroporto, área de longo prazo. Espero que ninguém a arrombe. Tudo o que eu tenho está lá. Mesmo que não seja muita coisa."

"Vamos."

Eles estacionam, mas longe um do outro.

"Onde está o seu namorado?", Marino pergunta enquanto eles caminham em direção ao balcão de operações.

"Patrulhando. Tentando encontrar a casa de Rocco em Spanish Town, o distrito histórico onde ele tinha um imóvel."

Ela pára rapidamente no balcão. "O Bell quatro-zero-sete", diz ela, sem dar o número da cauda.

Não é necessário. O helicóptero dela é o único no pátio naquele momento. A mulher atrás do balcão aperta um botão para destrancar a porta. Um Gulf Stream está ligando os motores, o rugido dolorosamente alto, e Lucy e Marino cobrem os ouvidos, certificando-se de não passar pela parte de trás do avião para não ficarem expostos ao sopro da descarga de ar, uma boa maneira de ficar cheirando a combustível de jato, que com certeza lhes daria uma enorme dor de cabeça quando confinados em uma pequena cabine. Os dois correm para o heliporto, que fica no lado mais externo do pátio, longe dos aviões, porque as pessoas ignorantes em relação aos helicópteros supõem que a esteira do rotor vai atirar pedras e areia no ar e arranhar a pintura das aeronaves com asas fixas.

Marino é ignorante em relação a helicópteros e não gosta deles. Ele mal consegue colocar seu enorme corpo no banco, que não consegue ajustar. Não consegue fazê-lo deslizar para trás.

"Puta que o pariu", é só o que ele diz, puxando o cinto de segurança ao máximo.

Lucy já fez sua verificação de costume, verificou os interruptores, chaves e a alavanca de potência mais uma vez, e então liga a bateria. Ela espera as verificações automáticas procederem às suas rotinas, enquanto ela realiza as manuais, ligando o gerador com um movimento rápido. Com os fones de ouvido ajustados, ela libera a potência para 100 RPM. Esse é um momento em que nem o GPS, nem nenhum outro instrumento de navegação vai ser de muita valia. Um plano de vôo também não vai ser muito útil; então ela abre um mapa de Baton Rouge no colo e corre o dedo em direção sudeste, percorrendo a Rota 408, também conhecida como Hooper Road.

"O lugar aonde estamos indo fica fora do mapa", diz ela ao microfone. "Lago Maurepas. Vamos nessa direção, na rota de New Orleans, e com sorte não vamos acabar no lago Pontchartrain. Não vamos tão longe assim, mas se formos, isso significa que sobrevoamos o lago Maurepas, o rio Cego e a área de Dutch Bayou. Porém acho que isso não vai acontecer."

"Pode voar bem rápido", diz Marino. "Eu odeio helicópteros, inclusive o seu."

"Estamos saindo", anuncia ela, estabilizando o aparelho no ar e decolando no rumo do vento.

113

O Swamp Mama's é um bar que cheira a cerveja, com velhas cabines de vinil e assoalho de madeira manchado e não envernizado.

Enquanto o garçom, que é aluno da universidade, anota os pedidos de bebidas, Eric e o dr. Lanier desaparecem no banheiro masculino.

"Vou lhe contar uma coisa", diz Eric ao entrarem no banheiro. "Eu a levaria para casa comigo a qualquer hora. Que tal hoje à noite?"

"Ela não está interessada em você", diz o dr. Lanier em uma cadência que se eleva no final de cada sentença, fazendo com que seus comentários soem como perguntas, mesmo quando não são. "Deixa disso."

"Ela não é casada."

"Não fica dando em cima das minhas consultoras, especialmente dessa aí. Ela iria te comer vivo."

"Ah, meu Deus, é tudo que eu queria."

"Toda vez que leva um fora da última namorada, você se torna um caso de saúde mental."

Eles estão tendo essa conversa de frente para os mictórios, um dos poucos lugares no planeta onde não se importam de ficar de costas para a porta.

"Estou tentando imaginar como descrevê-la", diz Eric. "Não é bonita como a sua esposa. Tem os traços mais fortes do que ela, e para mim não tem nada mais sexy do que um belo corpo dentro de um terno ou talvez um uniforme."

"Você é tonto como uma mosca comedora de bosta. Não vá zumbir na geografia dela, Eric."

"Eu também gosto daqueles oculinhos que ela usa. Será que ela tem saído com alguém? Aquele terno não esconde o que é importante, você reparou?"

"Não, não reparei." O dr. Lanier esfrega as mãos vigorosamente na pia, como se estivesse prestes a realizar um transplante de coração. "Eu sou cego. Não esqueça de lavar as mãos."

Eric ri e se aproxima da pia, abre a água quente e bombeia sabão líquido cor-de-rosa nas palmas das mãos. "Falando sério, e se eu a convidasse para sair, chefe? Que mal poderia ter nisso?"

"Talvez você devesse tentar a sobrinha dela. Ela é mais da sua idade. Muito atraente e inteligente como o diabo. Talvez ela também seja muita areia para o seu caminhão. Além disso, ela está com um cara. Mas eles não dormem no mesmo quarto."

"Quando posso conhecê-la? Talvez esta noite? Você ajeita as coisas? Quem sabe a gente não vai ao Boutin's?"

"Qual é o seu problema?"

"Comi ostras ontem à noite."

O dr. Lanier tira toalhas de papel da caixa metálica presa à parede. Coloca um pequeno maço delas na beira da pia de Eric. Ao sair do banheiro, ele observa Scarpetta, reparando que cada detalhe nela é incomum, mesmo a maneira de ela estender a mão para pegar seu café, lentamente, compenetrada, transparecendo uma confiança e uma energia que não têm absolutamente nada a ver com tomar café. Ela está olhando anotações em uma agenda com capa de couro preto, do tipo que tem fechos internos para que se possa acrescentar folhas sempre que necessário. Ele desconfia que ela está constantemente acrescentando folhas àquela agenda. Ela é do tipo que registraria qualquer detalhe ou conversa que, em seu julgamento, possa vir a ser importante. Sua meticulosidade vai além de seu treinamento. Ele se aproxima em silêncio e se senta ao lado dela.

"Eu recomendo o *gumbo*",* diz ele, e no instante seguinte seu telefone celular toca uma versão mecânica e aguda da Quinta de Beethoven.

"Seria bom se você mudasse esse toque para alguma outra coisa", comenta Eric.

"Lanier." Ele escuta por um minuto, franzindo a testa, os olhos fixos em Eric. "Já estou indo."

Ele se levanta da cabine e atira o guardanapo sobre a mesa.

"Vamos", diz ele. "Apareceu um bem ruim."

(*) Sopa com carne ou frutos do mar, legumes e quiabo, típica do Sul dos Estados Unidos. (N. T.)

114

A faixa de terra entre o aeroporto de Baton Rouge e o lago Maurepas é uma série de pântanos, riachos e córregos que deixam Lucy nervosa.

Mesmo tendo flutuadores, ela ficaria preocupada se tivesse que fazer um pouso forçado. Como alguém chegaria até eles é uma boa pergunta, e ela não quer imaginar os répteis à espreita nessas águas escuras, em margens lamacentas e nas sombras das árvores cheias de musgo. No compartimento de bagagem, ela sempre tem um kit de emergência que inclui rádios portáteis, água, barras de proteínas e repelente de insetos.

Camuflados nas árvores espessas estão esconderijos para caça ao pato e uma ou outra cabana de pesca. Ela voa cada vez mais baixo e mais devagar, mas não vê sinais de presença humana. Em algumas áreas, só um barco muito pequeno, talvez um barco com hélice, conseguisse atravessar os estreitos riachos que do ar parecem veias formando retículas pela vegetação aquática.

"Está vendo algum jacaré lá embaixo?", ela pergunta a Marino.

"Não estou procurando jacarés. E não tem nada lá embaixo."

À medida que os córregos deságuam em rios e Lucy percebe uma fraca linha azul no horizonte, eles começam a chegar à civilização. O dia está agradável e parcialmente nublado, um bom tempo para se estar na água. Há muitos barcos navegando, e pescadores e pessoas em embarcações de lazer olham para o helicóptero. Lucy tem o cuidado de não voar baixo demais, evitando qualquer aparência de vigilância. Ela é apenas um piloto indo para algum lugar. Guinando para leste, começa a procurar pelo rio Cego. Diz a Marino para fazer o mesmo.

"E por que você acha que ele se chama Cego?", diz ele. "Porque ninguém consegue vê-lo, é por isso."

Quanto mais para leste eles vão, mais acampamentos de pesca vêem, a maioria deles bem cuidados, com barcos atracados na frente. Lucy localiza um canal, dá a volta e segue seus meandros em direção ao sul até ele se tornar mais largo e se transformar em um rio que deságua no lago. Diversos canais sinistros saem do rio, e ela circula, voando mais baixo, sem encontrar uma única cabana de pesca.

"Se foi Talley quem colocou aquele braço de isca", diz Lucy, "tenho a impressão de que ele não está muito longe daqui."

"Bom, se você estiver certa e continuar voando em círculos, ele com toda certeza vai ver a gente", retruca Marino.

Eles começam a voltar, mantendo a busca, concentrando-se principalmente em antenas e tomando o cuidado de não sobrevoar instalações petroquímicas e serem interceptados. Lucy localizou diversos helicópteros Dauphine cor de laranja, do tipo que geralmente é usado pela guarda costeira, e que agora fazem parte da segurança doméstica e estão constantemente em alerta para terroristas. Voar sobre uma instalação petroquímica não é uma atitude muito sábia hoje em dia. Voar em cima de uma antena de trezentos metros é pior. Lucy reduziu a velocidade para cento e sessenta quilômetros por hora, sem pressa de voltar ao aeroporto, enquanto decide se agora é o momento de contar a verdade a Marino.

Ela não vai conseguir olhar para ele enquanto estiver no ar e alerta para evitar aproximar-se de obstáculos. Seu estômago está apertado e sua pulsação acelerada.

"Não sei como dizer isto", começa ela.

"Você não tem que dizer nada", responde ele. "Eu já sei."

"Como?" Ela está confusa e assustada.

"Eu sou detetive, lembra? Chandonne enviou duas cartas seladas, uma para você, uma para mim, ambas dentro de envelopes da NAJ. Você nunca me deixou ler a sua. Disse que era um monte de besteiras dementes. Eu poderia ter insistido, mas alguma coisa me impediu. Em seguida, você desapareceu, você e Rudy, e alguns dias depois eu descubro que Rocco morreu. A única coisa que eu queria saber é se Chandonne te contou onde encontrá-lo e te deu informações suficientes para conseguir um Alerta Vermelho para Rocco."

"Sim. Eu não te mostrei a carta. Tive medo que você mesmo quisesse ir para a Polônia."

"E fizesse o quê?"

"O que você acha? Se você o encontrasse em um quarto de hotel e finalmente o enfrentasse, visse bem de perto o que ele realmente era, o que você teria feito?"

"Provavelmente a mesma coisa que você e Rudy fizeram", diz Marino.

"Posso te contar os detalhes."

"Eu não quero saber."

"Talvez você realmente não pudesse ter feito nada, Marino. Ainda bem que não fez. Ele era seu filho", ela diz. "E em alguma parte muito escondida do seu coração você o amava."

"O que me machuca mais do que ele estar morto é que eu nunca o amei", diz ele.

115

O primeiro sangue está a um metro para dentro da porta da frente, uma única gota do tamanho de uma moeda de um centavo, perfeitamente redonda com uma margem radiada que lembra a lâmina de uma serra circular.

Ângulo de noventa graus, pensa Scarpetta. Uma gota de sangue movendo-se através do ar assume um formato perfeitamente esférico que se mantém no impacto se o sangue cair reto, em um ângulo de noventa graus.

"Ela estava em pé, ou alguém estava", diz Scarpetta.

Ela está imóvel, os olhos movendo-se de uma gota para a seguinte no piso de cerâmica terracota. Na margem do tapete em frente ao sofá há uma área ensangüentada que parece ter sido espalhada por um pé, como se a pessoa que pisou no ladrilho manchado de sangue tivesse escorregado. Scarpetta aproxima-se para um exame mais cuidadoso, olhando fixamente para a mancha vermelha escura e seca, e em seguida virando a cabeça e encontrando os olhos do dr. Lanier. Ele se aproxima, e ela aponta para a marca parcial, quase imperceptível, do salto de um calçado, com um pequeno padrão ondulado do salto que faz Scarpetta pensar em um desenho das ondas do mar feito por uma criança.

Eric começa a tirar fotografias.

Do sofá, os sinais da luta continuam em torno de uma mesa de café de vidro e ferro batido que está torta, o tapete amarrotado embaixo dela, e um pouco além uma cabeça foi batida com força contra a parede.

"Pancadas fortes, o cabelo dela deixou marcas", Scarpetta aponta para um padrão ensangüentado que se espalha sobre a pálida tinta cor-de-rosa.

A porta da frente se abre e entra um investigador, jovem, de cabelo escuro e com um princípio de calvície. Seu olhar movimenta-se entre o dr. Lanier e Eric, e se fixa em Scarpetta.

"Quem é ela?", ele pergunta.

"Vamos começar por quem é você", lhe diz o dr. Lanier.

O policial parece ameaçador porque está furioso, os olhos dardejando na direção de uma área da casa que eles não podem ver. "Detetive Clark, de Zachary." Ele bate em uma mosca, o cabelo preto em cima de seus dedos aparecendo através das luvas de látex translúcido estiradas sobre mãos grandes. "Eu fui transferido para investigações há um mês", acrescenta ele. "Por isso não a conheço." Ele aponta para Scarpetta com a cabeça. Ela não se moveu do lugar em que está perto da parede.

"Uma consultora visitante", responde o dr. Lanier. "Se você nunca ouviu falar dela, vai ouvir. Agora me conta o que aconteceu aqui. Onde está o corpo e quem está com ele?"

"Em um quarto na parte da frente — parece um quarto de hóspedes. Robillard está lá, tirando fotografias e tudo mais."

Scarpetta levanta os olhos diante da menção ao nome de Nic Robillard.

"Ótimo", diz ela.

"Você a conhece?" Agora o detetive Clark parece bastante confuso. Ele bate com irritação em outra mosca. "Droga, eu odeio essas coisas."

Scarpetta segue pequenos respingos de sangue na parede e no chão, alguns deles minúsculos, em forma de filetes apontando na direção da fuga. A vítima caiu no chão perto do rodapé e conseguiu levantar-se com muita dificuldade. Manchas pequenas e alongadas na parede não são o tipo comum de marcas de sangue respingado que Scarpetta está acostumada a ver quando uma vítima foi espancada repetidamente, ou esfaqueada, e o sangue voa da arma quando os golpes atravessam o ar.

O ponto de origem está no que parece ter sido uma luta violenta na sala de estar, e Scarpetta imagina socos, agarramento, pés escorregando e talvez chutes e arranhões, resultando em uma confusão cheia de sangue — mas não milhares de gotas de sangue atiradas a grandes distâncias pelos movimentos de uma arma. É possível que não tenha havido arma, reflete Scarpetta, pelo menos não nessa etapa do ataque. Talvez no começo, mas depois que o atacante entrou pela porta da frente, a única arma foi um punho. É possível que o atacante tenha achado que não ia precisar de uma arma, e então perdeu o controle da situação rapidamente.

O dr. Lanier lança o olhar para a parte de trás da casa. "Eric, vá na frente e certifique-se de que está tudo seguro. Já vamos entrar."

"O que vocês sabem sobre a vítima?", Scarpetta pergunta ao detetive Clark. "O que sabem sobre o que pode ter acontecido?"

"Não muito." Ele folheia rapidamente um bloco de anotações. "O nome é Rebecca Milton, trinta e seis anos, branca. A única coisa que realmente sabemos até agora é que ela aluga esta casa, e o namorado dela passou por aqui por volta das doze e trinta para levá-la para almoçar. Ela não atende a porta, então ele entra e a encontra."

"Porta destrancada?", pergunta o dr. Lanier.

"Sim. Ele encontra o corpo e chama a polícia."

"Então ele a identificou", diz Scarpetta, levantando-se da posição agachada, os joelhos doendo.

Clark hesita.

"Ele olhou direito?" Scarpetta não confia em identificações visuais, e nunca se deve assumir que uma vítima encontrada em uma residência é a pessoa que morava nela.

"Não tenho certeza", responde Clark. "Meu palpite é que

ele não ficou no quarto muito tempo. Você vai ver quando chegar lá. Ela está em péssimas condições. Mas Robillard parece achar que a vítima é Rebecca Milton, a mulher que mora aqui."

O dr. Lanier franze a testa. "E como diabos Robillard poderia saber?"

"Ela mora duas casas para baixo."

"Quem mora?", pergunta Scarpetta, o olhar percorrendo toda a extensão da sala como se fosse uma câmera.

"Robillard mora logo ali." O detetive Clark aponta na direção da rua. "Duas casas para baixo."

"Caramba", diz o dr. Lanier. "Que esquisito, não? E ela não ouviu nada, não viu nada?"

"Estamos no meio do dia. Ela estava na rua como o resto de nós."

Scarpetta nota que a casa é de uma pessoa ordeira com uma renda razoavelmente boa e gostos caros. Os tapetes orientais são industriais mas bonitos, e à esquerda da porta de entrada há um móvel em cerejeira com um aparelho de som sofisticado e uma televisão de tela grande. Os quadros nas paredes, no estilo *cajun* típico do sul de Louisiana, são alegres com suas cores primárias berrantes e representações primitivas de peixes, pessoas, rios e árvores. Rebecca Milton, se ela é a vítima, amava a arte e a vida. Em molduras extravagantes há fotografias de uma mulher bronzeada com o cabelo preto brilhante, um sorriso radiante e um corpo esbelto. Em muitas outras fotos ela está em um barco ou em pé em um ancoradouro com outra mulher, também de cabelo escuro, que se parece com ela o bastante para ser sua irmã.

"Temos certeza de que ela morava sozinha?", pergunta Scarpetta.

"Parece que estava sozinha quando foi atacada", diz Clark, consultando o bloco novamente.

Mais à frente fica a sala de jantar, com uma mesa de nogueira antiga e seis cadeiras fazendo o jogo. O guarda-louças é antigo, e atrás de suas portas de vidro há pratos com bordas douradas. Em seguida, atrás de uma porta que está aberta, fica a cozinha, e não parece que o assassino ou a vítima moveu-se naquela direção, mas mais para a direita da sala de estar, a perseguição continuando através de um corredor com tapete azul e terminando em um quarto com janela para o jardim da frente.

Há sangue em todos os cantos. Uma parte secou e ficou vermelho-escura, mas algumas áreas do tapete estão tão encharcadas que ainda continuam úmidas. Scarpetta pára no final do corredor e examina gotículas de sangue na parede revestida com papel. Uma gota é redonda, o vermelho bastante claro no centro e bastante escuro na borda. Rodeando essa gota há um borrifo de outras gotículas, algumas quase pequenas demais para se ver.

"Nós sabemos se ela foi esfaqueada?", Scarpetta se vira e pergunta a Clark, que ficou para trás, no começo do corredor, ocupado com uma câmera de vídeo.

O dr. Lanier já entrou no quarto. Ele aparece na porta e olha com uma expressão severa para ela. "Ela foi esfaqueada, sim", responde ele, a voz ríspida. "Umas trinta ou quarenta vezes."

"Aqui nesta parede há padrões de sangue de tosse ou espirro", diz a dra. Scarpetta. "Dá para dizer porque as gotas de bordas escuras aqui, aqui e aqui" — ela aponta os locais — "indicam bolhas. Às vezes pode-se ver isso quando uma pessoa sangrou pelas vias respiratórias ou pelos pulmões. Ou talvez ela só tivesse sangue na boca."

Scarpetta aproxima-se do lado esquerdo da porta do quarto, onde há só uma quantidade pequena de sangue. Seus olhos seguem marcas de dedos de alguém que agarrou o batente, e mais respingos no tapete que continuam, atravessando a porta e sobre o assoalho de carvalho. Sua visão do corpo é bloqueada pelo dr. Lanier, por Eric e por Nic Robillard.

Scarpetta entra e fecha a porta atrás de si sem tocar em nenhuma superfície ensangüentada, inclusive a maçaneta.

Nic está de cócoras, segurando firme uma câmera de trinta e cinco milímetros com as mãos enluvadas, os antebraços apoiados nos joelhos.

Se ficou feliz em ver Scarpetta, ela não dá sinais disso. O suor escorre em sua nuca, desaparecendo dentro da camisa pólo verde-escura do Departamento de Polícia de Zachary enfiada numa calça cargo cáqui. Nic se levanta e afasta-se para o lado para que Scarpetta possa se aproximar do cadáver.

"Ela tem ferimentos estranhos provocados por alguma arma pontiaguda", comenta Nic. "A temperatura do quarto quando cheguei aqui era vinte e um graus."

O dr. Lanier insere um termômetro químico comprido embaixo do braço da mulher morta. Ele se inclina perto do corpo, os olhos movendo-se para cima e para baixo, sem pressa. Scarpetta reconhece vagamente a mulher como uma das que viu em algumas das fotografias espalhadas pela sala de estar.

Mas o reconhecimento não é muito fácil. O cabelo dela está emaranhado com sangue seco, o rosto inchado e deformado por contusões, cortes e ossos esmagados, o grau de reação dos tecidos aos ferimentos mostrando que ela sobreviveu por algum tempo. Scarpetta toca um dos braços. O corpo está quente como se estivesse vivo. O *rigor mortis* ainda não começou, nem o *livor mortis* — ou o assentamento do sangue devido à gravidade depois que a circulação cessa.

O dr. Lanier retira o termômetro, faz a leitura e diz: "Temperatura corporal de trinta e cinco graus".

"Não faz muito tempo que ela morreu", diz Scarpetta. "No entanto, o estado do sangue na sala de estar, no corredor e até um pouco aqui sugere que o ataque ocorreu horas atrás."

"Provavelmente o ferimento na cabeça foi o que acabou com ela, mas levou algum tempo", diz o dr. Lanier, apalpando com delicadeza a parte de trás da cabeça. "Fraturas. Se alguém bate a parte de trás da cabeça contra uma parede de alvenaria, o ferimento é bem sério."

Scarpetta não está pronta para comentar sobre a causa da morte, mas concorda que a vítima sofreu traumatismo severo por força bruta na cabeça. Se os ferimentos por faca tivessem cortado ou rompido completamente uma artéria importante, como a carótida, a morte teria ocorrido em minutos. Isso é improvável — impossível, na verdade —, uma vez que parece que a mulher sobreviveu por algum tempo. Scarpetta não vê nenhum padrão de respingo arterial. É possível que a mulher ainda estivesse viva quando o namorado a encontrou às doze e trinta e tenha morrido quando o resgate chegou.

Agora já passa muito da uma e meia.

A vítima está vestida com um pijama de cetim azul-claro, a parte de baixo intacta, a parte de cima aberta e rasgada. Sua barriga, seios, peito e pescoço estão cheios de ferimentos por faca que medem dezesseis milímetros, com as duas extremidades arredondadas, uma delas ligeiramente mais estreita do que a outra. Os ferimentos que são superficiais indicam que ela não foi atingida com uma faca comum. Quase no centro dos ferimentos superficiais há uma extensão contínua de tecido que indica que a arma tinha algum tipo de fenda na ponta, ou talvez fosse uma ferramenta que tivesse duas superfícies penetrantes, cada uma com espessura e comprimento ligeiramente diferentes.

"Isso é estranho demais", diz o dr. Lanier, a cabeça curvada próxima ao corpo enquanto passa uma lente de aumento sobre os ferimentos. "Não parece ser de nenhuma faca normal que eu já tenha visto. E você?" Ele olha para Scarpetta.

"Não."

Os ferimentos foram feitos em diversos ângulos, alguns deles em formato de V ou de Y devido à torção da lâmina, o que é comum em ferimentos por faca. Alguns ferimentos são largos, alguns são fendas como uma casa de botão, dependendo de se as incisões estão alinhadas com as fibras elásticas da pele ou se as atravessaram.

As mãos enluvadas de Scarpetta separam levemente as margens de um ferimento. Mais uma vez, ela se intriga com a área de pele não cortada que se estende quase transversalmente no meio. Olha mais de perto através de uma lente, tentando imaginar que tipo de arma foi usada. Arrumando com delicadeza o paletó do pijama, ela alinha as perfurações no cetim com os ferimentos, tentando ter uma idéia de onde o pano estava quando a mulher foi atingida. Três botões estão faltando no paletó do pijama rasgado. Scarpetta os acha no chão. Dois botões estão pendurados por fios de linha.

Quando ela arruma o pijama direito sobre o peito, da maneira que ele ficaria se a vítima estivesse em pé, é claro que as perfurações não se alinham de modo algum com os ferimentos, e há mais furos no cetim do que ferimentos. Ela conta trinta e oito perfurações e vinte e dois ferimentos. Força excessiva, para dizer o mínimo — típica em assassinatos passionais, mas também quando o atacante e a vítima se conhecem.

"Alguma coisa?", pergunta-lhe o dr. Lanier

Scarpetta ainda está alinhando as perfurações e está chegando a algum lugar. "Parece que o paletó do pijama estava levantado acima dos seios quando ela foi atingida. Está vendo?" Ela move a parte de cima, que está tão manchada de sangue que pouco do cetim parece azul. "Algumas das perfurações atravessaram três camadas de tecido, é por isso que há mais perfurações do que ferimentos."

"Então ele empurrou o paletó para cima antes de esfaqueá-la ou enquanto estava fazendo isso? E depois ele o rasgou?"

"Não tenho certeza", responde a dra. Scarpetta. É sempre muito difícil fazer a reconstrução, e um trabalho muito mais preciso vai requerer horas ininterruptas sob uma boa luz no necrotério. "Vamos virá-la só um pouco para verificar as costas."

Ela e o dr. Lanier colocam as mãos sob o corpo e o seguram pelo braço esquerdo. Eles a viram, mas não totalmente, e sai sangue dos ferimentos. Há pelo menos seis ferimentos na parte de cima das costas e um corte comprido em um dos lados do pescoço.

"Ela corre e ele a golpeia. Ela ficou na frente dele, pelo menos em um momento." É Eric quem deduz isso quando ele e Nic voltam com várias lâmpadas, que são ligadas.

"Talvez", é tudo que Scarpetta tem a dizer a respeito.

"Uma das manchas de sangue na parede do corredor dá a impressão de que ela pode ter sido empurrada ou jogada contra a parede. Mais ou menos no meio do corredor. Talvez ele a tenha jogado contra a parede e a esfaqueado nas costas, e então ela escapou e correu para cá", propõe Nic.

"Talvez", diz Scarpetta outra vez, e ela e o dr. Lanier gentilmente recolocam o corpo em sua posição inicial. "O que eu posso dizer é isto: o paletó do pijama dela estava desarrumado quando alguns desses ferimentos no peito e na barriga foram causados."

"O pijama levantado sugere um motivo sexual", diz Eric.

"Isto foi um assassinato sexual realizado com tremenda raiva", responde Scarpetta. "Mesmo que ela não tenha sido estuprada."

"Talvez não tenha sido." O dr. Lanier se curva junto ao corpo, coletando evidências de vestígios com uma pinça. "Fibras", comenta ele. "Poderiam ser do pijama. Apesar do que as pessoas comentam, nem sempre há estupro envolvido. Alguns desses desgraçados não conseguem nada, não têm ereção. Ou preferem se masturbar."

Scarpetta pergunta a Nic: "Ela era sua vizinha. Você tem certeza de que esta é Rebecca e não a outra mulher que aparece nas fotografias? As duas mulheres são muito parecidas".

"É Rebecca. A outra mulher é a irmã dela."

"Mora com ela?", pergunta o dr. Lanier.

"Não, Rebecca morava sozinha."

"Por ora, vamos ficar com a identificação pendente até

que possamos ter certeza com os registros dentários, ou algum outro meio", observa o dr. Lanier enquanto Eric tira fotografias, usando uma régua de quinze centímetros como escala, colocando-a próxima a qualquer coisa que fotografe.

"Vou cuidar disso." Nic olha fixamente, sem piscar, para o rosto ensangüentado e machucado da mulher morta, os olhos abertos nas pálpebras inchadas. "Nós não éramos amigas nem nada, nunca convivemos, mas eu a via na rua, cuidando do jardim, passeando com o cachorro..."

"Que cachorro?" Scarpetta olha de repente para ela.

"Ela tem um labrador amarelo, um filhote, talvez de uns oito meses de idade. Não tenho certeza, mas ele ainda não é um animal adulto, foi um presente de Natal. Acho que do namorado."

"Diga ao detetive Clark para garantir que os homens saiam e procurem o cachorro", diz o dr. Lanier. "E quando fizer isso, diga-lhe para garantir que mandem todo mundo que tiverem para manter este lugar seguro. Nós ainda vamos ficar um tempo por aqui."

O dr. Lanier passa para Scarpetta um pacote com bastonetes com ponta de algodão, um frasco pequeno com água destilada e um tubo esterilizado. Ela abre as tampas do frasco e do tubo. Mergulhando um bastonete na água destilada, ela o aplica sobre os seios em busca de saliva, as pontas de algodão ficando vermelhas com o sangue. Esfregaços da vagina, do reto e de todos os outros orifícios podem esperar até que o corpo esteja no necrotério. Ela começa a coletar evidências de vestígios.

"Vou lá para fora", diz Nic.

"Alguém precisa trazer mais luzes para cá", diz o dr. Lanier em voz alta.

"O melhor que posso fazer é trazer uns abajures e qualquer outra coisa que esteja na casa", responde Eric.

"Isso ajudaria. Fotografe-os *in situ* antes de tirá-los do

lugar, Eric, ou algum maldito advogado de defesa vai dizer que o assassino carregou os abajures para o quarto..."

"Muitos pêlos, pêlos de cachorro, talvez do cachorro dela...", Scarpetta está dizendo, sacudindo devagar a pinça no interior de um saco plástico transparente para coleta de evidências. "Como? Um labrador amarelo?"

Nic já saiu.

"Foi isso que ela disse. Um filhote de labrador amarelo", responde o dr. Lanier, os dois sozinhos com o corpo.

"O cachorro tem que ser encontrado por diversas razões, no mínimo por decência, para garantir que o pobrezinho esteja bem", diz Scarpetta. "Mas também para comparação de pêlos. Eu não tenho certeza, mas acho que estou vendo uma boa variedade de pêlos de animais."

"Eu também. Aqui a maioria está grudada no sangue." Ele aponta um dedo de luva manchada de sangue para a parte superior do corpo nu da mulher. "Mas não encontrei nas mãos dela, nem no cabelo, que são os lugares onde se esperaria encontrar pêlos de animais se eles vêm do chão ou dos tapetes aqui dentro da casa."

Scarpetta fica em silêncio. Ela prende outro pêlo na pinça e solta-o dentro de um saco que deve conter pelo menos uns vinte pêlos agora, todos tirados do sangue seco na barriga.

Na rua, alguém começou a assobiar alto. Vozes estão chamando. "Aqui, Basil! Vem, Basil!"

A porta da frente abre e fecha repetidamente, ouvem-se sons de pés movendo-se na sala de estar, na sala de jantar, policiais conversando, e então a voz de uma mulher, uma mulher chorando e gritando.

"Não! Não! Não! Não pode ser!"

"Senhora, é só nos mostrar em uma destas fotografias."

Scarpetta reconhece a voz do detetive Clark. Ele está falando alto e tentando não parecer perturbado, mas quanto mais a mulher grita, mais alto ele fala.

"Lamento, mas não pode entrar lá."

"Ela é minha irmã!"

"Eu lamento muito."

"Ah, meu Deus, ah, meu Deus."

Então as vozes abaixam e a conversa transforma-se em um murmúrio de fundo. Algumas moscas começam a entrar na casa, atraídas pelo cheiro de morte, o zumbido agudo enervando Scarpetta.

"Diga-lhes para pararem de abrir a maldita porta!" Ela levanta a cabeça de sua posição ajoelhada, o suor escorrendo-lhe pelo rosto, os joelhos doendo terrivelmente.

"Porra! O que está acontecendo aí fora?" O dr. Lanier também está furioso.

"Aqui, Basil! Vem, garoto!"

Assobios.

"Tó, Basil! Cadê você?"

A porta da frente abre e fecha de novo.

"Chega!" O dr. Lanier fica em pé.

Ele sai do quarto, arrancando com força as luvas ensangüentadas. Scarpetta remove outro pêlo de animal, dessa vez um preto, e o coloca no saco de evidências. Os pêlos grudaram no corpo quando o sangue estava úmido. Estão grudados na barriga, nos seios e no peito, mas não nas plantas dos pés nus da mulher, que também estão manchados de sangue seco, não de ferimentos, mas dos lugares onde ela pisou.

A respiração de Scarpetta é quente e ruidosa por trás da máscara cirúrgica, o suor ferroando-lhe os olhos enquanto ela afasta moscas com a mão e examina o rosto da mulher com uma lupa, procurando mais pêlos, cada fenda em sangue seco ampliada e mais horrível, cada rasgo e corte na pele mais escabroso e escancarado. Partículas de tinta aderiram ao sangue, possivelmente transferidas da parede da sala de estar. A variedade de pêlos de animal recuperados do corpo fornece a Scarpetta uma informação importante.

"Encontramos o cachorro." Nic está em pé na porta.

Scarpetta tem um sobressalto, retornando a uma dimensão diferente, que não é uma paisagem vermelha, seca e terrível atrás de uma lente de aumento.

"Basil, o cachorro dela."

"Ele não é a fonte da maioria destes pêlos. Estou encontrando dezenas deles, tipos diferentes, cores diferentes. Possivelmente pêlos de cachorro. Muito mais ásperos do que pêlo de gato. Mas não tenho absoluta certeza."

O dr. Lanier volta ao quarto, esbarrando em Nic, colocando luvas novas.

"O que estou vendo aqui me faz pensar que os pêlos foram transferidos do criminoso — talvez de suas roupas — diretamente para a parte superior do corpo dela. Talvez ele tenha ficado por cima dela."

Ela puxa a calça do pijama para baixo o suficiente para expor a marca deixada pelo elástico. Scarpetta fica de cócoras outra vez e olha fixamente, e então tira a máscara.

"Por que alguém ficaria por cima dela e não tiraria a calça do pijama?", pergunta-se intrigado o dr. Lanier. "Por que alguém transferiria todos esses pêlos de cachorro para a parte superior do corpo nu dela e para mais nenhum outro lugar? E para início de conversa, por que diabos alguém teria todos esses pêlos de cachorro pelo corpo?"

"Encontramos Basil", diz Nic novamente. "Escondido embaixo de uma casa, do outro lado da rua. Estava agachado e tremendo. Deve ter fugido quando o assassino foi embora, acho. Quem vai tomar conta de Basil?"

"Acho que o namorado dela vai", responde o dr. Lanier. "Se não, o Eric adora cachorro."

Ele abre duas embalagens contendo lençóis plastificados e esterilizados. Enquanto Scarpetta estende um deles no chão, o dr. Lanier e Eric agarram o corpo sob os braços e atrás dos joelhos, erguendo-o e colocando-o no centro do lençol. Eles põem o segundo lençol sobre ela, enrolando as extremidades, embrulhando-a como se fosse uma múmia, para que nenhum vestígio seja adicionado ou perdido.

116

Jay tira a mão do volante para bater em Bev, e muda de idéia.

"Você é burra. Sabia disso?", diz ele friamente. "Que porra você achou que estava fazendo?"

"Não aconteceu do jeito que deveria."

O rádio dentro da Cherokee continua a transmitir o noticiário das seis horas enquanto ele dirige em direção ao Ancoradouro do Jack.

"... O doutor Sam Lanier, *coroner* da comarca de Baton Rouge, ainda não completou a autópsia, mas fontes próximas à investigação confirmaram que a vítima é Rebecca Milton, trinta e seis anos, de Zachary. A causa da morte não é oficial, mas fontes dizem que ela foi esfaqueada até a morte. A polícia não acredita que o assassinato esteja relacionado com as mulheres desaparecidas de Baton Rouge no último ano..."

"Idiotas." Jay desliga o rádio. "É sorte sua que eles não estejam fazendo a relação."

Quatro cachorros pequenos, de raças diferentes, dormem sob a luz do sol que entra por uma das janelas de trás do utilitário. Cinco caixas de cerveja estão empilhadas no banco traseiro. Bev trabalhou duro hoje, depois de deixar Jay no University Lake, no centro da Universidade de Louisiana. Ele não disse por que estava indo lá ou o que ia fazer o dia todo, disse apenas para pegá-lo no mesmo lugar onde o deixou às cinco e meia. Talvez ele estivesse procurando seu irmão fugitivo. Talvez estivesse só dando umas voltas, aproveitando por estar longe de Bev e da cabana de pesca. Estava provavelmente tentando pegar alguma das alunas bonitinhas. Bev o imagina fazendo sexo com uma delas. O ciúme desperta dentro dela. Queima-a lentamente.

"Você não deveria ter me deixado sozinha o dia todo", ela diz.

"O que você estava pensando? Que ia raptá-la no meio do dia e levá-la para o barco em plena luz do dia?"

"No começo. Depois eu pensei que você não ia ficar contente."

Ele não responde, o rosto endurecido enquanto dirige, cuidadoso para não ultrapassar a velocidade permitida, nem cometer nenhuma outra infração de trânsito que possa atrair a atenção da polícia.

"Ela não se parecia com *ela*. Tinha cabelo preto. Eu não sei se ela freqüentou a faculdade."

Bev fora incapaz de resistir ao impulso. Tinha todo o tempo do mundo, tempo bastante para encontrar a linda mulher que vira no Wal-Mart. Seguindo-a a noite toda, ela descobriu que o carneiro não morava na casa do Garden District, mas em um lugar menor em Zachary. A vizinhança estava escura, e Bev começou a ficar nervosa, temendo que seu carneiro começasse a desconfiar. Bev havia virado em uma rua lateral antes de olhar bem o endereço.

Naquela manhã, ela andou sem destino, procurando o Ford Explorer verde, imaginando que só porque não estava estacionado na entrada não significava que não pudesse estar na garagem. Obviamente, ela entrou na casa errada. Uma vez lá dentro, estava comprometida.

O que ela nunca previu foi que aquele carneiro em especial ia lutar como um lobo. No instante em que a mulher de cabelos pretos atendeu à porta, Bev enfiou a mão na bolsa de lona e tirou uma arma, e levou um safanão tão forte que a arma voou de sua mão. Bev rolou pelo chão e tirou um canivete barato que estava preso em seu cinto. Ela conseguiu abrir o que pensou ser uma lâmina, e a perseguição começou. Pareceu continuar por quilômetros, com a mulher correndo e gritando, e caindo contra uma das paredes, o que deu a Bev a oportunidade de agarrá-la pelo cabelo e bater-lhe a cabeça contra o gesso, e depois chutá-la quando ela deslizou para o chão.

E não é que ela se levantou e esmurrou com força o ombro de Bev? Parece que Bev também estava gritando, mas ela não consegue se lembrar. Havia um estrondo em sua cabeça, como o barulho de um trem de carga, e ela golpeou e perseguiu, o sangue voando em seu rosto, voando e voando, para sempre. Não deve ter durado mais do que um ou dois minutos. Bev prendeu a mulher no chão do quarto e golpeou e golpeou, e agora ela não tem certeza se aquilo realmente aconteceu.

Até que passa a ouvir a história no rádio. Até que se lembra do abridor de garrafa ensangüentado do canivete. Ela golpeou a mulher com um abridor de garrafa. *Como isso pôde acontecer?*

Ela olha para Jay, passando por lojas de penhores e revendas de carros e uma loja da Taco Bell que a faz querer parar.

Nachos com coalhada, queijo, chili e pimenta.

Pizzarias, autopeças e revendas de carro, e então as estradas estreitas, e as caixas postais dos dois lados, enquanto voltam para o Jack, e depois para o pântano.

"Talvez a gente pudesse parar e comprar um doce de amendoim", diz Bev.

Jay não fala com ela.

"Bom, faz como você quiser. Você e a sua porra de Baton Rouge. Voltar lá por causa do seu irmão nojento. Bom, espera depois que ficar escuro, que é mais fácil."

"Cala a boca."

"E se ele não estiver lá?"

Um silêncio frio.

"Bom, se estiver, provavelmente vai estar naquela maldita adega assustadora, escondido, talvez pegando o dinheiro que está guardado lá. Um pouco mais de dinheiro para a gente iria bem, querido. Toda essa cerveja que eu andei comprando..."

"Eu falei para calar a boca!"

Quanto mais frio ele fica, mais orgulhosa ela se torna de seus vergões vermelhos e arranhões profundos nos braços, pernas, peito e outras partes de seu corpo onde ela deve ter se machucado durante o que chama de *entrevero*.

"Eles vão recolher material debaixo das unhas dela", Jay finalmente fala dirigindo-se a ela. "Vão descobrir o seu DNA."

"Eles não têm o meu DNA em nenhum dos bancos de dados bacanas deles", responde Bev. "Ninguém nunca tirou o meu DNA antes de nós dois nos mandarmos de Dodge. Eu era somente uma boa moça que administrava um camping perto de Williamsburg, lembra disso?"

"Boa o cacete."

Bev sorri. Seus ferimentos são emblemas de coragem e poder. Ela não sabia que conseguiria lutar daquele jeito. Ora, qualquer dia desses, ela poderia até mesmo ir atrás de Jay. Sua bravata diminui. Ela nunca conseguiria derrotar Jay. Ele poderia matá-la com um murro na têmpora. Já disse isso a ela. Um só murro e ele fraturaria o crânio dela, porque as mulheres não têm crânios muito espessos. "Mesmo as burras" como Bev, diz ele.

"O que você fez com ela? Sabe o que quero dizer", diz ele. "Você ensopou as suas roupas com sangue. Você montou nela como um homem?"

"Não." Isso não é da conta dele.

"Então como é que as suas roupas ficaram cheias de sangue de cima até embaixo, hein? Você monta em cima de alguma garota que está sangrando até morrer e toca uma siririca?"

"Não interessa. Eles não acham que está relacionado com as outras", diz Bev.

"Que palavra ela disse?"

"Como assim, *que palavra?*" Bev está começando a pensar que ele está ficando maluco.

"Quando ela estava implorando. Ela deve ter implorado para você parar. Que palavra ela usou para descrever a coisa?"

"Descrever que coisa?"

"Qual é a sensação de ter tanto medo da dor e da morte! Que palavra ela disse?"

"Não sei." Bev tenta se lembrar. "Parece que ela disse *por quê?*"

117

O quarto estava fresco, e não havia odores.

Nic leu essa linha pelo menos cinco vezes. Sua mãe pode ter sido assassinada poucos minutos antes que seu marido — o pai de Nic — chegasse em casa. Nic se pergunta se o assassino ouviu o carro do pai chegando e fugiu, ou se foi apenas o destino que fez o filho-da-puta fugir naquele momento.

São dez horas da noite. Nic, Rudy, Scarpetta, Marino e Lucy estão sentados na casa de hóspedes do dr. Lanier, bebendo café Community, o favorito da região.

"Múltiplas lesões e lacerações no rosto", Scarpetta analisa o relatório da autópsia.

Ela disse desde o início que não pretendia encobrir nenhum detalhe para poupar os sentimentos de Nic. Não estaria ajudando Nic se fizesse isso.

"Abrasão e laceração da testa, equimoses perioculares, fratura dos ossos nasais, dentes da frente amolecidos."

"Então ele bateu no rosto dela para valer", diz Marino, bebericando seu café, que está exatamente do jeito que ele gosta, com Cremora* e muito açúcar. "Alguma possibilidade de ter sido alguém que ela conhecesse?", ele pergunta a Nic.

"Ela abriu a porta para ele. Foi encontrada bem perto da porta."

"Ela costumava manter as portas trancadas?" Lucy olha

(*) Substância em pó adicionada ao café no lugar de creme ou leite. (N. T.)

para ela intensamente, inclinando o corpo para entrar na conversa.

Nic olha de volta para ela. "Sim e não. À noite, trancávamos tudo. Mas ela sabia que papai e eu íamos chegar em casa logo, então talvez ela não tenha trancado a porta."

"Isso não quer dizer que a pessoa não tocou a campainha ou bateu na porta", observa Rudy. "Não significa que a sua mãe estava com medo de quem quer que fosse."

"Não, não significa isso", diz Nic.

"Traumatismo por força bruta na parte de trás da cabeça. Laceração estrelada do vértice, três por quatro polegadas. Hematoma maciço no vértice e na parte de trás da cabeça. Cinqüenta milímetros de sangue subescapular líquido..."

Marino e Lucy passam fotografias entre si. Até agora, Nic não as viu.

"Sangue na parede bem à esquerda da porta", Marino observa. "Marcas de cabelos. O cabelo de sua mãe era comprido?"

Nic engole com dificuldade. "Na altura do ombro. Ela era loira, bem parecida comigo."

"Alguma coisa aconteceu no minuto em que ele entrou. Um ataque repentino", diz Lucy. "Não muito diferente do que aconteceu com Rebecca Milton. Não muito diferente de qualquer ataque repentino, quando a vítima realmente enfurece o criminoso."

"Ferimentos desse tipo seriam coerentes com a possibilidade de a cabeça dela ter sido batida contra a parede?", pergunta Rudy.

Nic está impassível. Ela lembra a si mesma que é uma policial.

Os olhos de Scarpetta encontram os de Nic. "Sei que isso é difícil, Nic. Estamos tentando ser honestos. Talvez você não tenha tantas perguntas se formos honestos."

"Eu sempre vou ter perguntas, porque nunca vamos achar quem fez isso."

"Nunca diga nunca", retruca Marino.

"Certo", concorda Lucy.

"Fratura cominuída não deprimida dos ossos biparietal e occipital, fraturas dos tetos orbitais, hematomas subdurais bilaterais, trinta mililitros de sangue livre sobre cada... ok, ok, ok..." Scarpetta vira uma página. O relatório está datilografado, não foi impresso por computador. "Ela tem ferimentos por arma perfurante, talvez faca", acrescenta.

Nic fecha os olhos. "Espero que ela não tenha sentido nada."

Ninguém comenta isso.

"Quero dizer" — ela olha para Scarpetta —, "ela estava sentindo tudo isso?"

"Ela estava sentindo terror. Fisicamente? É difícil dizer que dor ela sentiu. Quando os ferimentos ocorrem tão depressa..."

Marino interrompe. "Sabe quando você prende o dedo em uma gaveta ou se corta com uma faca e não sente? Acho que é desse jeito, a menos que seja lento. Como em tortura."

O coração de Nic parece bater irregularmente, como se alguma coisa estivesse errada com ele.

"Ela não foi torturada", diz Scarpetta, olhando para Nic. "Definitivamente não foi."

"E quanto aos ferimentos por faca?", pergunta Nic.

"Lacerações nos dedos e nas palmas das mãos. Ferimentos de defesa." Ela olha para Nic novamente. "Punções no pulmão esquerdo e no direito, com duzentos mililitros de hemotórax de cada lado. Lamento. Sei que isso é difícil."

"Isso a matou? Os ferimentos nos pulmões?"

"É o que acabaria acontecendo. Mas em combinação com os ferimentos na cabeça, não há dúvida. Ela também quebrou unhas das duas mãos. Material não identificável recuperado embaixo das unhas."

"Você acha que foi preservado?", pergunta Lucy. "DNA não era algo tão avançado quanto é hoje em dia."

"Eu me pergunto que diabo é *não identificável*", diz Marino.

"Que tipo de faca?"

"Lâmina curta. Mas não sei dizer exatamente o tamanho."

"Talvez um canivete", sugere Marino.

"Talvez", diz Scarpetta.

"Minha mãe não tinha um canivete. Ela não tinha nenhum..." Nic começa a chorar, e recupera o controle. "Ela não gostava de armas, é o que estou querendo dizer."

"Talvez ele tivesse um", Lucy diz a ela gentilmente. "Mas meu palpite é que, se a arma foi um canivete, ele não achava que precisaria de uma arma. Poderia ser apenas alguma coisa que ele carregasse consigo, como muita gente faz."

"As marcas nos ferimentos são diferentes das que vimos hoje?", Nic pergunta a Scarpetta.

"Totalmente", responde ela.

118

Nic começa a falar sobre a loja de antigüidades da mãe.

Ela diz que sua mãe era a proprietária, mas só trabalhava lá meio período, para poder ficar com a família. Diz que sua mãe conhecia Charlotte Dard pessoalmente.

Nic fixa os olhos em sua caneca de café. "Se eu esquentar este troço mais uma vez no microondas, vocês acham que amanhã eu vou ter *delirium tremens* por causa da cafeína?"

"A sua mãe e Charlotte Dard eram amigas?", pergunta Marino. "Merda. Se você não se importa que eu pergunte, por que diabos não mencionou isso antes?"

"Juro por Deus", responde Nic. "Eu só me lembrei agora. Acho que bloqueei muita coisa. Quase nunca penso na minha mãe, ou, pelo menos, não pensava até que essas mulheres começaram a desaparecer. Aí hoje... aquela cena. O que ele fez com Rebecca Milton. E agora..."

Ela se levanta para requentar o café. O microondas funciona barulhento durante um minuto, a porta abre, e ela volta para o sofá, vapor subindo do café que não está mais apropriado para consumo. O cheiro é de queimado.

"Nic", diz Scarpetta, "Robillard é o seu nome de casada?"

Ela confirma com a cabeça.

"Qual é o seu nome de solteira?"

"Mayeux. O nome da minha mãe é Annie Mayeux. É por isso que pouquíssima gente percebe que sou filha dela. Com o tempo, as pessoas esquecem de qualquer jeito. Os policiais que se lembram da morte dela nunca a associam a mim. Eu nunca digo nada." Ela bebe o café, parecendo não se importar com o gosto. "A loja de antigüidades dela era especializada em janelas com vitrais, portas, postigos, coisas bem antigas, algumas bem bonitas se você soubesse o que estava procurando.

"E boa parte da mobília era feita à mão, de cipreste. Charlotte Dard era uma das clientes dela, estava remodelando a casa e comprando muitas coisas da loja da minha mãe, e foi assim que as duas ficaram amigas. Mas não íntimas." Ela faz uma pausa, tentando se lembrar. "Minha mãe falava sobre a mulher rica com um carro esporte e sobre como a casa dela iria ficar bonita quando tudo tivesse terminado.

"Acho que as compras da senhora Dard ajudaram muito. Papai nunca ganhou muito como professor." Nic dá um sorriso triste. "O negócio de mamãe ia realmente muito bem e ela era econômica. A maior parte da renda de meu pai hoje veio da minha mãe, por ela ter se dado bem com a loja."

"A senhora Dard abusava de remédios", diz Scarpetta. "Ela morreu de overdose, por acidente ou homicídio. Desconfio que tenha sido a segunda hipótese. Ela supostamente estava sofrendo crises de ausência pouco antes de sua morte. Você sabe alguma coisa a respeito?"

"Todo mundo aqui sabe", responde Nic. "Com certeza foi o assunto de Baton Rouge. Ela caiu morta em um quarto de motel, o Motel Pedaço do Paraíso. Parece nome de cemitério. Fica perto de Chocktaw, uma parte terrível da cidade. O boato era de que ela estava tendo um caso e encontrava a pessoa lá. Não sei nada além do que saiu no noticiário."

"E o marido dela?", pergunta Lucy.

"Boa pergunta. Nunca ouvi falar de ninguém que o tenha conhecido. Estranho, não? A não ser pelo fato de ele ser um tipo de aristocrata e viajar o tempo todo."

"Você já viu alguma fotografia dele?", pergunta Rudy.

Nic balança a cabeça.

"Então ele não está no noticiário?"

"Ele é realmente reservado", responde Nic.

"Que mais?", pergunta Marino.

"É, tem algum tipo de ligação estranha aqui, não é?" Rudy olha para Scarpetta. "Um farmacêutico apareceu como suspeito, e Rocco Caggiano foi advogado dele."

Marino se levanta para pegar mais café.

"Pense", Lucy incentiva Nic.

"Ok." Ela respira fundo. "Ok. Tem uma coisa. Acho que Charlotte Dard convidou minha mãe para um coquetel. Eu me lembro que mamãe nunca ia a coquetéis. Ela não bebia e era tímida, sentia-se deslocada entre gente esnobe. Então o fato de ela ir era importante. Foi na fazenda, na fazenda dos Dard. Mamãe aceitou o convite para poder fazer propaganda da loja. E por respeito a sua melhor cliente, a senhora Dard."

"Quando foi isso?", pergunta Scarpetta.

Nic pensa. "Não muito antes de minha mãe ser assassinada."

"Não muito quanto?", pergunta Rudy.

"Não sei." Nic engole com dificuldade de novo. "Dias. Dias, eu acho. Ela usou um vestido, teve que sair para comprá-lo." Ela fecha os olhos de novo. Um soluço fica preso na garganta. "Era cor-de-rosa com uns enfeites brancos. Ainda estava pendurado no armário dela quando foi assassinada, sabe, pendurado lá para lembrá-la que precisaria ser levado para a lavanderia."

"E sua mãe morreu menos de duas semanas antes de Charlotte Dard", observa Scarpetta.

"Não deixa de ser interessante", adverte Marino, "que a senhora Dard estivesse tão ferrada e tendo esses ataques violentos, e ninguém tenha se preocupado com o fato de ela dar uma festa chique?"

"Pensei nisso", diz Rudy.

"Sabe o que mais?", acrescenta Marino. "Eu dirigi quase vinte horas para chegar até aqui. Depois Lucy me fez ficar com enjôo de altura. Tenho que ir dormir. Caso contrário, vou começar a fazer deduções que vão obrigar vocês a prenderem o Papai Noel por alguma coisa."

"Eu não fiz você ficar enjoado", diz Lucy. "Vai para a cama. Você precisa de seu sono de beleza. Eu pensava que *você* era o Papai Noel."

Ele levanta do sofá e sai, dirigindo-se para a casa principal.

"Eu também não vou agüentar muito mais tempo." Scarpetta levanta-se de sua cadeira.

"Hora de ir embora", diz Nic.

"Você não precisa ir." Scarpetta se esforça para ajudar.

"Posso perguntar só uma última coisa?", diz Nic.

"Claro." Ela está tão cansada que seu cérebro parece congelado.

"Por que ele bateria nela até a morte?"

"Por que alguém bateu em Rebecca Milton até a morte?"

"As coisas não saíram do jeito que ele planejou."

"Sua mãe teria resistido a ele?", pergunta Lucy.

"Ela teria arrancado os olhos dele a unha", responde Nic.

"Talvez essa seja a sua resposta. Por favor, me desculpe. Eu não vou ser útil por muito mais tempo. Estou cansada demais."

Scarpetta sai da pequena sala de estar e fecha a porta de seu quarto.

"Como você está?" Lucy aproxima-se do sofá e olha para Nic. "Isso é duro, é realmente duro. Duro demais para descrever. Você é corajosa, Nic Robillard."

"O pior é o meu pai. Ele desistiu da vida. Parou com tudo."

"Como assim?", pergunta Rudy suavemente.

"Bom, ele adorava lecionar. E ele adora a água, ou costumava adorar. Ele e a minha mãe. Eles tinham uma cabana de pesca onde ninguém os incomodava. Bem no meio do nada, do nada mesmo. Ele nunca mais voltou lá."

"Onde?"

"Em Dutch Bayou."

Rudy e Lucy entreolham-se.

"Quem sabia sobre isso?", pergunta Lucy.

"Acho que todo mundo com quem minha mãe conversou a respeito. Ela gostava muito de conversar. Diferente do meu pai."

"Onde fica Dutch Bayou?", pergunta Lucy.

"Perto do lago Maurepas. Ao lado do rio Cego."

"Você ainda conseguiria encontrar esse lugar?"

Nic a encara. "Por quê?"

"Responde a pergunta." Ela toca de leve o braço de Nic.

Ela balança a cabeça afirmativamente. Os olhos delas se encontram.

"Então está bem." Lucy não pára de olhar para ela. "Amanhã. Já andou de helicóptero?"

Rudy se levanta. "Tenho que ir. Estou moído."

Ele sabe. À sua maneira, ele aceita. Mas não vai ficar olhando.

Lucy olha para ele cheia de admiração, ciente de que ele entende, mas de certa forma nunca vai realmente entender. "Vejo você amanhã, Rudy."

Ele vai embora, os pés leves sobre os degraus.

"Não seja precipitada", Lucy diz a Nic. "Você me parece o tipo que se precipita e que provavelmente tem se precipitado."

"Andei desenvolvendo minhas próprias operações de investigação", confessa ela. "Vestida como as vítimas potenciais. Eu me pareço com uma vítima potencial."

Lucy a olha de perto, examinando-a, fazendo uma avaliação, como se não tivesse feito avaliações durante toda a noite.

"É, com o cabelo loiro, corpo bem-feito, ar de inteligência. Mas a sua postura não é a de uma vítima. Sua energia é forte. No entanto, isso poderia simplesmente representar mais um desafio para o assassino. Mais excitação. Um golpe maior."

"Andei com a motivação errada", repreende-se Nic. "Não que eu não queira que ele seja apanhado. Mas admito que estou mais agressiva, mais obstinada, talvez me colocando em perigo, sim, por causa de uma força-tarefa que não aceita garotas de cidades pequenas como eu na equipe. Ainda que eu provavelmente seja a única que foi treinada na melhor academia forense nos Estados Unidos, treinada pelos melhores, inclusive por sua tia."

"Quando você andou por aí, colocando-se em perigo, observou alguma coisa?"

"O Wal-Mart onde Katherine foi abduzida. Eu estive lá pouco antes ou pouco depois de ter acontecido. Uma coisa que me chamou a atenção foi uma mulher que agia de forma estranha, caiu no estacionamento, disse que era um problema no joelho que a fazia cair. Alguma coisa me disse para não tocar nela. Achei que os olhos dela eram estranhos, assustadores. E ela me chamou de carneiro. Eu já fui chamada de um monte de coisas, mas nunca de carneiro. Acho que ela era algum tipo de sem-teto esquizofrênica."

"Descreva como ela era." Lucy tenta permanecer calma, tenta não fazer a evidência encaixar-se no caso, em vez do contrário.

Nic a descreve. "Sabe, o engraçado é que ela se parecia um pouco com a mulher que eu vi poucos minutos antes dentro da loja. Ela estava vasculhando as cestas de lingerie barata, roubando algumas peças."

Agora Lucy está ficando animada.

"Nunca ocorreu a ninguém que o assassino pudesse ser uma mulher, ou, pelo menos, ter uma mulher que é cúmplice. Bev Kiffin", diz ela.

Nic levanta-se para pegar mais café, a mão tremendo. Ela culpa a cafeína. "Quem é Bev Kiffin?"

"Está na lista dos Dez Mais Procurados do FBI."

"Ah, meu Deus." Nic se senta de novo, dessa vez mais perto de Lucy. Ela quer ficar perto dela. Não sabe por quê. Mas a proximidade dela é energizante e excitante.

"Prometa que você não vai sair por aí patrulhando novamente", Lucy diz a ela. "Considere-se membro da minha força-tarefa, ok? Nós fazemos coisas juntos, todos nós. Minha tia, Rudy, Marino."

"Prometo."

"Você não vai querer se envolver com Bev Kiffin, que provavelmente está levando as mulheres abduzidas para seu parceiro, Jay Talley, o número um na lista dos Mais Procurados do FBI."

"Eles estão escondidos por aqui?" Nic não consegue acreditar. "Duas pessoas como eles escondidos por aqui?"

"Não consigo pensar em nenhum lugar melhor. Você disse que seu pai tem uma cabana de pesca que ele abandonou depois que sua mãe foi assassinada. Alguma possibilidade de Charlotte Dard poder saber sobre ela, onde ficava? Ou fica."

"Fica. Papai nunca vendeu. O lugar deve estar completamente deteriorado agora. A senhora Dard poderia saber, porque, nas coisas que vendia na loja, minha mãe trabalhava muito com madeiras velhas. Ela gostava daquelas bem desgastadas pelo tempo, recomendava que as pessoas usassem em cornijas de lareiras, vigas expostas, vários lugares. Em especial, ela gostava das estacas grossas sobre as quais as cabanas de pesca são construídas. Não sei o que ela pode ter dito para a senhora Dard. Mas minha mãe era completamente crédula. Ela achava que todo mundo tem boas qualidades. A verdade é que ela falava demais."

"Você pode me mostrar onde fica essa cabana de pesca, a que seu pai abandonou?"

"Fica em Dutch Bayou, ao lado do rio Cego. Posso mostrar para você."

"Do ar?"

"Tenho certeza que sim", diz Nic.

119

Benton deixa seu Jaguar guardado no estacionamento nos fundos de uma igreja a menos de setecentos metros do casarão dos Dard.

Cada vez que ouve um carro ou caminhão se aproximando de qualquer direção, ele atravessa os arbustos e se esconde na densa floresta do outro lado da estrada que margeia o rio Mississippi. Além de não saber quem poderia aparecer, ele tem absoluta consciência de como pareceria estranho ver um homem com um terno preto, camiseta preta, boné preto e bolsa preta caminhando na margem de uma estrada estreita debaixo de chuva. Alguém poderia parar e perguntar se ele teve algum problema com o carro. As pessoas iriam olhar.

Quando vê os portões que atravessou na noite passada, sai do asfalto e entra na floresta, dessa vez penetrando mais fundo, até que a mansão surge acima das árvores, sua vigilância constante. Olhando onde anda, faz o melhor que pode para evitar pisar em galhos caídos. Felizmente, as folhas mortas estão molhadas e não fazem barulho. Quando ele fez o reconhecimento da área na noite passada, não se aventurou na floresta porque estava escuro demais para enxergar e não ousou acender uma lanterna. No entanto, escalou o portão, sujando a jaqueta e o jeans de ferrugem, um dos muitos motivos pelos quais optou por usar seu terno novamente.

Ele se perguntava o quanto o lugar teria mudado desde a última vez em que havia estado lá. No escuro, era difícil dizer se tinha sido mantido em bom estado de conservação, mas sua última ação foi atirar uma pedra perto dos arbustos em volta da parte da frente da casa para ver se os sensores de movimento seriam ativados. Não foram. Ele tentou de novo, e nem uma única luz foi ativada. Se algum deles ainda estiver funcionando e ele os ativar nessa manhã, eles não vão estar evidentes, embora o sol esteja coberto de cinza. A propriedade costumava ter um sofisticado sistema de câmeras, mas de maneira alguma Benton teria sido tolo o bastante para testar câmeras, para ver se elas seriam ativadas e o seguiriam como se estivessem vivas.

Os carros na entrada são um Mercedes 500 AMC branco novo e um Volvo branco de um modelo mais antigo. O Mercedes não estava aqui na noite passada. Ele não sabe a quem pertence e não tem tempo nem meios de verificar a placa de Louisiana. O Volvo pertence a Eveline Guidon, ou pelo menos pertencia há seis anos. Agradecido pela roupa escura, Benton fica imóvel como uma estátua atrás de uma árvore encharcada, de tronco grosso, quando a porta da frente da mansão se abre. Ele se agacha, completamente fora de visão, a cerca de quinze metros à esquerda dos degraus da frente da casa.

Weldon Winn caminha para fora, falando com sua voz alta e grossa de sempre, mais obeso do que da última vez em que Benton o viu. Esperando que ele entre em seu carro caro, Benton pensa rápido. A presença de Weldon Winn ali não está de acordo com o planejado, mas é certamente um bônus. É uma sólida indicação de que Jean-Baptiste Chandonne procurou ou vai procurar asilo na fortaleza de sua família em Baton Rouge, uma fazenda de incrível corrupção que escapou da desconfiança durante décadas porque as pessoas associadas a ela ou são totalmente leais, ou estão mortas.

Benton, por exemplo, está morto.

Ele observa o desprezível procurador de Baton Rouge seguir por uma velha passagem pavimentada por tijolos que conduz a um prédio antigo de pedra com uma porta gótica escura que leva à adega de vinhos, a cave com séculos de idade, quase um quilômetro de túneis tortuosos escavados pelos escravos. Winn destranca a porta, entra e a fecha atrás de si. Benton move-se depressa, ainda agachado, completamente encharcado agora, escondendo-se atrás da cobertura dos arbustos, olhando o tempo todo da adega para a casa. Seu movimento mais arriscado é o próximo. Ele se ergue e caminha casualmente, de costas para a casa.

Se alguém olhar pela janela, o homem de preto pode muito bem passar por um amigo dos Chandonne. A porta é de carvalho espesso, e ele mal distingue as vozes por trás dela.

120

Scarpetta não consegue parar de pensar em Albert Dard. Ela imagina as cicatrizes em seu pequeno corpo e tem plena consciência de que automutilação é um vício, e que se ele continuar a se machucar, parece provável que seja confinado outras vezes em hospitais psiquiátricos até que se torne mentalmente doente, como aqueles pacientes cujos diagnósticos justificam sua presença nesse tipo de lugar.

Albert Dard não precisa ser confinado. Ele precisa de ajuda. Precisa de alguém que pelo menos descubra por que sua ansiedade aumentou tanto há um ano que ele se fechou, reprimiu seus sentimentos e talvez suas lembranças a um extremo tal que agora precisa se auto-infligir dor para experimentar o controle, um breve alívio e uma afirmação de sua própria existência. Scarpetta se lembra do estado de quase alienação do garoto no avião enquanto brincava com seus cards, com imagens violentas relacionadas a um machado. Imagina a extrema angústia dele diante da idéia de que ninguém iria buscá-lo, um sentimento de abandono que ela duvida que seja algo novo.

A cada momento que passa, ela se torna cada vez mais furiosa com aqueles que supostamente deveriam tomar conta dele, e mais assustada em relação à sua segurança.

Enquanto toma café na casa de hóspedes do dr. Lanier, ela encontra em um bolso o número de telefone que anotou quando Albert esperava pela tia que não pretendia pegá-lo, mas orquestrou os acontecimentos de forma que Scarpetta tomasse conta dele. Não importa mais quais maquinações ou conspirações estavam na mente da sra. Guidon. Talvez tudo fosse uma maneira de atrair Scarpetta para aquela casa para ver o que ela sabe sobre a morte de Charlotte Dard. Talvez a sra. Guidon agora esteja satisfeita com o fato de que Scarpetta não sabe nada sobre a morte além daquilo que já é sabido.

Ela tecla o número e se surpreende quando Albert atende o telefone.

"É a senhora que sentou ao seu lado no avião", diz ela.

"Oi!", ele a cumprimenta, surpreso e muito feliz. "Você está me ligando? Minha tia disse que você não ia ligar."

"Onde ela está?"

"Não sei. Foi lá fora."

"Ela saiu com o carro?"

"Não."

"Estive pensando em você, Albert", diz Scarpetta. "Eu ainda estou na cidade, mas vou embora logo, e queria saber se posso lhe fazer uma visita."

"Agora?" A idéia parece deixá-lo contente. "Você viria só para me ver?"

"Tudo bem para você?"

Ele responde ansiosamente que sim.

121

Com cuidado, Benton silenciosamente abre a porta da adega, a Sig Sauer engatilhada na mão, e fica em pé ao lado da estreita abertura.

A conversa mais à frente pára, e uma voz masculina diz: "Você não fechou a porta direito".

Pés soam nos degraus, talvez cinco degraus, e uma mão, muito provavelmente de Weldon Winn, empurra a porta para fechá-la, e Benton a empurra também, com força e no sentido contrário, e a porta se abre completamente, fazendo Winn cair até o fim dos degraus, onde ele fica estatelado, abalado e gemendo, sobre o chão de pedra. Seja lá com quem ele estivesse falando, a pessoa não teve mais que segundos para descer outro lance de escada. Benton pode ouvi-lo correndo, fugindo rápido, mas não há lugar para onde ele — talvez Jean-Baptiste — possa ir. A cave tem uma entrada e nenhuma saída.

"Levanta", Benton diz a Winn. "Devagar."

"Estou machucado." Ele levanta os olhos quando Benton aparece no degrau mais alto, fechando a porta atrás de si, enquanto mantém a arma apontada para o peito de Winn.

"Não me interessa se você está ferido. Levanta."

Benton tira seu boné de beisebol e o joga sobre Winn. O reconhecimento é vagaroso, e então o rosto de Winn fica pálido e seus lábios se entreabrem, ele retorcido sobre o chão, enrolado em sua própria capa de chuva, olhando para a frente com uma expressão de horror.

"Não pode ser você", diz ele aterrorizado. "Não pode ser!"

O pequeno espaço sem janelas tem um soquete com uma lâmpada cheia de teias de aranha pendurada no teto e uma pequena mesa de cipreste muito velha, coberta pelos anéis escuros deixados por incontáveis garrafas de vinho que foram provadas ali. As paredes são de pedra úmida, e presos numa delas, à esquerda de Benton, há quatro anéis de ferro seguros por cavilhas. Eles são muito velhos, mas a maior parte da ferrugem está desgastada. No chão ali perto há rolos de corda de náilon amarelo e uma tomada elétrica.

"Levanta", diz Benton de novo. "Quem mais está lá embaixo? Com que você estava falando?"

Weldon Winn, machucado, move-se com surpreendente agilidade, rolando de repente pelo chão e sacando uma arma de dentro do paletó.

Benton atira nele duas vezes, uma no peito, outra na cabeça, antes que Winn sequer consiga colocar o dedo no gatilho. Os tiros são abafados pela pedra.

122

A carga útil representada por Marino é suficiente para diminuir a velocidade do helicóptero em dez quilômetros por hora.

Lucy não está preocupada. Não há razão para correr e topar com uma antena, e as antenas estão em toda parte, elevando-se da neblina que torna os obstáculos muito finos e suas lâmpadas quase impossíveis de serem vistas à distância. Lucy voa a cento e cinqüenta metros, as condições de vôo piores do que estavam quando eles decolaram em Baton Rouge vinte minutos atrás.

"Não gosto disto", a voz nervosa de Marino soa nos fones de ouvido de Lucy.

"Não é você que está pilotando. Relaxa. Aproveita o vôo. Em que posso servi-lo, senhor?"

"Que tal me arrumar a porra de um pára-quedas?"

Lucy sorri enquanto ela e Rudy mantêm sua vigilância do que vêem fora da cabina.

"Você se importa se eu largar os controles por um minuto?", diz ela para Rudy, para alegria de Marino.

"Você está me sacaneando!", grita Marino.

"Ai!" Lucy abaixa o volume de seu fone de ouvido enquanto Rudy assume os controles. "Está com você." Ela repete a frase-padrão, garantindo que o outro piloto sabe de fato que passará a pilotar naquele exato momento.

Virando um pequeno botão em seu relógio de pulso, ela muda o mostrador superior para modo cronógrafo.

Nic nunca andou de helicóptero antes, e diz a Marino que pare de tornar as coisas piores.

"Se não estamos seguros com eles", diz Nic, "não estamos seguros com ninguém. Além disso, é mais provável você ser atropelado por um carro do que ter um acidente neste tempo."

"Que monte de bobagens. Não tem carro nenhum aqui em cima. E eu ficaria grato se você não usasse a palavra 'acidente'."

"Concentrem-se", diz Lucy a todos, e ela não está sorrindo agora enquanto olha o GPS.

Ontem, quando ela e Marino voaram por aqui e chegaram ao limite máximo a nordeste do lago, ela jogou as coordenadas no GPS.

"Estamos na rota certa."

Descendo para noventa metros e diminuindo a velocidade para pouco menos de cento e cinqüenta quilômetros por hora, ela vê de relance o lago Maurepas entre a neblina. A água está quase abaixo deles. Ainda bem. Acaba o risco de antenas quando eles voam sobre um lago ou seus riachos e áreas pantanosas. Ela diminuiu a velocidade ainda mais, e Rudy inclina-se para a frente, forçando a vista, tentando distinguir a margem.

"Nic?", diz Lucy. "Está me ouvindo?"

"Sim", retorna a voz de Nic.

"Consegue reconhecer alguma coisa lá embaixo?"

Lucy diminui a velocidade para cento e dez quilômetros por hora. Se reduzir a velocidade mais do que isso, ela vai chegar a um ponto em que vai pairar, mas prefere não fazer isso com a visibilidade tão ruim.

"Você pode voltar um pouco para a gente achar o rio Cego?", pergunta Nic. "Dutch Bayou se forma a partir do rio, à direita da margem do lago."

"Em qual direção?" Lucy inclina lentamente o helicóptero para dar a volta, não muito entusiasmada por retornar à terra naquela altitude, satisfeita por ontem ter sido meticulosa para anotar as localizações de quaisquer obstáculos.

Nic fica em silêncio por um instante, depois sua voz reaparece. "Se você seguir o rio até o lago, Dutch Bayou vai estar às três horas à sua direita", ela diz a Lucy.

Virando o helicóptero novamente e entrando na rota, Lucy volta a voar sobre a água.

"É isso", diz Nic. "Ali está o rio. Está vendo a curva que ele faz para a esquerda? Nós poderíamos ver melhor se estivéssemos mais alto."

"Não dá", diz Rudy.

"Acho que... é isso!" Nic está ficando empolgada. "Lá está, aquele riacho estreito. Está vendo à sua direita? Dutch Bayou. A cabana de pesca do meu pai fica a pouco mais de um quilômetro para cima, à esquerda."

A tensão aumenta de repente. Rudy tira sua arma do coldre de ombro. Lucy respira fundo, mais tensa e mais apreensiva do que deixa transparecer, enquanto desce para trinta metros, diretamente sobre uma área pantanosa coberta por ciprestes que parecem ameaçadores na neblina.

"A esta altitude, eles já podem nos ouvir", diz Lucy com calma, concentrando-se, pensando, tentando não reagir ao que está rapidamente se tornando uma situação muito perigosa.

De repente, uma cabana cinzenta e em más condições aparece. Amarrado a um píer empenado há um barco branco que destoa completamente do lugar.

Lucy voa ao redor da cabana. "Tem certeza, tem certeza?" Ela não consegue evitar, a adrenalina a faz falar mais alto.

"Sim! Eu reconheço o telhado! Papai usou metal azulado. Ainda dá para ver um pouco do azul! E a mesma varanda e a mesma porta com tela!"

Lucy desce para quinze metros, pairando, e vira para a esquerda, a janela de Rudy alinhada com o barco.

"Atira nele!", Lucy grita para Rudy.

Rudy abre a janela de correr. Ele dispara rapidamente

dezessete tiros no fundo do barco, e a porta da frente se abre com força e Bev Kiffin sai correndo com uma espingarda. Lucy aumenta a velocidade.

"Abaixem! Mas fiquem nos bancos!"

Rudy já colocou um novo carregador na arma. Embora os bancos de trás estejam diretamente sobre a célula de combustível, isso não preocupa Lucy. O combustível que ela usa, Jet-A, é menos inflamável do que gasolina, e o maior dano que o chumbo da espingarda poderia causar seriam vazamentos. No assoalho, há menos revestimento da aeronave para possibilitar a entrada de projéteis.

Rudy aciona os flutuadores.

A espingarda é uma *pump-action* com carregador adicional. Bev dá sete tiros, um atrás do outro. Os projéteis estilhaçam janelas, estalando sobre o revestimento composto, e acertam a lâmina do rotor principal e a coberta do motor. Se a câmara de combustão for perfurada, vai haver um incêndio, e Lucy imediatamente corta a potência e abaixa o coletivo. Alarmes disparam seus avisos desesperados enquanto ela abaixa o coletivo, aperta o pedal direito e vira no vento, e não há lugar para descer, a não ser uma área de vegetação aquática alta. O nitrogênio explode como se fosse outro tiro, e os flutuadores sobre os trenós de pouso inflam-se imediatamente como balsas de borracha. O helicóptero balança desequilibrado, e Lucy luta para estabilizá-lo, percebendo que pelo menos um dos seis flutuadores foi perfurado por projéteis da espingarda.

O pouso foi duro o bastante para disparar o TLE, ou Transmissor Localizador de Emergência, e o helicóptero balança sobre a vegetação densa e escura, a água lamacenta, e inclina-se bastante para a direita. Abrindo a porta, Lucy olha para baixo. Dois dos três flutuadores foram perfurados e não inflaram. Rudy desliga a bateria e o gerador, e todos continuam sentados por um momento, atordoados e ouvindo o silêncio repentino de fora, enquanto o helicóptero inclina-se para a direita, afundando no lodo. A não mais que noventa metros dali eles podem ver o barco fazendo água, a proa erguendo-se enquanto ele afunda.

"Pelo menos ela não vai a parte alguma", observa Rudy enquanto ele e Lucy tiram os fones de ouvido.

Lucy desatarraxa uma tampa de seu relógio e tira uma antena, ativando seu TLE.

"Vamos", diz ela. "Não podemos ficar aqui sentados."

"Eu posso", retruca Marino.

"Nic?" Lucy se vira. "Você tem alguma idéia da profundidade da água aqui?"

"Não é muito fundo, se fosse, não haveria toda essa vegetação. O problema é a lama. Dá para afundar até o joelho nela."

"Eu não vou para lugar nenhum", diz Marino. "Para quê? O barco afundou, então ela não vai a lugar nenhum também. E eu não vou ser picado por cobra, nem ser comido por algum jacaré escroto."

"Podemos fazer o seguinte", continua Nic, como se Marino não estivesse atrás com ela. "Essa vegetação se estende até atrás da cabana, e eu sei que a água não é muito funda porque a gente costumava calçar botas de borracha de cano alto para pegar mexilhões."

"Eu vou", diz Lucy, abrindo de novo a porta.

O problema para Lucy é que o flutuador cheio do lado do seu trenó de pouso vai impossibilitar que ela desça devagar, um pé por vez. Ela aperta o cadarço de suas botas que chegam ao tornozelo e passa para Rudy sua Glock e carregadores extras.

Empoleirada na beirada da porta como uma pára-quedista, ela diz: "Lá vou eu!".

Pousa na água com os pés primeiro e fica agradavelmente surpresa por descobrir que afundou até pouco acima da altura de suas botas. Se andar depressa, ela não afunda muito. Aproximando-se do helicóptero, o rosto respingado de água suja, ela estende a mão para pegar de volta sua arma, que enfia na parte de trás da cintura. Os carregadores são colocados temporariamente em um dos bolsos.

Todos se revezam para segurar armas e munições quando Rudy e depois Nic pulam para fora, saindo pelo mesmo lado do helicóptero pelo qual Lucy saiu. Marino continua sentado e bravo no banco de trás.

"Você vai ficar sentado aí até o helicóptero virar de uma vez?" Rudy levanta a voz. "Seu idiota! Sai daí!"

Marino desliza pelo banco e joga sua arma para Rudy. Ele pula, perde o equilíbrio e cai, batendo a cabeça em um dos flutuadores. Quando consegue se levantar, está coberto de lama e praguejando.

"Shhhh", diz Lucy. "A água leva as vozes. Você está bem?"

Marino limpa as mãos na camiseta de Rudy e raivosamente pega de volta sua arma. Os TLES piscam com força nas telas de radar das torres dos aeroportos, e os sinais são vistos por quaisquer pilotos que estejam monitorando a freqüência de emergência.

Eles andam com dificuldade, tensos e alertas para avistar cobras, ouvindo-as roçar contra a vegetação alta. Quando os quatro estão a uns trinta metros da cabana, as armas levantadas acima das cabeças, os canos apontados para cima, a porta de tela se abre novamente com um rangido, e Bev sai correndo no píer com a espingarda, guinchando e gritando com eles, insana e suicida, cheia de desespero e raiva.

Antes que ela consiga sequer fazer pontaria, Rudy dispara.

Blam! Blam! Blam!

Ela cai sobre as velhas pranchas de madeira e rola para dentro da água, ao lado do barco semi-submerso.

123

Albert Dard abre a porta imponente, a parte da frente de sua camisa de manga comprida manchada de sangue.

"O que aconteceu?", pergunta Scarpetta, entrando.

Ela se abaixa e levanta suavemente a camisa dele. Formando um desenho de jogo-da-velha em sua barriga há cortes não muito fundos. Scarpetta solta um suspiro profundo, abaixa a camisa do garoto e se ergue.

"Quando você fez isso?" Ela segura a mão dele.

"Depois que ela saiu e não voltou. Então ele saiu. O homem do avião. Eu não gosto dele!"

"A sua tia não voltou?"

Ao se aproximar da casa, Scarpetta notou que um Mercedes branco e o velho Volvo da sra. Guidon estavam parados na frente.

"Vocês têm algum lugar na casa onde eu possa fazer alguma coisa para cuidar desses cortes?"

Ele balança a cabeça. "Eu não quero fazer nada."

"Bom, eu quero. Sou médica. Vamos."

"Você é?" Ele parece perplexo, como se nunca tivesse imaginado que mulheres poderiam ser médicas.

Ele a conduz escada acima até um banheiro que, como a cozinha, não é renovado há anos. Nele há uma banheira branca antiquada, uma pia branca e um armário de remédios, onde ela encontra iodo, mas não Band-Aid.

"Vamos tirar essa camisa." Ela o ajuda a puxar a camisa

pela cabeça. "Você é corajoso? Eu sei que é. Cortar o próprio corpo desse jeito deve doer, não é?"

Ela fica consternada pela enorme quantidade de cicatrizes que cobrem a costas e os ombros dele.

"Eu realmente não sinto nada quando corto", diz ele, o olhar ansioso enquanto ela tira a tampa do frasco de iodo.

"Receio que você vá sentir isto, Albert. Uma pequena ferroada." Ela mente da mesma maneira que fazem todos os médicos quando algum procedimento vai doer muito.

Ela trabalha depressa enquanto ele morde o lábio. Ele abana as mãos para esfriar a queimação ao mesmo tempo em que tenta não chorar.

"Você *é* corajoso", diz ela, abaixando a tampa do vaso sanitário e sentando-se. "Quer me contar por que começou a se cortar? Alguém disse que isso começou muitos anos atrás."

Ele abaixa a cabeça.

"Você pode me dizer." Ela segura as duas mãos dele. "Nós somos amigos, não somos?"

Ele balança a cabeça devagar, concordando.

"Vieram umas pessoas", sussurra ele. "Eu ouvi carros. Minha tia saiu, e eu também, só que me escondi. E eles tiraram uma mulher do carro, e ela estava tentando gritar, mas eles tinham amarrado ela." Ele aponta para a própria boca, indicando uma mordaça. "Então eles empurraram ela para a adega."

"A adega de vinhos?"

"É."

Scarpetta se lembra da insistência da sra. Guidon para lhe mostrar a adega de vinhos. O pavor arrepia-lhe os cabelos da nuca. Ela está aqui. Não sabe quem mais está aqui, a não ser Albert, e poderia chegar alguém a qualquer momento.

"Um dos que estavam com a mulher amarrada era um monstro." A voz de Albert fica alta, e seus olhos arregalam-se de terror. "Como os que eu vejo na TV, nos filmes de terror, com aqueles dentes afiados e pêlo comprido. Eu estava morrendo de medo que ele me visse atrás dos arbustos!"

Jean-Baptiste Chandonne.

"E então minha cachorrinha, Nestlé. Ela nunca mais voltou para casa!" Ele começa a chorar.

Scarpetta ouve a porta da frente abrir e fechar, e passos no andar de baixo.

"Tem algum telefone aqui em cima?", sussurra Scarpetta para Albert.

Aterrorizado, ele enxuga as lágrimas.

Ela repete a pergunta, aflita.

Ele a encara, paralisado.

"Vá para o seu quarto e tranque a porta!"

Ele toca os ferimentos na barriga e esfrega-os, fazendo com que sangrem.

Durante muitos minutos ela espera, ouvindo os passos, até que eles param. Os passos parecem ser de um homem, relativamente pesado, mas não o som pronunciado de couro duro contra madeira. Ele começa a andar novamente, e o coração de Scarpetta dispara quando ela tem a impressão de que ele está indo na direção da escada. Ela o ouve no primeiro degrau e sai do banheiro, porque não quer que ele — e ela tem certeza de que é Jean-Baptiste Chandonne — encontre Albert.

No topo da escada ela fica imóvel, segurando com toda sua força o corrimão, olhando para ele no fim dos degraus, a visão dele deixando-a completamente atordoada. Ela fecha os olhos e os abre de novo, pensando que ele terá desaparecido. Lentamente, ela desce um degrau por vez, ainda segurando no corrimão, o olhar fixo. Na metade da escada, ela se senta, o olhar continua fixo.

Benton Wesley está imóvel, e seu olhar também está fixo. Os olhos ficam úmidos com lágrimas que ele logo faz desaparecer, piscando.

"Quem é você?" A voz de Scarpetta soa a quilômetros de distância. "Você não é ele."

"Sou."

Ela começa a chorar.

"Por favor, desça. Ou você prefere que eu suba e pegue você?" Ele não quer tocá-la até que ela esteja pronta. Até que ele esteja pronto também.

Ela se levanta e desce a escada lentamente. Quando chega perto dele, ela se afasta e fica longe.

"Então você faz parte disto tudo, seu desgraçado. Seu maldito desgraçado." A voz treme de maneira tão violenta que ela mal consegue falar. "Então acho que é melhor você me matar, porque agora eu sei. O que você andou fazendo esse tempo todo em que pensei que você estava morto? Estava com eles!" Ela olha para a escada, como se houvesse alguém em pé lá. "Você é um deles!"

"Posso ser qualquer coisa, menos isso", diz ele.

Enfiando a mão em um dos bolsos do paletó, ele tira um pedaço de papel branco dobrado. Abre-o com cuidado. É um envelope da Academia Nacional de Justiça, igual à fotocópia que Marino mostrou a ela — a fotocópia do envelope contendo as cartas que Chandonne escreveu para Marino e para ela.

Benton joga o envelope no chão onde ela possa vê-lo.

"Não", diz ela.

"Por favor, vamos conversar."

"Você contou a Lucy onde Rocco estava. Você sabia o que ela ia fazer!"

"Você está a salvo."

"E você tramou para que eu fosse visitar *ele*. Eu nunca escrevi para ele. Foi *você* quem escreveu uma carta supostamente minha, afirmando que eu queria ir vê-lo para fazer um trato."

"É isso."

"Por quê? Por que você me sujeitou a isso? Para me fazer encarar aquele homem, aquele triste rascunho de ser humano?"

"Você acabou de chamá-lo de homem. Isso mesmo. Jean-Baptiste Chandonne é um homem, não um monstro, nem um mito. E queria que você o confrontasse antes que ele morresse. Eu queria que você recuperasse o seu poder."

"Você não tinha o direito de controlar a minha vida, de me manipular desse jeito!"

"Você se arrepende de ter ido?"

Por um momento ela fica calada. Então diz: "Você estava errado. Ele não morreu".

"Eu não previ que você iria dar a ele uma razão para ficar vivo. Eu deveria saber. Psicopatas como ele não querem morrer. Acho que pelo fato de ele ter se declarado culpado no Texas, onde sabia que seria condenado à morte, eu me iludi achando que ele realmente queria..."

"Você estava errado", acusa ela novamente. "Você teve tempo demais para brincar de Deus. E não sei em que você se transformou, em algum, algum tipo de..."

"Eu errei, sim. Calculei mal, sim. Tornei-me uma máquina, Kay."

Ele disse o nome dela. E aquilo faz até a alma dela tremer.

"Agora não há mais ninguém aqui que possa machucá-la", diz ele.

"Agora?"

"Rocco está morto. Weldon Winn está morto. Jay Talley está morto."

"Jay?"

Benton se retrai. "Lamento. Se você ainda se importa."

"Com Jay?" A confusão faz tudo girar. Ela se sente tonta, prestes a desmaiar. "Me importar com ele? Como? Você sabe de tudo?"

"Mais do que tudo", responde ele.

124

Dentro da cozinha, eles se sentam à mesma mesa de açougueiro em que Scarpetta conversou com a sra. Guidon em uma noite de que mal se lembra.

"Eu entrei fundo demais", diz Benton.

Eles estão sentados um de frente para o outro.

"Era aqui, neste lugar deles, onde muitos dos grandes participantes do jogo vinham realizar seus negócios sujos no porto e no Mississippi. Rocco. Weldon Winn. Talley. Até mesmo Jean-Baptiste."

"Você o encontrou?"

"Muitas vezes", diz Benton. Aqui nesta casa. Ele me achava divertido e muito mais simpático com ele do que os outros. Chegando e saindo, o bando era grande. Guidon era a senhora do solar, por assim dizer. Tão ruim quanto o restante deles."

"Era?"

Benton hesita. "Vi Winn entrando na adega. Eu não sabia que os outros estavam lá, pensei que talvez Jean-Baptiste estivesse, escondido. Eram ela e Talley. Não tive outra opção."

"Você os matou."

"Não tive opção", repete ele.

Scarpetta balança a cabeça.

"Seis anos atrás, outro agente estava trabalhando comigo, Minor. Riley Minor. Parece que era desta região. Ele fez alguma coisa estúpida, não tenho certeza sobre o que foi. Mas acabaram colocando-o no espetáculo deles." Benton move a cabeça na direção da adega. "A câmara de tortura, onde fazem todo mundo falar. Há anéis de ferro nas paredes do tempo da escravidão, e Talley gostava de maçaricos e outros meios de extrair informações. Com rapidez.

"Quando os vi arrastando Minor para dentro da adega, eu soube que a operação havia acabado e fugi o mais rápido que pude."

"Você não tentou ajudá-lo?"

"Impossível."

Ela fica em silêncio.

"Se eu não tivesse *morrido*, eu teria morrido, Kay. Se eu não tivesse *morrido*, nunca poderia estar próximo de você, de Lucy, de Marino. Nunca mais. Porque eles teriam matado você também."

"Você é um covarde", diz ela, sem nenhuma emoção.

"Entendo que você me odeie por tudo que a fiz sofrer."

"Você poderia ter me contado! Assim eu não ia sofrer!"

Ele olha para ela por um longo momento, lembrando-se de seu rosto. Não mudou muito. Nada nela mudou muito.

"O que você teria feito, Kay, se eu tivesse lhe contado que minha morte precisava ser forjada e que eu nunca a veria novamente?", pergunta ele.

Ela não tem a resposta que achava que tivesse. A verdade é que ela não teria deixado que ele desaparecesse, e ele sabe disso. "Eu teria corrido o risco." A mágoa fecha-lhe a garganta novamente. "Por você, eu teria."

"Então você entende. E se representa algum consolo, eu sofri. Não se passou um único dia em que eu não tivesse pensado em você."

Ela fecha os olhos e tenta estabilizar a respiração.

"Aí eu não consegui agüentar mais. Eu fiquei tão infeliz, tão furioso, que comecei a imaginar um caminho. Como no xadrez..."

"Um jogo?"

"Não um jogo. Era bastante sério para mim. Uma a uma, eliminar todas as maiores ameaças, sabendo que assim que eu me revelasse nunca mais poderia voltar atrás, porque se falhasse eu seria reconhecido. Ou simplesmente seria morto no processo."

"Eu nunca acreditei em justiceiros."

"Acho que você pode conversar sobre isso com o seu amigo, o senador Lord. Os Chandonne financiam intensamente o terrorismo, Kay."

Ela se levanta. "É muita coisa, é muita coisa para um dia. Muita coisa." Ela olha para cima, lembrando-se de repente de Albert. "Aquele garotinho maltratado é realmente filho de Charlotte Dard?"

"Sim."

"Por favor, não me diga que você é o pai dele."

"Jay Talley é o pai. Era. Albert não sabe disso. Ele sempre ouvia essa história misteriosa sobre um pai muito famoso e ocupado que ele nunca encontrava. Uma fantasia de criança. Ele ainda acredita que tem esse pai onipotente em algum lugar. Talley teve um caso rápido com Charlotte. Certa noite, quando eu estava aqui, houve uma festa, e Charlotte convidou uma conhecida, uma comerciante de antigüidades..."

"Eu sei", diz Scarpetta. "Pelo menos essa questão vai ser resolvida."

"Talley a viu, falou com ela, foi até a casa dela. Ela resistiu, algo que ele não tolerava. Ele a assassinou, e pelo fato de Charlotte tê-los visto juntos, e pelo fato de Talley estar cansado de Charlotte, entediado com ela, ele cuidou para que ela morresse. Encontrou-se com ela, deu-lhe os remédios."

"Pobre garotinho."

"Não se preocupe", diz Benton.

"Onde estão Lucy e Marino? Onde estão Rudy e Nic?" Só agora ela se lembra deles.

"Foram recolhidos por um helicóptero da Guarda Costeira cerca de meia hora atrás. Depois de atacarem o esconderijo de Bev Kiffin e Jay Talley."

"Como você sabe?"

Ele se levanta da mesa. "Tenho minhas fontes."

Benton aproxima-se dela, olhando em seus olhos. "Se você me odiar para sempre, eu vou entender. Se você não quiser estar comigo, eu não a culpo... bem, você não deve fazer isso. Jean-Baptiste ainda está lá fora. Ele vai vir atrás de mim. De alguma maneira."

Ela não diz nada, esperando a alucinação passar.

"Posso tocar você?", pergunta Benton.

"Não interessa quem mais está lá fora. Eu passei por coisas demais."

"Posso tocar você, Kay?"

Ela levanta as mãos dele e as aperta contra seu rosto.

SÉRIE POLICIAL

Réquiem caribenho
Brigitte Aubert

Bellini e a esfinge
Bellini e o demônio
Bellini e os espíritos
Tony Bellotto

Os pecados dos pais
O ladrão que estudava Espinosa
Punhalada no escuro
O ladrão que pintava como Mondrian
Uma longa fila de homens mortos
Bilhete para o cemitério
O ladrão que achava que era Bogart
Quando nosso boteco fecha as portas
Lawrence Block

O destino bate à sua porta
James Cain

Post-mortem
Corpo de delito
Restos mortais
Desumano e degradante
Lavoura de corpos
Cemitério de indigentes
Causa mortis
Contágio criminoso
Foco incial
Alerta negro
A última delegacia
Mosca-varejeira
Patricia D. Cornwell

Vendetta
Michael Dibdin

Edições perigosas
Impressões e provas
A promessa dol ivreiro
John Dunning

Máscaras
Passado perfeito
Leonardo Padura Fuentes

Tão pura, tão boa
Correntezas
Frances Fyfield

O silêncio da chuva
Achados e perdidos
Vento sudoeste
Uma janela em Copacabana
Perseguido
Berenice procura
Luiz Alfredo Garcia-Roza

Neutralidade suspeita
A noite do professor
Transferência mortal
Um lugar entre os vivos
Jean-Pierre Gattégno

Continental Op
Dashiell Hammett

O talentoso Ripley
Ripley subterrâneo
O jogo de Ripley
Ripley debaixo d'água
O garoto que seguiu Ripley
Patricia Highsmith

Sala dos Homicídios
Morte no seminário
Uma certa justiça

Pecado original
A torre negra
Morte de um perito
O enigma de Sally
P. D. James

Música fúnebre
Morag Joss

Sexta-feira o rabino acordou tarde
Sábado o rabino passou fome
Domingo o rabino ficou em casa
Segunda-feira o rabino viajou
O dia em que o rabino foi embora
Harry Kemelman

Um drink antes da guerra
Apelo às trevas
Sagrado
Gone, baby, gone
Sobre meninos e lobos
Paciente 67
Dennis Lehane

Morte em terra estrangeira
Morte no Teatro La Fenice
Donna Leon

A tragédia Blackwell
Ross Macdonald

É sempre noite
Léo Malet

Assassinos sem rosto
Os cães de Riga
A leoa branca
Henning Mankell

Os mares do Sul
O labirinto grego
O quinteto de Buenos Aires
O homem da minha vida
A Rosa de Alexandria
Manuel Vázquez Montalbán

O diabo vestia azul
Walter Mosley

Informações sobre a vítima
Vida pregressa
Joaquim Nogueira

Revolução difícil
Preto no branco
George Pelecanos

A morte também freqüenta o Paraíso
Lev Raphael

Serpente
A confraria do medo
A caixa vermelha
Cozinheiros demais
Milionários demais
Mulheres demais
Ser canalha
Aranhas de ouro
Clientes demais
Rex Stout

Fuja logo e demore para voltar
O homem do avesso
Fred Vargas

A noiva estava de preto
Casei-me com um morto
Cornell Woolrich

ESTA OBRA FOI COMPOSTA PELA SPRESS EM GARAMOND E IMPRESSA PELA GEOGRÁFICA EM OFSETE SOBRE PAPEL PAPERFECT DA SUZANO BAHIA SUL PARA A EDITORA SCHWARCZ EM MAIO DE 2006